EIKEN
Grade 2

単熟語
EX
シリーズ

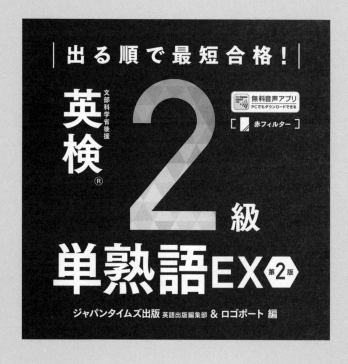

出る順で最短合格！

文部科学省後援
英検®

無料音声アプリ
PCでもダウンロードできる

［ 赤フィルター ］

2級

単熟語EX 第2版

ジャパンタイムズ出版 英語出版編集部 & ロゴポート 編

JN107270

the japan times 出版

本書は『出る順で最短合格！ 英検®2級単熟語 EX』の改訂版です。旧版同様、過去問データ（直近15年、約26万語）を徹底分析して作られています。

2級の受験者が語彙力を強化すべき理由は2つあります。

1つは、語彙力がリーディング、リスニング、ライティング、スピーキングすべての土台となるからです。単語や熟語を知らなければ、英語を読むことも、聞くことも、書くことも、話すこともできません。これは英検®受験者だけでなく、英語を学習するすべての人に共通する課題です。

そしてもう1つは、筆記大問1で高得点を取るためです。試験の最初に課される筆記大問1の語彙問題は、リーディング問題の中で大きな割合を占めるばかりでなく、選択肢の意味さえ知っていれば正解することのできる、学習が結果に結びつきやすい問題形式だからです。筆記大問1の選択肢に並ぶ語句は、大学入試用のどんな単語集にも収録されているような重要語句ばかりで、ここに登場する語句を頭に入れておくことは、2級の合格にも必要不可欠と言うことができます。

このような重要語句をしっかりと身につけていただくため、本改訂版では初版に収録されていた public, comment, damage, staff, design といった高校入試レベルの語句の収録を見送る一方、abandon, vague, mixture, convince, religion, genuine といった、筆記大問1の選択肢に繰り返し登場している重要語句を積極的に採用しています。そして即戦力を高めるため、筆記大問1の選択肢として登場した頻度を掲載順の主な基準としました。

これらの語句の多くは長文読解問題やリスニング問題にも登場するため、マスターしておけば2級全体の対策になります。さらに、Unit11～15では、筆記大問1の選択肢になっていない頻出語も取り上げていますので、筆記大問1以外の問題にも完全に対応することができます。

　今回の改訂では、初版収録語の訳語や例文も大幅に見直しました。また、単語を覚える際のきっかけとなるよう、語源情報も適宜取り入れました。

　2級では筆記大問1を含め、熟語が多数出題されるため、Part 2では500近くの熟語を取り上げました。またPart 3では筆記大問1やリスニング第1部で出題される会話表現も取り上げています。さらにPart 4の「テクニカルターム」には、生物名、環境や経済、歴史などの用語をまとめました。こうした語句は、意味さえ押さえておけば読解問題やリスニング問題に非常に役立つので、ぜひ試験前に確認しておきましょう。

　見出し語句数は2,020、類義語、反意語、派生語などの関連語句を含めた総収録語句数は約3,400です。無料ダウンロード音声には、見出し語句と訳語、例文（英語）が収録されているので、音とセットで覚え、リスニング対策にも活用してください。

　皆さんが本書を使って2級合格に必要な語彙力を身につけ、合格の栄冠を手にされることを心からお祈りしています。

編者

## 目次

　本書は、皆さんが英検®2級の合格に必要な語彙力をつけることができるよう、過去15年分の過去問題を徹底的に分析して作られています。すべての情報を効果的に活用するために、構成を確認しましょう。

### 1 Part と Unit

全体を4つの Part に分け、さらに24の Unit に分割しています。Part 1（Unit 01～15）に単語、Part 2（Unit 16～22）に熟語、Part 3（Unit 23）に会話表現、Part 4（Unit 24）にテクニカルターム（主に読解問題に登場する専門用語）を収録しています。

### 2 見出し項目

過去問データの分析に基づき、2級合格に必要な約2,000語句を紹介しています。特に Part 1 と 2 の掲載順は筆記大問1における出題頻度を主な基準としています。

### 3 発音記号

米音を採用しています。

### 4 語源情報

①の後ろには、語源情報を掲載しています。

### 5 訳語

訳語は、過去問の分析で「よく出る」と判断されたものを取り上げています。また必要に応じ、類義語・反意語の情報も載せました。訳語は赤フィルターで隠すことができます。

Part 1 / Unit 01 / 主に筆記大問1で複数回正解になった語

**00 01 vehicle**
[víːɪkl] ▲発音注意。
① vehi (運ぶ) +-cle (指小辞)
名 乗り物、車

**00 02 abandon**
[əbǽndən]
動 ①（場所・乗り物など）を捨てる、放棄する
②（人・動物など）を見捨てる
▶ abandoned 見捨てられた

**00 03 vague**
[véɪg]
形 あいまいな、漠然とした（⇔clear）

**00 04 evidence**
[évədəns]
名 証拠（≒proof）
① e- (外に) +vid (見る) +-ence (名)

**00 05 feature**
[fíːtʃər]
動（雑誌・テレビなどで）～を特集する、取り上げる
名 特徴
① feat (作る) +-ure (結果)

**00 06 stir**
[stə́ːr]
動（液体など）をかき回す、かき混ぜる

**00 07 restore**
[rɪstɔ́ːr]
動 ～を元の状態に戻す、復元する
▶ restoration 復元
① re- (元に) +store (回復する)

**00 08 preserve**
[prɪzə́ːrv]
動 ①～を保存する、保護する（≒protect）
②（水準など）を保つ、維持する（≒maintain）
名 自然保護区（≒reserve）
▶ preservation 保存
① pre- (前もって) +serve (保つ)

**00 09 mixture**
[mɪ́kstʃər]
名 ①混合物 ②融合
▶ mix ～を混ぜる

**00 10 budget**
[bʌ́dʒət]
名 予算
形 安い、予算に合った
① budg (袋) +-et (小さい)

**00 11 approve**
[əprúːv]
動 ①よいと認める、賛成する
②（～を公に）承認する
▶ approve of ～ で「～をよいと認める」という意味。
① ap- (～に) +prove (証明する)

**00 12 reverse**
[rɪvə́ːrs]
動 ①（考えなど）を覆す
②（方向・向きなど）を逆にする（≒turn around）
① re- (後ろに) +verse (曲がる)

010

**アイコンの見方**

〈 〉 … 他動詞の目的語、自動詞・形容詞の主語にあたる訳語であることを表します。

( ) … 訳語の補足説明／省略可能であることを表します。

[ ] … 訳語の注記／言い換え可能であることを表します。

**名** … この色のアイコンは見出し項目の品詞を表します。

**動** … この色のアイコンは派生語の品詞を表します。

≒ … 類義語を表します。　　⇔ … 反意語を表します。

**6　注記**

語法や関連語句、注意すべき複数形、共通の語源を持つ語など、幅広い情報を紹介しています。

**7　派生語情報**

見出し語と派生関係にある単語を取り上げています。

**8**

| | |
|---|---|
| Several hundred thousand **vehicles** travel on the highway every day. | 毎日、何十万台もの自動車がその幹線道路を通る。 |
| They **abandoned** the broken car on the side of the road. | 彼らは壊れた車を道路脇に乗り捨てた。 |
| I only have a **vague** memory of my grandmother. | 祖母については漠然とした記憶しかない。 |
| There is no **evidence** to support his story. | 彼の話を裏づける証拠はない。 |
| Our restaurant is going to be **featured** on the local news tonight. | うちのレストランは今夜地元のニュースで特集される。 |
| Could you keep **stirring** the soup for me? | 私の代わりにスープをかき混ぜていてくれますか。 |
| The museum will **restore** the ancient paintings. | 美術館はその古代の絵画を修復する予定だ。 |
| The organization works to **preserve** historical buildings around town. | その組織は、町にある歴史的建造物を保存するために活動している。 |
| The students combined acid and water to create a **mixture**. | その生徒たちは酸と水を混ぜ合わせて混合物を作った。 |
| Carl has a small **budget** for his trip to Vietnam. | カールのベトナム旅行の予算は少ない。 |
| I hope the client will **approve** of the proposal. | 顧客がその提案を認めてくれるといいのだが。 |
| The company **reversed** its decision to stop selling the product. | その会社は、その製品の販売を中止するという決定を撤回した。 |

**9**

🔊 Track 001

00-11

011

**8　例文**

Part 1 〜 3 のすべての項目には、出題される意味や用法に沿ったシンプルで覚えやすい例文がついています。例文ごと覚えれば、語句の使い方も身につきます。

**9　音声トラック番号**

すべての見出し項目の語句とその日本語訳、全例文（Part 3 の会話表現は例文のみ）を収録しています。音で聞き、自分でも発音することで、記憶はよりしっかりと定着し、リスニング力アップにもつながります。音声の再生方法は p. 008 を参照してください。

**コラム**

章末のコラムでは、同じ接辞・語根を使う単語をまとめていますので、語根のイメージを身につけ、本文の語源情報の理解を深めてください。

　本書の音声は、スマートフォン（アプリ）やパソコンを通じて MP3 形式でダウンロードし、ご利用いただくことができます。

### 📱 スマートフォン

1. ジャパンタイムズ出版の音声アプリ「OTO Navi」をインストール
2. OTO Navi で本書を検索
3. OTO Navi で音声をダウンロードし、再生

3 秒早送り・早戻し、繰り返し再生などの便利機能つき。学習にお役立てください。

### 💻 パソコン

1. ブラウザからジャパンタイムズ出版のサイト「BOOK CLUB」にアクセス

**https://bookclub.japantimes.co.jp/book/b631005.html**

2. 「ダウンロード」ボタンをクリック
3. 音声をダウンロードし、iTunes などに取り込んで再生
   ※ 音声は zip ファイルを展開（解凍）してご利用ください。

---

本書には、次の 2 種類の音声が付属しています。学習のスタイルや進捗によって使い分け、語彙力アップに役立ててください。

• 見出し語（英語）→ 訳語（日本語）→ 例文（英語）：スタンダードな音声
• 訳語（日本語）→ 見出し語（英語）：日本語から英語を類推する負荷の高い「鬼モード」

# Part 1

# 単語

単語は、以下の優先順位を基に配列されています。

① 筆記大問 1 で正解になった語の頻度
② 筆記大問 1 で誤答になった語の頻度
③ 筆記大問 1 の選択肢以外（主に長文読解問題や
   リスニング問題）で出題された語の頻度

筆記大問 1 の選択肢として出題された語が長文などで登場するケースも、数多くあります。

試験まで時間がなく、短時間で筆記大問 1 の対策をしたい場合は、Unit 01 から学習してください。時間があり、Unit 01 から始めて難しく感じた場合は、Unit 11 ～ 15 を先に学習し、そのあと Unit 01 から続けるとよいでしょう。

主に筆記大問1で複数回正解になった語

| 00 01 | **vehicle** [víːəkl] ⚠ 発音注意。 ① vehi (運ぶ) + -cle (指小辞) | 名 乗り物、車 |
|---|---|---|
| 00 02 | **abandon** [əbǽndən] | 動 ① 〈場所・乗り物など〉を捨てる、放棄する ② 〈人・動物など〉を見捨てる 形 abandoned 見捨てられた |
| 00 03 | **vague** [véɪg] | 形 あいまいな、漠然とした (⇔ clear) |
| 00 04 | **evidence** [évədəns] ① e- (外に) + vid (見る) + -ence 名 | 名 証拠 (≒ proof) |
| 00 05 | **feature** [fíːtʃər] ① feat (作る) + -ure (結果) | 動 (雑誌・テレビなどで) ～を特集する、取り上げる 名 特徴 |
| 00 06 | **stir** [stə́ːr] | 動 〈液体など〉をかき回す、かき混ぜる |
| 00 07 | **restore** [rɪstɔ́ːr] ① re- (元に) + store (回復する) | 動 ～を元の状態に戻す、復元する 名 restoration 復元 |
| 00 08 | **preserve** [prɪzə́ːrv] ① pre- (前もって) + serve (保つ) | 動 ① ～を保存する、保護する (≒ protect) ② 〈水準など〉を保つ、維持する (≒ maintain) 名 自然保護区 (≒ reserve) 名 preservation 保存 |
| 00 09 | **mixture** [míkstʃər] | 名 ① 混合物 ② 融合 動 mix ～を混ぜる |
| 00 10 | **budget** [bʌ́dʒət] ① budg (袋) + -et (小さい) | 名 予算 形 安い、予算に合った |
| 00 11 | **approve** [əprúːv] ① ap- (～に) + prove (証明する) | 動 ① よいと認める、賛成する ② ～を (公に) 承認する ▶ approve of ～ で「～をよいと認める」という意味。 |
| 00 12 | **reverse** [rɪvə́ːrs] ① re- (後ろに) + verse (曲がる) | 動 ① 〈考えなど〉を覆す ② 〈方向・向きなど〉を逆にする (≒ turn around) |

| Several hundred thousand **vehicles** travel on the highway every day. | 毎日、何十万台もの自動車がその幹線道路を通る。 |
| They **abandoned** the broken car on the side of the road. | 彼らは壊れた車を道路脇に乗り捨てた。 |
| I only have a **vague** memory of my grandmother. | 祖母については漠然とした記憶しかない。 |
| There is no **evidence** to support his story. | 彼の話を裏づける証拠はない。 |
| Our restaurant is going to be **featured** on the local news tonight. | うちのレストランは今夜地元のニュースで特集される。 |
| Could you keep **stirring** the soup for me? | 私の代わりにスープをかき混ぜていてくれますか。 |
| The museum will **restore** the ancient paintings. | 美術館はその古代の絵画を修復する予定だ。 |
| The organization works to **preserve** historical buildings around town. | その組織は、町にある歴史的建造物を保存するために活動している。 |
| The students combined acid and water to create a **mixture**. | その生徒たちは酸と水を混ぜ合わせて混合物を作った。 |
| Carl has a small **budget** for his trip to Vietnam. | カールのベトナム旅行の予算は少ない。 |
| I hope the client will **approve of** the proposal. | 顧客がその提案を認めてくれるといいのだが。 |
| The company **reversed** its decision to stop selling the product. | その会社は、その製品の販売を中止するという決定を撤回した。 |

| 00 13 | **launch**<br>[lɔ́:ntʃ] | 動 ① 〈ロケットなど〉を打ち上げる<br>② 〈新製品など〉を売り出す<br>③ 〈組織的な活動など〉を開始する |

| 00 14 | **behave**<br>[bɪhéɪv] | 動 ① 行動する、振る舞う ② 行儀よくする<br>▶ behave *oneself* (行儀よくする) という形でも使われる。<br>名 behavior 行動、振る舞い |

| 00 15 | **imply**<br>[ɪmpláɪ]<br>① im- (中に) +ply (折る) | 動 ～をほのめかす、暗に言う (≒suggest)<br>▶ imply that ... (…ということを暗示する) という形でも使われる。<br>名 implication 含意、暗示 形 implicit 暗黙の |

| 00 16 | **postpone**<br>[poʊstpóʊn]<br>① post- (後に) +pone (置く) | 動 ～を延期する (≒put off) |

| 00 17 | **convince**<br>[kənvíns]<br>① con- (完全に) +vince (征服する) | 動 ① 〈人〉を説得する (≒persuade)<br>② 〈人〉を納得させる、確信させる<br>▶ convince A to *do* で 「〈人〉に～するように説得する」 という意味。 名 conviction 確信 |

| 00 18 | **estimate**<br>[動 éstəmèɪt 名 éstəmət] | 動 ～と見積もる、概算する<br>名 見積もり、概算 |

| 00 19 | **despite**<br>[dɪspáɪt] | 前 ～にもかかわらず (≒in spite of ～) |

| 00 20 | **frequently**<br>[frí:kwəntli] | 副 しばしば、頻繁に (≒often)<br>形 frequent 頻繁な<br>名 frequency 頻繁、頻度 |

| 00 21 | **relative**<br>[rélətɪv]<br>① re- (元に) +lat (運ぶ) + -ive 形 | 名 親類、親戚<br>形 相対的な<br>副 relatively 比較的 |

| 00 22 | **respond**<br>[rɪspá:nd]<br>① re- (～に対して) +spond (約束する) | 動 ① 答える、応じる (≒reply)<br>② (刺激に) 反応する (≒react)<br>名 response 答え；反応 |

| 00 23 | **struggle**<br>[strʌ́gl] | 動 奮闘する、苦闘する<br>名 (長期の) 奮闘、苦闘 |

| 00 24 | **politely**<br>[pəláɪtli] | 副 丁寧に、礼儀正しく<br>形 polite 丁寧な、礼儀正しい |

| Many private companies are now developing rockets to **launch** into space. | 現在、多くの民間企業が宇宙に打ち上げるロケットを開発している。 |
| I am currently studying how killer whales **behave** in the wild. | 私は今、野生におけるシャチの行動を研究している。 |
| What are you trying to **imply**? | 何を言おうとしているのですか。 |
| The game was **postponed** due to the rain. | 試合は雨で延期された。 |
| She **convinced** her boss **to** buy a new printer for the office. | 彼女は、オフィスに新しいプリンターを購入するよう上司を説得した。 |
| He **estimated** that he would need $5,000 for the trip. | 彼は旅行に 5,000 ドル必要だと見積もった。 |
| Jennifer did not win the speech contest **despite** her best efforts. | 精一杯努力したにもかかわらず、ジェニファーはスピーチコンテストで優勝できなかった。 |
| Josh travels to his hometown **frequently** to visit his parents. | ジョシュは頻繁に故郷に行き、両親の元を訪れている。 |
| Some of her **relatives** moved from India to join her in Japan. | 親戚の何人かが彼女と一緒に暮らすためにインドから日本に移ってきた。 |
| The famous writer is known for **responding** to letters from fans. | その著名な作家は、ファンからの手紙に返事を書くことで知られている。 |
| The principal is **struggling** to improve his school. | 校長は学校をよくしようと苦心している。 |
| She **politely** declined the invitation. | 彼女は招待を丁重に断った。 |

00-
24

| 00 25 | **compose** [kəmpóuz] ① com- (共に) +pose (置く) | 動 ① ～を創作する、作曲する ② ～を構成する (≒make up) 名 composition 作曲、作文；構成 |
|---|---|---|
| 00 26 | **divide** [dɪváɪd] ① di- (分離) +vide (分ける) | 動 ～を分ける (≒separate, split) 名 division 分割 |
| 00 27 | **concept** [ká:nsept] ① con- (完全に) +cept (取り入れられたもの) | 名 概念、コンセプト |
| 00 28 | **interfere** [ìntərfíər] ① inter- (間に) +fere (打つ) | 動 妨げる、邪魔をする ▶ interfere with ～ (～を妨げる) の形でよく出題される。 名 interference 妨害、障害 |
| 00 29 | **hesitantly** [hézətəntli] | 副 ためらいがちに、おずおずと 形 hesitant ためらいがちな 名 hesitation ためらい、ちゅうちょ 動 hesitate ためらう、ちゅうちょする |
| 00 30 | **element** [éləmənt] | 名 ① 要素 ② 元素 形 elementary 初級の；元素の |
| 00 31 | **tolerate** [tá:lərèɪt] ① toler (耐える) +-ate 動 | 動 ～を許す、黙認する 形 tolerant 寛容な 名 tolerance 寛容 |
| 00 32 | **eventually** [ɪvéntʃuəli] | 副 結局、ついに (≒in the end) |
| 00 33 | **disappointed** [dìsəpóɪntɪd] ① dis- (否定) +appoint (指名する) +-ed | 形 がっかりした 形 disappointing がっかりさせるような 動 disappoint ～をがっかりさせる 名 disappointment 失望 |
| 00 34 | **survey** [名 sə́:rvèɪ 動 sərvéɪ] ① sur- (上から) +vey (見る) | 名 ① 調査、アンケート ② 概観、見渡すこと 動 ～を調査する |
| 00 35 | **participate** [pɑːrtísəpèɪt] ▲アクセント注意。 ① part(i) (部分) +cip (取る) +-ate 動 | 動 参加する ▶ participate in (～に参加する) の形で押さえておこう。 名 participation 参加 名 participant 参加者 |
| 00 36 | **rarely** [réərli] | 副 めったに～しない (≒seldom) 形 rare まれな |

| | |
|---|---|
| This song was **composed** in the 18th century. | この歌は18世紀に作られた。 |
| She has to **divide** her time between work and school. | 彼女は使える時間を仕事と学校の間で分けなければならない。 |
| The final model is much different from the original **concept**. | 最終的なモデルは当初のコンセプトからは大きく異なっている。 |
| The rain **interfered with** our travel plans. | 雨のせいで私たちの旅行の計画に支障が出た。 |
| The boy **hesitantly** reached for the cookie. | その少年はためらいがちにクッキーに手を伸ばした。 |
| Listening skills are an important **element** of effective communication. | リスニングスキルは効果的なコミュニケーションの重要な要素だ。 |
| I could not **tolerate** his rude behavior any longer. | 私はそれ以上彼の失礼な振る舞いを許すことができなかった。 |
| After months of searching, Fabien **eventually** found a job. | 何か月も探した後、ファビアンはようやく仕事を見つけた。 |
| Her parents were **disappointed** in her for getting poor grades. | 両親は、悪い成績を取った彼女に失望した。 |
| The local newspaper conducted a **survey** on the best restaurants in town. | その地方紙は、町で一番おいしいレストランについてアンケート調査を行った。 |
| Some parents **participate in** many of the school's events every year. | 毎年多くの学校行事に参加する保護者もいる。 |
| She **rarely** expressed her feelings to her boyfriend. | 彼女はめったにボーイフレンドに自分の気持ちを表さなかった。 |

| 00 37 **meanwhile**<br>[míːnwàɪl]<br>① mean (中間) + while (〜の間) | 副 ① その間に ② 一方で |
|---|---|
| 00 38 **spill**<br>[spíl] | 動 〜をこぼす |
| 00 39 **ban**<br>[bǽn] | 動 〜を禁止する (≒prohibit)<br>名 禁止<br>► ban *A* from *do*ing (A が〜することを禁じる) の形でよく出題される。 |
| 00 40 **insurance**<br>[ɪnʃúərəns]<br>① in- (中に) + sur (安全な) + -ance 名 | 名 保険<br>動 insure 〜に保険をかける |
| 00 41 **disadvantage**<br>[dìsədvǽntɪʤ] | 名 不利な点、不利な状況 (⇔advantage) |
| 00 42 **react**<br>[riǽkt]<br>① re- (再び) + act (行動する) | 動 反応する (≒respond)<br>名 reaction 反応 |
| 00 43 **surgery**<br>[sə́ːrʤəri] | 名 ① 手術 ② 外科<br>形 surgical 外科の、手術の |
| 00 44 **civilization**<br>[sìvələzéɪʃən] | 名 文明<br>動 civilize 〜を文明化する |
| 00 45 **flexibility**<br>[flèksəbíləti] | 名 柔軟性、融通<br>形 flexible 柔軟な、融通の利く |
| 00 46 **confuse**<br>[kənfjúːz]<br>① con- (共に) + fuse (注ぐ) | 動 〜を混乱させる<br>名 confusion 混乱<br>形 confused 混乱した |
| 00 47 **genuine**<br>[ʤénjuɪn] | 形 本物の (≒real, authentic) (⇔false, fake) |
| 00 48 **flow**<br>[flóʊ] | 動 流れる<br>名 流れ |

| | |
|---|---|
| Will you boil some water? **Meanwhile**, I'll cut these potatoes. | お湯を沸かしてくれる？ その間にこのジャガイモを切るから。 |
| The child **spilled** his cereal on the floor and started to cry. | その子どもはシリアルを床にこぼして泣き出した。 |
| Chemical weapons were **banned** by the Geneva Protocol in 1925. | 化学兵器は1925年にジュネーブ議定書により禁止された。 |
| Even with **insurance**, his medical bills were too expensive. | 保険を使っても、彼の医療費は高額すぎた。 |
| We had a **disadvantage** because one of our players was injured. | 選手の一人がけがをしていたため、われわれは不利だった。 |
| He did not know how he should **react** when he won the award. | 彼は受賞したとき、どう反応していいかわからなかった。 |
| Fatima had **surgery** on her foot after she broke it. | ファティマは足を骨折して手術を受けた。 |
| Ancient Egyptian **civilization** is said to have lasted 3,000 years. | 古代エジプト文明は3,000年間続いたと言われている。 |
| As a single mother, she needed a job with some **flexibility**. | シングルマザーである彼女は、ある程度融通の利く仕事が必要だった。 |
| She **confused** me with her complicated way of speaking. | 彼女は複雑な話し方で私を混乱させた。 |
| Experts believe that the painting is a **genuine** Picasso. | 専門家たちは、その絵が本物のピカソの作品だと信じている。 |
| The Tama River is one of many rivers **flowing** into Tokyo Bay. | 多摩川は東京湾に流れ込む多くの川の一つである。 |

| 00 49 | individually<br>[ìndəvídʒuəli]<br>① in- (否定) +dividu (分ける) + -al 形<br>+ -ly 副 | 副 個別に、個々に<br>形 名 individual 個々の；個人 |
|---|---|---|
| 00 50 | tension<br>[ténʃən]<br>① tens (伸ばす) + -ion 名 | 名 緊張 (状態)<br>► 日本語の「テンション」とは意味が異なるので注意。<br>形 tense 緊迫した |
| 00 51 | hardship<br>[háːrdʃɪp] | 名 (金銭の欠乏などによる) 苦労、苦難 (≒difficulty) |
| 00 52 | bend<br>[bénd] | 動 ① ~を曲げる ② 身をかがめる<br>► bend-bent-bent と活用する。 |
| 00 53 | occupation<br>[àːkjəpéɪʃən] | 名 ① 職業、仕事 ② 占領<br>形 occupational 仕事の<br>動 occupy ~を占める；~を占領する |
| 00 54 | formation<br>[fɔːrméɪʃən]<br>① form (形作る) + -ation 名 | 名 ① (軍隊などの) 隊列、編成、<br>(スポーツの) フォーメーション<br>② 形成 |
| 00 55 | overlap<br>[動 òuvərlǽp 名 óuvərlæ̀p]<br>① over- (上に) +lap (重ねる) | 動 重なり合う、一部が重複する<br>名 重なり、共通点 |
| 00 56 | burden<br>[báːrdn] | 名 ① 負担、(精神的な) 重荷 ② 荷物 (≒load) |
| 00 57 | discipline<br>[dísəplən] | 名 ① 規律、自制 ② 訓練、しつけ<br>③ 学科、学問分野 |
| 00 58 | progress<br>[práːgres]<br>① pro- (前に) +gress (行く) | 名 進歩、上達<br>形 progressive 進歩的な |
| 00 59 | solution<br>[səlúːʃən]<br>① solu (溶かす) + -tion 名 | 名 ① 解決策 ② 解決 (すること)<br>動 solve ~を解く、解決する |
| 00 60 | achieve<br>[ətʃíːv]<br>① a- (~に) +chieve (頭、頂点) | 動 〈目的など〉を達成する、成し遂げる<br>(≒accomplish)<br>名 achievement 業績、偉業 |

| | |
|---|---|
| Unlike in Canada, many sweets are packaged **individually** in Japan. | カナダと違い、日本では多くのお菓子が個別に包装されている。 |
| There is a lot of **tension** between the two countries. | その2国はかなりの緊張状態にある。 |
| The business has been suffering from financial **hardship**. | その会社は財政難に苦しんできた。 |
| Charging cables can stop working if you **bend** them too much. | 充電ケーブルは曲げすぎると使えなくなることがある。 |
| He lied about his current **occupation**. | 彼は自分の今の仕事についてうそをついた。 |
| The marching band members got into **formation**. | マーチングバンドのメンバーは隊列を組んだ。 |
| Some of my job duties **overlap** with hers. | 私の仕事の中には彼女の仕事と重なるものがある。 |
| Supporting a family of five is a heavy **burden**. | 5人家族を養うのは荷が重い。 |
| A good soldier knows the importance of **discipline**. | よい兵士は規律の大切さを知っている。 |
| She has made great **progress** in her French studies. | 彼女はフランス語の勉強で大きな進歩を遂げた。 |
| He thinks that money is the **solution** to all of his problems. | 彼は、お金が自分の抱えているすべての問題の解決策だと考えている。 |
| He finally **achieved** his goal of writing a bestselling book. | 彼はついにベストセラーを書くという目標を達成した。 |

00
60

| | | |
|---|---|---|
| **00 61** **admit** [ədmít] ① ad- (~に) + mit (送り入れる) | 動 …だと認める、〈罪・事実など〉を認める | 名 admission (罪などを) 認めること；(入場) 許可 |

**00 62 religion**
[rɪlídʒən]
① re- (再び) + lig (結ぶ) + -ion 名

名 宗教
形 religious 宗教の

**00 63 quantity**
[kwάːntəti]

名 量 (≒amount)
► 「質」は quality。

**00 64 encounter**
[ɪnkáʊntər]

動 ~に遭遇する (≒meet, run into ~)
名 遭遇

**00 65 recognize**
[rékəgnàɪz]
① re- (再び) + cognize (知る)

動 ① ~を見分ける、識別する
　② ~を認識する、認める
名 recognition 認識

**00 66 separate**
[形 sépərət 動 sépərèɪt]
① se- (離れて) + par (準備する) + -ate 形 動

形 ① 離れた、隔てられた　② 別々の
動 ~を分ける、分離する
副 separately 別々に
名 separation 分離

**00 67 compare**
[kəmpéər]
① com- (共に) + pare (対等にする)

動 ~を比較する、比べる
► 「AをBと比較する」は compare A with [to] B と言う。
名 comparison 比較
形 comparative 比較による

**00 68 export**
[動 ɪkspɔ́ːrt 名 ékspɔːrt]
① ex- (外に) + port (運ぶ)

動 ~を輸出する (⇔import)
名 輸出品 (⇔import)

**00 69 represent**
[rèprɪzént]

動 ① ~の代表として参加する
　② ~の代理をする
名 representation 代表
名 形 representative 代表者；代表する

**00 70 persuade**
[pərswéɪd]
① per- (完全に) + suade (忠告する)

動 ~を説得する (≒convince)
► persuade A to do で「〈人〉を説得して~させる」という意味。
名 persuasion 説得
形 persuasive 説得力のある

**00 71 witness**
[wítnəs]
① wit (知っている) + ness 名

動 ~を目撃する
名 ① 目撃者　② 証人

**00 72 collapse**
[kəlǽps]
① col- (共に) + lapse (すべる)

動 ① (突然) 崩れ落ちる、倒壊する (≒fall down)
　② 〈体制・事業などが〉崩壊する
名 崩壊

| | |
|---|---|
| Belinda finally **admitted** to her teacher that she did not do her homework. | ついにベリンダは、宿題をしなかったと先生に認めた。 |
| He studied the major world **religions** when he was a university student. | 彼は大学生のとき、世界の主要な宗教について学んだ。 |
| It is a small company, but they produce a large **quantity** of goods. | そこは小さな会社だが、大量の製品を製造している。 |
| The scientists **encountered** many rare species on their recent deep sea dive. | 科学者たちは最近の深海潜水で多くの希少種に遭遇した。 |
| He can **recognize** different kinds of cars just by hearing their engines. | 彼はエンジン音を聞いただけで、異なる種類の車を識別することができる。 |
| It is important to keep work matters **separate** from private matters. | 仕事のことをプライベートのことと切り離しておくことは重要である。 |
| She **compared** the new contract **with** the old one. | 彼女は新しい契約書を古いものと比較した。 |
| The company **exports** coconuts to countries all over the world. | その会社は世界中の国々にココナッツを輸出している。 |
| Jamila **represented** her school at an international dance competition. | ジャミラは学校の代表として国際ダンスコンテストに出場した。 |
| He finally **persuaded** his parents **to** let him study abroad. | 彼は海外留学をさせてくれるようついに両親を説得した。 |
| The police are looking for people who **witnessed** the car crash. | 警察はその自動車事故を目撃した人を探している。 |
| That old house looks like it is going to **collapse**. | あの古い家は倒壊しそうだ。 |

| | | |
|---|---|---|
| 00 73 | **desire** [dɪzáɪər] | 名 欲望、願望<br>動 ~を望む、欲する<br>形 desirable 望ましい |
| 00 74 | **accompany** [əkʌ́mpəni]<br>① ac-（~に）+company（仲間） | 動 ① 〈人〉に同行する ② ~に付随して起こる |
| 00 75 | **betray** [bɪtréɪ]<br>① be-（強意）+tray（引き渡す） | 動 ① ~を裏切る ② 〈秘密など〉を漏らす（≒reveal）<br>名 betrayal 裏切り |
| 00 76 | **justice** [dʒʌ́stɪs]<br>① just（正しい）+-ice 名 | 名 正義、公正<br>形 just 公正な |
| 00 77 | **interpret** [ɪntɔ́ːrprət] ⚠ アクセント注意。 | 動 ① 通訳する ② ~を解釈する<br>名 interpretation 解釈<br>名 interpreter 通訳者 |
| 00 78 | **courage** [kɔ́ːrɪdʒ] ⚠ 発音注意。<br>① cour（心）+-age 名 | 名 勇気、度胸（≒bravery）<br>形 courageous 勇気のある |
| 00 79 | **spoil** [spɔ́ɪl] | 動 ① 〈子どもなど〉を甘やかす<br>② ~を台なしにする、だめにする<br>③ ~をぜいたくにもてなす<br>形 spoiled 〈子どもなどが〉言うことを聞かない |
| 00 80 | **connect** [kənékt]<br>① con-（共に）+nect（結ぶ） | 動 ① ~をつなぐ、接続する（⇔disconnect）<br>② ~を連想する（≒associate）<br>名 connection つながり |
| 00 81 | **remind** [rɪmáɪnd]<br>① re-（再び）+mind（気をつける） | 動 ~に思い出させる<br>▶ remind A to do で「A に~することを思い出させる」という意味。remind A of B の項目（1403）も参照。<br>名 reminder 思い出させるもの、注意 |
| 00 82 | **experiment** [名 ɪkspérəmənt<br>動 ɪkspérəmènt] | 名 実験<br>動 実験する |
| 00 83 | **attach** [ətǽtʃ] | 動 ① 〈ファイルなど〉を添付する ② ~を取りつける<br>名 attachment 添付ファイル |
| 00 84 | **gain** [géɪn] | 動 ① ~を得る、獲得する ② 〈数量分〉増加する<br>名 利益（≒profit） |

| | |
|---|---|
| I have no **desire** to drive a nice car. | よい車を運転したいという願望はない。 |
| His mother **accompanied** him to the doctor's appointment. | 母親は彼の病院の診察に付き添った。 |
| He **betrayed** his coworkers and went to work for a rival company. | 彼は同僚たちを裏切り、ライバル会社に就職した。 |
| Everyone has different ideas about the meaning of **justice**. | 正義の意味については、人それぞれ異なる考えを持っている。 |
| My coworker **interpreted** for me when we went to China. | 中国に行ったとき、同僚が私のために通訳をしてくれた。 |
| It takes great **courage** to move to another country by yourself. | 一人で別の国に移り住むのはとても勇気がいる。 |
| They **spoiled** their children by buying them lots of toys. | 彼らは子どもたちにたくさんのおもちゃを買い与えて甘やかした。 |
| After you **connect** the charging cable, press the power button. | 充電ケーブルをつないでから電源ボタンを押してください。 |
| He set an alarm on his phone to **remind** him **to** feed his cat. | ネコにえさをやるのを忘れないよう、彼は携帯電話のアラームをセットした。 |
| Her classmate did an **experiment** on how long bread takes to mold. | 彼女のクラスメートは、どのくらいの時間でパンにカビが生えるのか実験を行った。 |
| Kyle forgot to **attach** a copy of his ID to his email. | カイルはメールに身分証のコピーを添付するのを忘れた。 |
| It's a difficult job, but I'm **gaining** a lot of experience. | それは難しい仕事だが、私はたくさんの経験を得ている。 |

主に筆記大問1で一回正解になり、誤答にも登場した語

| | |
|---|---|
| **00 85 translate**<br>[trǽnsleɪt]<br>① trans- (越えて) + late (運ぶ) | 動 ~を翻訳する<br>名 translation 翻訳<br>名 translator 翻訳家 |
| **00 86 factor**<br>[fǽktər]<br>① fact (作る) + -or (もの) | 名 要因 |
| **00 87 bury**<br>[béri] ▲ 発音注意。 | 動 ~を埋める<br>名 burial 埋葬 |
| **00 88 theory**<br>[θíːəri] ▲ 発音注意。 | 名 理論、学説 |
| **00 89 whenever**<br>[hwenévər] | 接 ~するときはいつも |
| **00 90 establish**<br>[ɪstǽblɪʃ] | 動 〈組織・事業など〉を設立する、<br>創立する (≒ set up)<br>名 establishment 設立 |
| **00 91 heal**<br>[híːl] | 動 ① 〈傷などが〉治る<br>② 〈人・傷など〉を治す (≒ cure) |
| **00 92 trick**<br>[trík] | 名 ① いたずら、冗談 ② 芸当、手品 |
| **00 93 inform**<br>[ɪnfɔ́ːrm]<br>① in- (中に) + form (形を与える) | 動 〈人・当局など〉に知らせる<br>名 information 情報 |
| **00 94 enemy**<br>[énəmi]<br>① en- (否定) + emy (友達) | 名 敵 |
| **00 95 occasion**<br>[əkéɪʒən]<br>① oc- (~に) + cas (落ちる) + -ion 名 | 名 ① 出来事、行事 ② 時、場合<br>形 occasional 時々の<br>副 occasionally 時々 |
| **00 96 contribute**<br>[kəntríbjuːt] ▲ アクセント注意。<br>① con- (共に) + tribute (与える) | 動 ① 〈金・援助など〉を与える、寄付する (≒ donate)<br>② 寄与する、貢献する<br>名 contribution 寄付 (金) ; 寄与、貢献 |

| | |
|---|---|
| Her job is **translating** romance novels into Japanese. | 彼女の仕事は恋愛小説を日本語に翻訳することだ。 |
| There are many **factors** that led to the factory closing. | 工場の閉鎖に至った要因はたくさんある。 |
| Ms. Wang's computer was **buried** under paperwork on her desk. | ワンさんのコンピュータは、机の上の書類に埋もれていた。 |
| This new evidence supports our **theory**. | この新たな証拠はわれわれの理論を裏づけるものだ。 |
| She gets a headache **whenever** she drinks champagne. | 彼女はシャンパンを飲むといつも頭が痛くなる。 |
| We **established** this volunteer program three years ago. | 私たちは3年前にこのボランティアプログラムを立ち上げた。 |
| Many spinal injuries never **heal** completely. | 脊椎損傷の多くは完全には治らない。 |
| He is always playing **tricks** on his little brothers. | 彼はいつも弟たちにいたずらをしている。 |
| She finally **informed** her company about her plans to move abroad. | 彼女は海外に移住する計画をついに会社に伝えた。 |
| Without a natural **enemy** nearby, animal populations increase rapidly. | 近くに天敵がいないと、動物の個体数は急速に増加する。 |
| They drank champagne to celebrate the special **occasion**. | 彼らはシャンパンを飲んでその特別な出来事を祝った。 |
| Margaret **contributed** hundreds of dollars to charity last year. | マーガレットは昨年慈善団体に何百ドルも寄付した。 |

| 00 97 | **opponent**<br>[əpóunənt]<br>① op- (〜に対して) +ponent (置くこと) | 名 ① (試合などの) 相手、対戦者 (≒adversary)<br>　② (計画・考えなどに対する) 反対者<br>動 oppose 反対する；敵対する |

| 00 98 | **emotion**<br>[ɪmóuʃən]<br>① e- (外に) +motion (動くこと) | 名 感情、気持ち<br>形 emotional 感情的な<br>副 emotionally 感情的に |

| 00 99 | **mineral**<br>[mínərəl] | 名 鉱物；(栄養素の) ミネラル |

| 01 00 | **landscape**<br>[lǽndskèɪp]<br>① land (土地) +scape (風景) | 名 ① (一目で見渡せる陸地の) 風景、景観 (≒scenery)<br>　② (政治的・社会的) 情勢、状況<br>動 〜の景観をよくする<br>名 landscaper 造園家 |

| 01 01 | **qualify**<br>[kwá:ləfàɪ] | 動 資格を持つ；〜に資格を与える<br>▶ qualify for 〜 で「〜の資格がある」という意味。<br>名 qualification 資格<br>形 qualified 資格のある |

| 01 02 | **silently**<br>[sáɪləntli] | 副 黙って、静かに<br>形 silent 無言の<br>名 silence 沈黙、静けさ |

| 01 03 | **conflict**<br>[名 ká:nflɪkt 動 kənflíkt]<br>① con- (共に) +flict (ぶつかる) | 名 対立、衝突、紛争<br>動 対立する、矛盾する |

| 01 04 | **sensation**<br>[senséɪʃən]<br>① sens (感じる) +-ation 名 | 名 ① 感覚、感じ ② 大評判 (の人・もの)<br>形 sensational 衝撃的な；世間を騒がせる |

| 01 05 | **affection**<br>[əfékʃən]<br>① af- (〜に) +fect (する) +-ion 名 | 名 愛情、好意 (≒care, love) (⇔hatred)<br>形 affectionate 愛情のこもった |

| 01 06 | **annually**<br>[ǽnjuəli]<br>① ann (年) +-ual 形 +-ly 副 | 副 毎年、年に1回<br>形 annual 毎年の、年に1回の |

| 01 07 | **suppose**<br>[səpóuz]<br>① sup- (下に) +pose (置く) | 動 ① (仮に) …だとしたらどうだろう<br>　 (≒guess, imagine)<br>　② (たぶん) …だと思う、推定する<br>名 supposition 推測 |

| 01 08 | **confess**<br>[kənfés]<br>① con- (十分に) +fess (言う) | 動 (〜を) 白状する<br>▶ confess to doing で「〜したことを白状する」という意味。<br>名 confession 白状 |

| | |
|---|---|
| He would be a worthy **opponent** for the champion. | 彼ならチャンピオンの相手にふさわしいだろう。 |
| He is not the type to openly show his **emotions**. | 彼は感情をあからさまに表に出すタイプではない。 |
| Some people take supplements to get all the **minerals** their bodies need. | 体に必要なすべてのミネラルを摂るためにサプリを飲む人もいる。 |
| The town's **landscape** has changed a lot in the last twenty years. | 町の景観はこの20年で大きく変わった。 |
| To **qualify for** this job, you must have a degree in computer science. | この仕事の資格を得るには、コンピュータサイエンスの学位を取得している必要がある。 |
| The audience sat **silently**, waiting for the performance to start. | 聴衆は静かに座り、演奏が始まるのを待っていた。 |
| The situation soon turned into an armed **conflict**. | その事態はすぐに武力衝突へと変わった。 |
| Petra had the **sensation** that everyone was looking at her. | ペトラは皆が自分を見ているという感じがした。 |
| The teacher feels great **affection** for all of her students. | その先生は自分の生徒全員に大きな愛情を感じている。 |
| The city holds a fireworks festival **annually**. | その市では毎年花火大会が開かれる。 |
| **Suppose** that she was your daughter, how would you feel? | 彼女があなたの娘だったとしたら、どんな感じがする? |
| The couple **confessed to** kidnapping several young children. | その夫婦は、何人かの幼い子どもを誘拐したと白状した。 |

01
08 ►

| 01 09 | **permit**<br>[pərmít]<br>① per- (通って) +mit (送る) | 動 ~を許可する、許す<br>▶ permit A to do で「A が~することを許可する」という意味。<br>名 permission 許可 |
| 01 10 | **recommend**<br>[rèkəménd]<br>① re- (強意) +commend (勧める) | 動 ~を推薦する、薦める<br>名 recommendation 推薦 |
| 01 11 | **treat**<br>[trí:t] | 名 ごちそう、おごり<br>動 ① ~を治療する ② ~を扱う (≒deal with ~)<br>名 treatment 治療；取り扱い |
| 01 12 | **organize**<br>[ɔ́:rgənàɪz]<br>① organ (機関) + -ize (~化する) | 動 ① 〈イベントなど〉を計画する、準備する<br>② ~を整理する、まとめる<br>名 organization 組織 |
| 01 13 | **device**<br>[dɪváɪs] | 名 装置 |
| 01 14 | **source**<br>[sɔ́:rs] | 名 源 |
| 01 15 | **retire**<br>[rɪtáɪər]<br>① re- (後ろに) +tire (引く) | 動 引退する、(定年) 退職する<br>名 retirement (定年) 退職 |
| 01 16 | **method**<br>[méθəd] | 名 方法 (≒way) |
| 01 17 | **artificial**<br>[à:rtəfíʃəl]<br>① arti (技術) +fic (作る) + -ial 形 | 形 人工の、人工的な (⇔natural)<br>副 artificially 人工的に |
| 01 18 | **account**<br>[əkáʊnt]<br>① ac- (~に) +count (数える) | 名 ① 預金口座 ② (コンピュータの) アカウント<br>名 accounting 会計 |
| 01 19 | **gradually**<br>[grǽdʒuəli] | 副 だんだん、徐々に<br>形 gradual 段階的な |
| 01 20 | **award**<br>[əwɔ́:rd] | 名 賞<br>動 〈賞・賞品など〉を与える |

| | |
|---|---|
| Only registered guests are **permitted** to use the hotel's Wi-Fi. | ホテルの Wi-Fi の利用を許可されるのは、登録された宿泊者のみである。 |
| She asked her friend to **recommend** a good Thai restaurant. | 彼女はおいしいタイ料理店を教えてほしいと友人に頼んだ。 |
| Let's go get a drink after work. It'll be my **treat**. | 仕事のあと飲みに行きましょう。ごちそうしますよ。 |
| They are **organizing** a farewell party for the manager. | 彼らは部長の送別会を計画している。 |
| This **device** can measure the amount of radiation in the environment. | この装置は、環境内にある放射線量を測定することができる。 |
| Milk is an excellent **source** of calcium. | 牛乳は優れたカルシウム源である。 |
| She **retired** from work at the age of 60. | 彼女は 60 歳で退職した。 |
| This **method** of production costs too much. | この生産方法はコストがかかり過ぎる。 |
| The graveyard only allows visitors to place **artificial** flowers. | この墓地では、訪問者に許されているのは造花を供えることだけだ。 |
| He opened a bank **account** when he started his new job. | 彼は新しい仕事を始めるときに銀行口座を開設した。 |
| Her language skills **gradually** grew better as she practiced. | 彼女の語学力は磨くにつれてだんだん向上した。 |
| The writer of the best short story will be given an **award**. | 最も優れた短編を書いた人には賞が与えられる。 |

| 01 21 | **temporary** [témpərèri] | 形 一時的な、臨時の (⇔permanent) |
| | | 副 temporarily 一時的に |
| | ① tempor (時間) +-ary 形 | |

| 01 22 | **correct** [kərékt] | 動 〈誤りなど〉を訂正する |
| | | 形 正しい、正確な (≒right, true) (⇔incorrect) |
| | | 副 correctly 正しく |
| | ① cor- (完全に) +rect (まっすぐな) | 名 correction 訂正 |

| 01 23 | **approach** [əpróutʃ] | 名 (問題などへの) 取り組み方、方法 |
| | | 動 近づく |
| | ① ap- (〜に) +proach (近く) | |

| 01 24 | **display** [dɪspléɪ] | 動 〈商品・作品など〉を展示する、陳列する |
| | | 名 ① 陳列、展示 (品) |
| | | ② (パソコンの) ディスプレー |
| | ① dis- (否定) +play (たたむ) | |

| 01 25 | **broadcast** [brɔ́:dkæst] | 動 〜を放送する |
| | | ► broadcast-broadcast-broadcast と活用する。 |
| | ① broad (広く) +cast (投げられた) | |

| 01 26 | **predict** [prɪdíkt] | 動 〜を予測する、予言する (≒forecast) |
| | | 名 prediction 予測 |
| | | 形 predictable 予測可能な |
| | ① pre- (前に) +dict (言う) | |

| 01 27 | **liquid** [líkwɪd] | 名 液体 |

| 01 28 | **confirm** [kənfə́:rm] | 動 〜を確認する、裏づける |
| | | 名 confirmation 確認 |
| | ① con- (共に) +firm (固い) | |

| 01 29 | **poverty** [pá:vərti] | 名 貧困 |
| | | 形 poor 貧しい |

| 01 30 | **calculate** [kǽlkjəlèɪt] | 動 〜を計算する (≒work out) |
| | | 名 calculation 計算 |
| | | 名 calculator 計算機 |

| 01 31 | **excuse** [名 ɪkskjú:s 動 ɪkskjú:z] | 名 言い訳 |
| | | 動 〜を許す、大目に見る (≒pardon) |
| | ① ex- (外に) +cuse (訴訟) | |

| 01 32 | **exhibit** [ɪgzíbɪt] | 動 〈作品など〉を展示する、陳列する |
| | | 名 ① 展覧会、展示会 ② 展示品 |
| | | 名 exhibition 展覧会、展示会 |
| | ① ex- (外に) +hibit (持つ) | |

| | |
|---|---|
| Many people had to live in **temporary** housing after the earthquake hit. | 地震発生後、多くの人々が仮設住宅に住まなければならなかった。 |
| This software **corrects** common grammar mistakes. | このソフトは、よくある文法の誤りを修正する。 |
| Their initial **approach** to advertising their podcast was not effective. | 彼らのポッドキャストを宣伝する当初の取り組み方は効果的ではなかった。 |
| The paintings will be **displayed** at the local museum for two weeks. | それらの絵は地元の美術館で2週間展示される。 |
| The soccer match was **broadcast** live in over 100 countries. | そのサッカーの試合は100を超える国で生放送された。 |
| She won the election, as he had **predicted**. | 彼が予測したとおり、彼女は選挙で当選した。 |
| He poured the **liquid** into a test tube. | 彼は試験管にその液体を注ぎ入れた。 |
| Alice called to **confirm** her hair appointment this morning. | アリスは今朝、美容院の予約を確認するため電話した。 |
| Our organization works to help people get out of **poverty**. | 私たちの組織は人々が貧困から脱するための手助けをしている。 |
| The auto mechanic **calculated** the estimated cost of the repair for them. | 自動車整備士は彼らのために修理の見積もり費用を計算した。 |
| He always finds a different **excuse** to explain why he is late. | 彼は遅刻の理由を説明するのに、いつも違う言い訳を見つける。 |
| The museum is currently **exhibiting** paintings from the late 19th century. | その美術館では現在、19世紀後半の絵画を展示している。 |

01 ►
32 ►

| 01 33 | **enormous**<br>[ɪnɔ́ːrməs]<br>① e- (外に) +norm (尺度) + -ous (満ちた) | 形 巨大な、莫大な (≒huge)<br>副 enormously 非常に、ものすごく |
|---|---|---|
| 01 34 | **opposite**<br>[ɑ́ːpəzɪt]<br>① op- (反対に) +posit (置く) | 形 反対の<br>動 oppose ～に反対する<br>名 opposition 反対 |
| 01 35 | **previous**<br>[príːviəs]<br>① pre- (前に) +vi (道) + -ous 形 | 形 前の、以前の<br>副 previously 以前、前に |
| 01 36 | **insist**<br>[ɪnsíst]<br>① in- (上に) +sist (立つ) | 動 ① …と強く求める ② …と主張する<br>► ①では続く that 節中の動詞は (should+) 原形になる。<br>名 insistence 主張<br>形 insistent 強く主張する |
| 01 37 | **loan**<br>[lóʊn] | 名 貸付、融資、ローン |
| 01 38 | **critic**<br>[krítɪk]<br>① crit (判断する) + -ic 形 | 名 ① 批判する人 ② 評論家<br>動 criticize ～を批判する |
| 01 39 | **emphasize**<br>[émfəsàɪz]<br>① em- (～にする) +phas (現れる)<br>+ -ize 動 | 動 ～を強調する (≒stress)<br>名 emphasis 強調 |
| 01 40 | **interrupt**<br>[ìntərápt]<br>① inter- (間に) +rupt (破壊する) | 動 ① ～の邪魔をする、～を遮る<br>② ～を中断させる<br>名 interruption 妨害；中断 |
| 01 41 | **percentage**<br>[pərséntɪdʒ] ⚠ 発音・アクセント注意。<br>① per (～のうちの) +cent (100) | 名 百分率、パーセンテージ |
| 01 42 | **content**<br>[形 kəntént 名 kɑ́ːntent] | 形 満足して<br>名 中身；コンテンツ |
| 01 43 | **industrial**<br>[ɪndʌ́striəl] | 形 産業の、工業の<br>名 industry 産業、工業 |
| 01 44 | **reality**<br>[riゃ́ləti] | 名 現実<br>► in reality (実際には) という表現も覚えておこう。<br>形 real 現実の、実際の |

| | |
|---|---|
| They could not even eat half of the **enormous** pizza. | 彼らはその巨大なピザの半分も食べられなかった。 |
| Although they are twins, they have **opposite** personalities. | 彼らは双子だが、性格は正反対だ。 |
| She used her **previous** experience as a teacher to become an editor. | 彼女は、教師としてのそれまでの経験を活かして編集者になった。 |
| He **insisted** that I be present at the meeting. | 彼は私が会議に出席することを強く求めた。 |
| Our bank also offers auto **loans**. | 当行では自動車ローンも提供いたしております。 |
| He is one of the loudest **critics** of the government. | 彼は政府を最も声高に批判する人物の一人だ。 |
| She **emphasized** the importance of honesty. | 彼女は正直であることの大切さを強調した。 |
| His children **interrupted** his online meeting with his client. | 子どもたちは、彼のクライアントとのオンラインミーティングを邪魔した。 |
| What **percentage** of people live in cities now? | 現在、何パーセントの人が都市部に住んでいますか。 |
| Although she lost the contest, she was **content** with her performance. | コンテストに敗れたが、彼女は自分のパフォーマンスに満足していた。 |
| The **industrial** area of the city is far from the city center. | その市の工業地帯は、市の中心部から遠く離れている。 |
| Unfortunately, his expectations greatly differed from **reality**. | 残念ながら、彼の期待は現実とかけ離れていた。 |

| | | |
|---|---|---|
| **01 45** **suspect** | 動 ① …ではないかと思う ② ~を怪しいと思う | |
| [動 səspékt 名 sʌ́spekt] | 名 容疑者 | |
| | 名 suspicion 疑い、疑念 | |
| ① su- (下から) +spect (見る) | 形 suspicious 不審な；不審に思う | |

| | |
|---|---|
| **01 46** **investigate** | 動 ~を調査する、捜査する |
| [ɪnvéstəgèɪt] | 名 investigation 調査 |
| ① in- (中に) +vestig (足跡をたどる) +-ate 動 | |

| | |
|---|---|
| **01 47** **appropriate** | 形 適切な、ふさわしい (≒suitable) (⇔inappropriate) |
| [əpróʊpriət] | ► appropriate to ~ (~にふさわしい) という表現も覚えておこう。 |
| ① ap- (~に) +propri (自分自身の) +-ate (~にする) | |

| | |
|---|---|
| **01 48** **expose** | 動 ~をさらす |
| [ɪkspóʊz] | 名 exposure さらすこと、暴露 |
| ① ex- (外に) +pose (置く) | |

| | |
|---|---|
| **01 49** **military** | 名 [通例 the military で] 軍隊 (≒armed forces) |
| [mílətèri] | 形 軍の |
| ① milit (兵士) +-ary 形 | |

| | |
|---|---|
| **01 50** **amusing** | 形 面白い、愉快な |
| [əmjúːzɪŋ] | 動 amuse ~を面白がらせる |
| | 名 amusement 面白さ |
| ① a- (~に) +mus (思案する) +-ing | |

| | |
|---|---|
| **01 51** **guarantee** | 名 保証；保証書 (≒warranty) |
| [gèrəntíː] ⚠ アクセント注意。 | 動 ~を保証する |

| | |
|---|---|
| **01 52** **ruin** | 動 ~をだめにする、台無しにする (≒spoil) |
| [rúːɪn] | 名 ① [通例複数形で] 遺跡、廃墟 ② 破産状態、破滅 |

| | |
|---|---|
| **01 53** **continent** | 名 大陸 |
| [káːntənənt] | 形 continental 大陸の |

| | |
|---|---|
| **01 54** **sacrifice** | 動 ~を犠牲にする |
| [sǽkrəfàɪs] | 名 犠牲 |
| ① sacr (聖なる) +-ifice (~にする) | |

| | |
|---|---|
| **01 55** **direct** | 動 ① 〈組織など〉を指揮する、管理する ② ~に指示する、指図する |
| [dərékt] | 形 直接の、直行の |
| ① di- (分離) +rect (まっすぐな) | 名 direction 指揮、指示 副 directly 直接 (に) |

| | |
|---|---|
| **01 56** **scar** | 名 傷跡 |
| [skáːr] | 動 ~に傷跡を残す |

| | |
|---|---|
| I **suspect** that there is something he's not telling us. | 彼は私たちに話していないことがあるのではないかと思う。 |
| Local officials are currently **investigating** the cause of the forest fire. | 地元当局は現在、森林火災の原因を調査している。 |
| Wearing shorts to a business meeting is not **appropriate**. | 仕事の打ち合わせに短パンをはいていくのは適切ではない。 |
| Skin gets damaged when **exposed** to too much sunlight. | 日光を浴びすぎると、皮膚はダメージを受ける。 |
| Adam joined the **military** directly after graduating from high school. | アダムは高校卒業後、そのまま軍隊に入隊した。 |
| Some of her most **amusing** stories are about bad experiences. | 彼女の最も面白い話のいくつかは、ひどい経験に関するものだ。 |
| There is no **guarantee** that I'll get the job. | 私がその仕事に就ける保証はありません。 |
| I spilled coffee on my shirt, and it got **ruined**. | シャツにコーヒーをこぼしてシャツがだめになった。 |
| His goal is to travel to every **continent** in his lifetime. | 彼の目標は、生涯のうちにすべての大陸を旅することだ。 |
| He **sacrificed** his weekends to work on the project. | 彼は週末を犠牲にしてそのプロジェクトに取り組んだ。 |
| The traffic light stopped working, so a police officer is **directing** traffic. | 信号機が止まったので、警察官が交通整理をしている。 |
| Beth has a **scar** on her stomach from a past surgery. | ベスは腹部に過去の手術の傷跡がある。 |

01
56

## 01 57 attempt
[ətémpt]

① at- (~に) + tempt (試みる)

動 ~を試みる (≒try)
名 試み
► attempt to *do* で「~しようとする」という意味。

## 01 58 flame
[fléɪm]

名 炎、火炎 (≒blaze)
► -able (できる) のついた flammable (可燃性の) という語も覚えておこう。

## 01 59 judgment
[ʤʌ́ʤmənt]

名 ① 判断力、分別
② 判断、判定
③ 判決 (≒decision)

## 01 60 distribute
[dɪstríbjuːt]

① dis- (分離) + tribute (与える)

動 ~を分配 [配布] する
(≒hand out) (⇔collect, receive, gather)
► distribute *A* to *B* (*A* を *B* に配る) の形で押さえておこう。
名 distribution 配布、流通

## 01 61 eliminate
[ɪlímənèɪt]

① e- (外に) + limin (境界) + -ate 動

動 ① 〈対戦相手〉を敗退させる
② ~を取り除く、(候補などから) ~を外す
(≒exclude)
► ①の意味ではふつう受け身で使う。 名 elimination 除去

## 01 62 mission
[míʃən]

① miss (送る) + -ion 名

名 使命、任務

## 01 63 capture
[kǽptʃər]

① capt (つかむ) + ure (行為)

動 ~を捕まえる、捕獲する (≒catch)

## 01 64 irritate
[írətèɪt]

① irrit (怒らせる) + -ate 動

動 ① ~をいらいらさせる
② 〈体の一部〉をひりひりさせる、
~に炎症を起こさせる
名 irritation いら立ち；炎症

## 01 65 humanity
[hjuːmǽnəti]

名 ① 人類 ② 人間性
形 humane 人道的な

## 01 66 navigate
[nǽvəgèɪt]

① navi (船) + gate (進める)

動 ① 航海する、進む
② ~を操縦する、あやつる
(≒operate, maneuver)
名 navigation 航海、航行 名 navigator 航海者

## 01 67 drown
[dráʊn] ⚠ 発音注意。

動 ① 溺れ死ぬ ② ~を溺死させる
► 日本語の「溺れる」と違い、死ぬことまで含意している。

## 01 68 compliment
[名 kɑ́:mpləmənt
動 kɑ́:pləmènt]

① com- (共に) + pli (満たす) + -ment 名

名 賛辞
動 ~を褒める、称賛する (≒praise)
形 complimentary 称賛の；無料の

| | |
|---|---|
| He **attempted to** repair his car by himself. | 彼は自分で車を修理しようとした。 |
| **Flames** can change color depending on what is burning. | 炎は、燃えているものによって色が変わることがある。 |
| You have to rely on your own **judgment** to make a decision. | 決断を下すときには自分の判断に頼るべきだ。. |
| Volunteers **distributed** free water **to** the victims of the fire. | ボランティアの人たちは、その火災の被災者に無料の水を配った。 |
| The team was **eliminated** from the tournament for cheating. | そのチームは、不正行為によりトーナメントから敗退した。 |
| He was killed during a dangerous rescue **mission**. | 彼は危険な救出任務の遂行中に命を落とした。 |
| Owls **capture** relatively big prey like rats, rabbits, and squirrels. | フクロウは、ネズミや野ウサギ、リスなどの比較的大きな獲物を捕獲する。 |
| The sound of people chewing food **irritates** Tina very much. | 人が食べ物をかむ音はティナをとてもいらいらさせる。 |
| Many world leaders accused the country of committing crimes against **humanity**. | 多くの世界の指導者たちは、その国が人類に対する罪を犯していると非難した。 |
| Early settlers of the islands used the stars to **navigate**. | その島々の初期の入植者たちは星を使って航海していた。 |
| The little boy fell in the pool, and he almost **drowned**. | その小さな男の子はプールに落ちて、溺れかけた。 |
| Steven received many **compliments** after he got a haircut. | 髪を切ったあと、スティーブンは多くの褒め言葉をもらった。 |

| 01 69 | **enlarge**<br>[ɪnláːrdʒ] | 動 (~を) 拡大する、拡張する (≒expand)<br>(⇔shrink)<br>名 enlargement 拡大 |

| 01 70 | **ignorance**<br>[ígnərəns]<br>① i- (否定)+gnor (知る)+-ance 名 | 名 無知、無学<br>形 ignorant 無知な、意識しない<br>動 ignore ~を無視する |

| 01 71 | **unite**<br>[ju(ː)náɪt] | 動 (~を) 結合する ▶ 形容詞形 united (団結した、連合した) は、the United States of America (アメリカ合衆国)、the United Nations (国際連合) などに使われている。<br>名 unity 統一 |

| 01 72 | **modify**<br>[máːdəfàɪ]<br>① mod (尺度)+-ify (~にする) | 動 ~を (部分的に) 修正する、変更する<br>名 modification (部分的な) 修正 |

| 01 73 | **peel**<br>[píːl] | 動 〈野菜・果物 (の皮)〉をむく |

| 01 74 | **guilty**<br>[gílti] | 形 ① 罪悪感を覚える ② 有罪の (⇔innocent)<br>▶ be guilty of ~ (~の罪を犯している) という表現も覚えておこう。<br>名 guilt 罪;罪悪感 |

| 01 75 | **revise**<br>[rɪváɪz]<br>① re- (再び)+vise (見る) | 動 ~を修正する、改訂する<br>名 revision 修正、改正 |

| 01 76 | **knit**<br>[nít] ▲ 発音注意。 | 動 〈服など〉を編む |

| 01 77 | **assume**<br>[əs(j)úːm]<br>① as- (~に)+sume (取る) | 動 ~を仮定する、思い込む<br>▶ assume (that) ... で「…だと思う」という意味。<br>名 assumption 仮定 |

| 01 78 | **thickly**<br>[θíkli] | 副 ① 密集して ② 厚く<br>形 thick 密集した、厚い |

| 01 79 | **compromise**<br>[káːmprəmàɪz]<br>① com- (共に)+promise (約束) | 動 妥協する、譲歩する<br>名 妥協、譲り合い |

| 01 80 | **intention**<br>[ɪnténʃən]<br>① in- (中に)+tent (伸ばす)+-ion 名 | 名 目的、意図 (≒aim, purpose)<br>動 intend ~を意図する |

| | |
|---|---|
| You can buy books with an **enlarged** font that is easier to read. | 読みやすい大きな活字の本を買うことができますよ。 |
| **Ignorance** of the law is not a valid excuse for breaking it. | 法律を知らないことは、それを破る正当な言い訳にはならない。 |
| Many people hope that the two countries will eventually **unite**. | 多くの人々が、その2つの国がいずれ一つになることを望んでいる。 |
| The storm forced them to **modify** their travel plans. | 嵐のために彼らは旅行の計画を変更しなければならなかった。 |
| It is healthier to wash carrots instead of **peeling** the skin. | ニンジンの皮をむくのではなく、洗う方が健康によい。 |
| Hank felt **guilty** about stealing his cousin's toys when they were children. | 子どものころ、いとこのおもちゃを盗んだことにハンクは罪悪感を覚えていた。 |
| The company needs to **revise** its old business model. | その会社は古いビジネスモデルを見直す必要がある。 |
| Jim's grandmother **knitted** a sweater for him. | ジムの祖母は彼にセーターを編んだ。 |
| It is dangerous to **assume** you know things about other people. | 他人のことを知っていると思い込むのは危険だ。 |
| The wild roses grew **thickly**. | 野生のバラが群生していた。 |
| He agreed to **compromise** in order to avoid an argument. | 言い争いを避けるために彼は譲歩することを受け入れた。 |
| I had no **intention** of offending you. | あなたの気分を害する意図はありませんでした。 |

01
80

| 01 81 | **endure**<br>[ɪnd(j)úər]<br>① en- (中に) +dure (継続する) | 動 ～に耐える (≒bear)<br>名 endurance 忍耐力 |
|---|---|---|

| 01 82 | **abuse**<br>[動 əbjúːz 名 əbjúːs]<br>① ab- (離れて) +use (使う) | 動 ① ～を乱用する、悪用する (≒misuse)<br>② ～を虐待する<br>名 ① 乱用、不正使用 (≒misuse) ② 虐待 |
|---|---|---|

| 01 83 | **disaster**<br>[dɪzǽstər]<br>① dis- (不吉な) +aster (星) | 名 災害<br>形 disastrous 悲惨な、災害を招く |
|---|---|---|

| 01 84 | **justify**<br>[ʤʌ́stəfàɪ]<br>① just (正しい) +-ify (～にする) | 動 ～を正当化する、弁明する<br>形 justified 理にかなった<br>形 justifiable 正当化できる<br>名 justification 正当化 |
|---|---|---|

| 01 85 | **coincidence**<br>[kouínsədəns]<br>① co- (共に) +in- (上に) +cid (起こる) +-ence 名 | 名 (好み・出来事などの) 偶然の一致<br>動 coincide 同時に起きる<br>形 coincident 同時に起きて |
|---|---|---|

| 01 86 | **capacity**<br>[kəpǽsəti]<br>① cap (つかむ) +-acity 名 | 名 ① 収容能力、容量 ② 能力 (≒ability)<br>形 capable 能力のある |
|---|---|---|

| 01 87 | **distinguish**<br>[dɪstíŋgwɪʃ]<br>① dis- (分離) +sting (突き刺す) +-ish (～にする) | 動 ① ～を区別する<br>② ～を目立たせる、際立たせる<br>▶ distinguish A from B で「AをBと区別する」という意味。<br>名 distinction 区別 |
|---|---|---|

| 01 88 | **encourage**<br>[ɪnkə́ːrɪʤ]<br>① en- (～にする) +cour (心) +-age 動 | 動 ～を勧める、促す<br>▶ encourage A to do で「〈人〉に～するように促す」という意味。<br>名 encouragement 激励、奨励 |
|---|---|---|

| 01 89 | **creature**<br>[kríːtʃər] | 名 生き物 |
|---|---|---|

| 01 90 | **release**<br>[rɪlíːs]<br>① re- (再び) +lease (ゆるめる) | 動 ① 〈人・動物など〉を放す、自由にする (≒set free)<br>② 〈熱・物質など〉を放出する (≒emit)<br>③ 〈本など〉を発売する<br>名 ① 放出 ② 発売 |
|---|---|---|

| 01 91 | **document**<br>[dá:kjəmənt]<br>① doc(u) (教える) +-ment 名 | 名 書類 |
|---|---|---|

| 01 92 | **competition**<br>[kà:mpətíʃən]<br>① com- (共に) +peti (求める) +-tion 名 | 名 ① 競技会、試合 ② 競争<br>動 compete 競争する<br>形 competitive 競争の激しい; 競争力のある<br>名 competitor 競争相手; 競技者 |
|---|---|---|

| | |
|---|---|
| He said that he could not **endure** the pain any longer. | 彼は痛みにもう耐えられないと言った。 |
| The police officer was caught **abusing** the system. | その警官は制度を悪用して捕まった。 |
| Natural **disasters** can happen without warning. | 自然災害は前触れもなく起こることがある。 |
| The man tried to **justify** his actions to the police. | その男は警察に対して自分の行動を正当化しようとした。 |
| It was a total **coincidence** that we saw each other in Hong Kong. | 私たちが香港で会ったのはまったくの偶然だった。 |
| This aircraft has a **capacity** of 220 passengers. | この旅客機の乗客定員は220人だ。 |
| Do you know how to **distinguish** seals **from** sea lions? | アザラシとアシカを区別できますか。 |
| Her friends **encouraged** her **to** go on the trip. | 彼女の友人たちは彼女にその旅行に行くよう勧めた。 |
| There are some unique **creatures** living on the island. | その島にはユニークな生き物が住んでいる。 |
| Once the fox is healthy again, they will **release** it into the wild. | 彼らはそのキツネが再び元気になったら野生に戻す予定だ。 |
| She needs to gather many **documents** to start the immigration process. | 入国手続きを始めるために、彼女はたくさんの書類を集める必要がある。 |
| The school holds a programming **competition** every winter. | その学校は毎年冬にプログラミングコンテストを開催する。 |

| 01<br>93 | **lower**<br>[lóʊər] | 動 〈価格・程度など〉を下げる（≒reduce）（⇔raise） |
|---|---|---|

| 01<br>94 | **stress**<br>[strés] ⚠ アクセント注意。 | 動 ～を強調する（≒emphasize）<br>名 ① 強調（≒emphasis）<br>　　② （身体的・精神的）緊張、ストレス<br>形 stressful ストレスを与える |
|---|---|---|

| 01<br>95 | **exactly**<br>[ɪgzǽktli] | 副 正確に、まさに<br>形 exact 正確な |
|---|---|---|

| 01<br>96 | **doubt**<br>[dáʊt] | 動 ～を疑う、疑わしいと思う<br>名 疑い<br>形 doubtful 疑わしい<br>副 doubtfully 疑わしげに |
|---|---|---|

| 01<br>97 | **rapidly**<br>[rǽpɪdli] | 副 急速に、早く<br>形 rapid 急速な |
|---|---|---|

| 01<br>98 | **assignment**<br>[əsáɪnmənt]<br>① as-（～に）+sign（印をつける）<br>+-ment 名 | 名 課題、宿題<br>動 assign〈仕事・宿題など〉を課す |
|---|---|---|

| 01<br>99 | **mention**<br>[ménʃən]<br>① ment（思い出す）+-ion（こと） | 動 …であると述べる |
|---|---|---|

| 02<br>00 | **harm**<br>[háːrm] | 動 ～を傷つける、害する（≒hurt, damage）<br>名 害、損害<br>形 harmful 有害な |
|---|---|---|

| 02<br>01 | **destination**<br>[dèstənéɪʃən]<br>① de-（強意）+stin（立つ）+-ation 名 | 名 目的地、行き先 |
|---|---|---|

| 02<br>02 | **unique**<br>[ju(ː)níːk]<br>① uni（一つ）+-que 形 | 形 独特の、特有の |
|---|---|---|

| 02<br>03 | **pay**<br>[péɪ] | 動 ① 〈仕事などが〉もうかる、利益になる<br>　　② 割に合う　③ （～を）支払う<br>名 給料<br>▶ pay-paid-paid と活用する。 名 payment 支払い |
|---|---|---|

| 02<br>04 | **soil**<br>[sɔ́ɪl] | 名 土、土壌 |
|---|---|---|

| | |
|---|---|
| I think they will **lower** the price for this item next year. | 彼らは来年この商品の値段を下げると思う。 |
| The judge **stressed** that lying in court was a crime. | その裁判官は、法廷でうそをつくことは犯罪だと強調した。 |
| Thank you so much. This is **exactly** what I wanted. | ありがとう。まさにこれが欲しかったんです。 |
| Many people **doubt** that the reports are true. | 多くの人がその報告が正しいということに疑いを抱いている。 |
| Climate change has worsened **rapidly** in recent years. | 気候変動は、近年急速に悪化している。 |
| She has several **assignments** to complete over the winter holiday. | 彼女は冬休みの間に終えなければならない課題がいくつかある。 |
| She **mentioned** that he is going to Africa this summer. | 彼はこの夏アフリカに行く、と彼女は述べた。 |
| These factories are **harming** the environment. | これらの工場は環境に害を与えている。 |
| They still have not decided on a **destination** for their honeymoon. | 彼らはまだハネムーンの行き先を決めていない。 |
| Every person is **unique** in some way. | 人は皆、何らかの点で独特だ。 |
| It is a tiring job, but at least it **pays** well. | その仕事は退屈だが、少なくとも払いはいい。 |
| This **soil** is good for growing vegetables. | この土は野菜を育てるのに適している。 |

## 02 05 instruction

[ɪnstrʌ́kʃən]

① in- (上に) + struct (建てる) + -ion 名

名 ① [通例複数形で] 取扱説明書 ② 指示、指導
動 instruct ～に指示する、～を指導する
名 instructor インストラクター、指導者

## 02 06 once

[wʌ́ns]

接 ～するとすぐ、～する時点で
副 ① 一度 ② かつて

## 02 07 accurate

[ǽkjərət]

① ac- (～に) + cur (注意する) + -ate 形

形 正確な、精密な
(≒true, right) (⇔inaccurate, false)
名 accuracy 正確さ
副 accurately 正確に

## 02 08 operate

[ɑ́:pərèɪt]

① opera (仕事) + -(a)te 動

動 ① ～を操作する ② 作動する、動く (≒run)
名 operation 操作；作動

## 02 09 physical

[fízɪkl]

形 ① 体の、身体の (⇔mental)
② 物質の、物理的な
副 physically 身体的に；物理的に

## 02 10 choice

[tʃɔ́ɪs]

名 選択の範囲、選択肢
► have no choice but to do で「～するほかに選択肢がない」という意味。
動 choose ～を選ぶ

## 02 11 illegal

[ɪlí:gəl]

① il- (否定) + legal (合法の)

形 違法の、非合法の (≒unlawful) (⇔legal)
副 illegally 不法に

## 02 12 apply

[əpláɪ]

① ap- (～に) + ply (たたむ)

動 ① 当てはまる、適用される；～を当てはめる
② 申し込む、申請する
► apply for ~ (～に申し込む) という表現も覚えておこう。
名 application 申し込み 名 applicant 応募者

## 02 13 evolution

[èvəlú:ʃən]
① e- (外に) + volu (回転する) + -tion 名

名 進化、進化論
動 evolve 進化する

## 02 14 fairly

[féərli]

副 ① 公平に ② かなり、まあまあ、比較的
形 fair 公平な

## 02 15 relatively

[rélətɪvli]
① re- (元に) + lat (運ぶ) + -ive 形 + -ly 副

副 比較的
形 relative 比較上の；関連した

## 02 16 due

[d(j)ú:]

形 ① 〈支払い・提出などが〉期限の来た
② 生まれる予定の
► due date (〈支払いなどの〉締切日) という表現も覚えておこう。

| | |
|---|---|
| The medicine came with detailed **instructions**. | その薬には詳細な説明書が付いていた。 |
| Please give me a call **once** your plane lands. | 飛行機が着いたら、電話をください。 |
| The instructions were not **accurate**, so completing the task took a long time. | 指示が正確でなかったので、その仕事を終えるのに時間がかかった。 |
| Never **operate** the machine without wearing safety glasses. | 防護メガネをかけずにその機械を操作しないでください。 |
| This job requires a lot of **physical** strength. | この仕事にはかなりの体力が必要だ。 |
| They **had no choice but to** follow the boss's order. | 彼らは上司の命令に従うしかなかった。 |
| Parking in this area is **illegal**. | この場所に駐車するのは違法だ。 |
| These rules only **apply** to new members joining the club. | これらの規則は、クラブに入会した新会員にのみ適用される。 |
| Human beings are still in the process of **evolution**. | 人間はまだ進化の過程にある。 |
| Many people are not treated **fairly** at work because of their gender. | 性別を理由に職場で公平に扱われない人がたくさんいる。 |
| The country recovered in a **relatively** short time. | その国は比較的短期間で復興した。 |
| My electricity bill is **due** tomorrow. | 私の電気料金は明日が支払い期限だ。 |

| 02 17 | **ancestor** [ǽnsestər]<br>① an- (先に) +cest (行く) +-or (人) | 名 祖先、先祖 (⇔descendant) |
| 02 18 | **error** [érər] | 名 誤り、間違い (≒mistake) |
| 02 19 | **whoever** [hu(:)évər] | 接 ~する人は誰でも |
| 02 20 | **belief** [bɪlíːf] | 名 ① 信仰、信条 ② 信念<br>動 believe ~を信じる |
| 02 21 | **afterward** [ǽftərwərd] | 副 その後<br>► afterwards ともつづる。 |
| 02 22 | **potential** [pəténʃəl]<br>① potent (能力) +-ial 形 | 名 ① 素質、才能 ② 可能性、見込み<br>形 (将来的に) 可能性のある、見込みのある (≒possible)<br>副 potentially 可能性として |
| 02 23 | **object** [動 əbdʒékt 名 áːbdʒɪkt]<br>① ob- (~に対して) +ject (投げる) | 動 反対する<br>名 物、対象<br>名 objection 反対 |
| 02 24 | **debate** [dɪbéɪt]<br>① de- (完全に) +bate (打つ) | 動 (~を) 議論する<br>名 討論会、議論 |
| 02 25 | **disagree** [dìsəgríː]<br>① dis- (否定) +agree (賛成する) | 動 意見が合わない (⇔agree)<br>名 disagreement (意見の) 不一致 |
| 02 26 | **adapt** [ədǽpt]<br>① ad- (~に) +apt (適した) | 動 ① 適応する ② ~を適応させる<br>③ ~を改造する<br>► adapt to ~ (~に適応する) の形で押さえておこう。<br>名 adaptation 適応 |
| 02 27 | **specialize** [spéʃəlàɪz] | 動 専門に扱う、専攻する (≒focus)<br>► specialize in ~ で「~を専門にする」という意味。<br>形 special 特別な 副 specially 特別に<br>名 specialist 専門家 |
| 02 28 | **vary** [véəri] ⚠ 発音注意。 | 動 異なる、変化する<br>形 varied 変化に富んだ<br>名 variation 変化<br>名 variety 多様性 |

| His **ancestors** left Russia in the early 1900s. | 彼の祖先は 1900 年代初めにロシアを離れた。 |
| Her job is to find spelling and grammar **errors** in texts. | 彼女の仕事は文章中のつづりや文法の間違いを見つけることだ。 |
| **Whoever** is interested should email me by Friday. | 興味のある方はどなたでも金曜日までにメールをください。 |
| We must respect other people's **beliefs**. | 私たちはほかの人の信仰を尊重しなければならない。 |
| The meeting lasted two hours. **Afterward**, we went out to lunch. | 会議は 2 時間続いた。その後、私たちは昼食を食べに出かけた。 |
| She has the **potential** to become a great doctor someday. | 彼女にはいつか偉大な医師になる素質がある。 |
| Her father **objected** to her decision to study abroad. | 彼女の父親は留学するという彼女の決断に反対した。 |
| They **debated** the possible solutions to global warming. | 彼らは地球温暖化に対して考えられる解決策を議論した。 |
| The couple **disagreed** on how to raise their children. | その夫婦は子どもの育て方について意見が合わなかった。 |
| Children are quick to **adapt to** new surroundings. | 子どもは新しい環境に適応するのが早い。 |
| Her law firm **specializes in** corporate law. | 彼女の法律事務所は、企業法を専門にしている。 |
| Population density **varies** depending on the place. | 人口密度は場所によって異なる。 |

| 02 29 | **handle** [hǽndl] | 動 ① 〈問題など〉を処理する (≒cope with ~) ② 〈人・動物など〉を扱う<br>名 取っ手、柄<br>▶「(車の) ハンドル」は steering wheel と言う。 |
|---|---|---|
| 02 30 | **practical** [prǽktɪkl] | 形 ① 実用的な (⇔impractical) ② 現実的な (⇔impractical) |
| 02 31 | **bleed** [blíːd] | 動 出血する<br>▶ bleed-bled-bled と活用する。<br>名 blood 血液 |
| 02 32 | **refund** [名 ríːfʌnd 動 rɪfʌ́nd]<br>① re- (元に) +fund (資産) | 名 払い戻し、返金<br>動 ~を払い戻す、返金する |
| 02 33 | **spot** [spάːt] | 動 ~を見つける、~に気づく<br>名 ① 場所 ② 染み |
| 02 34 | **diversity** [dəvə́ːrsəti]<br>① di- (分離) +vers (曲がる) + -ity 名 | 名 多様性<br>形 diverse 多様な<br>動 diversify ~を多様化する |
| 02 35 | **fold** [fóʊld] | 動 ① 〈腕・脚など〉を組む ② ~を折りたたむ |
| 02 36 | **lack** [lǽk] | 名 不足 (≒shortage)<br>動 ~を欠いている |
| 02 37 | **threaten** [θrétn]<br>① threat (脅迫) + -en (~にする) | 動 ① ~を脅す、脅迫する ② ~の脅威になる<br>▶ threaten to do で「~すると脅す」という意味。<br>名 threat 脅迫；脅威 |
| 02 38 | **latter** [lǽtər] | 形 後半の、あとの (⇔former)<br>名 [the latter で] 後者 (⇔former) |
| 02 39 | **spray** [spréɪ] | 動 〈液体など〉を吹きつける<br>名 噴霧液、スプレー |
| 02 40 | **reputation** [rèpjətéɪʃən]<br>① reput (評する) + -ation 名 | 名 評判、名声 |

| | |
|---|---|
| Cindy could not **handle** working such long hours, so she quit. | シンディはそんな長時間労働をこなせず、辞めた。 |
| Sports cars may not be very **practical**, but they look cool. | スポーツカーはあまり実用的ではないかもしれないが、見た目がかっこいい。 |
| It took a long time for the cut to stop **bleeding**. | その切り傷は出血が止まるのに長い時間がかかった。 |
| The supermarket gave her a **refund** for the moldy fruit. | スーパーは彼女にカビの生えた果物の代金を返金した。 |
| They **spotted** a cat stuck in a tree in their neighborhood. | 彼らは近所で木から降りられないでいるネコを見つけた。 |
| The area has less **diversity** in plant life than it used to. | その地域の植生にはかつてほどの多様性がない。 |
| The CEO listened with his arms **folded**. | CEO は腕を組んで話を聞いていた。 |
| A **lack** of sleep can cause a lot of serious health problems. | 睡眠不足は、多くの深刻な健康問題を引き起こす可能性がある。 |
| My boss **threatened to** fire me. | 上司は私を首にすると脅した。 |
| I can't believe we're already in the **latter** half of the year. | もう 1 年の後半だなんて信じられない。 |
| **Spray** water on the plant every day to keep it moist. | 毎日植物に水をスプレーして湿った状態に保ってください。 |
| Japanese products have a good **reputation** in other countries. | 日本の商品は外国で評判がよい。 |

| | |
|---|---|
| **02 41** **conservation** [kà:nsərvéɪʃən] ① con- (共に) +serv (保つ) + -ation 名 | 名 ① (資源・文化財などの) 保存、保全 (≒preservation) ② (動植物・森林などの) 保護 (≒preservation) 動 conserve ~を保護 [保全] する 形 conservative 保守的な |
| **02 42** **commute** [kəmjú:t] ① com- (強意) +mute (変える) | 動 通勤する 名 通勤 名 commuter 通勤者 |
| **02 43** **place** [pléɪs] | 名 ① (競争での) ~位 ② 店、飲食店 動 ~を置く、設置する ▶ ①では無冠詞で使う。 |
| **02 44** **yell** [jél] | 動 どなる、わめく ▶ yell at ~ で「~に向かってどなる」という意味。 |
| **02 45** **urgent** [ə́:rʤənt] ① urg (駆り立てる) + -ent 形 | 形 急を要する、緊急の (≒critical, crucial, pressing) (⇔unimportant) 副 urgently 緊急に 名 urgency 緊急 |
| **02 46** **mess** [més] | 名 乱雑、散らかっている状態 ▶ make a mess (散らかす) という表現も出題されている。 形 messy 乱雑な |
| **02 47** **publicity** [pʌblísəti] ① public (公の) + -ity 名 | 名 ① 注目、評判 ② 広告、宣伝 動 publicize ~を宣伝する |
| **02 48** **phenomenon** [fɪná:mənà:n] | 名 現象 ▶ 複数形は phenomena。 |
| **02 49** **passion** [pǽʃən] ① pass (苦しみ) + -ion 名 | 名 情熱 形 passionate 情熱的な |
| **02 50** **humidity** [hju:mídəti] ① humid (湿度の高い) + -ity (状態) | 名 湿気、湿度 形 humid 湿度の高い、多湿の |
| **02 51** **means** [mí:nz] | 名 方法、手段 ▶ 単複同形。 |
| **02 52** **rude** [rú:d] | 形 失礼な、無礼な (≒impolite) |

| | |
|---|---|
| Water **conservation** has become an important topic in recent years. | 近年、水の保全は重要なテーマとなっている。 |
| It takes him two hours to **commute** to work from his countryside home. | 彼は田舎の家から通勤するのに2時間かかる。 |
| Chihiro came in first **place** in the surfing competition. | チヒロはサーフィンの大会で1位になった。 |
| She **yelled at** her dog when it chewed up her favorite shoes. | 愛犬がお気に入りの靴を噛んでだめにしたとき、彼女はどなりつけた。 |
| I have an **urgent** matter I want to discuss with you. | あなたと話し合いたい緊急の用件があります。 |
| She has not cleaned her apartment in months, so it is a **mess**. | 彼女は何か月もアパートを掃除していないので、とても散らかっている。 |
| The book received a lot of **publicity** when the author was arrested. | 著者が逮捕されると、その本は大いに注目を集めた。 |
| Extreme weather is a worsening **phenomenon** that worries many people. | 異常気象は悪化の一途をたどる現象で、多くの人々を悩ませている。 |
| She has a **passion** for helping people. | 彼女は人助けに情熱を持っている。 |
| Although it is hot in the desert, the **humidity** is very low. | 砂漠は暑いが、湿度は非常に低い。 |
| My car is my primary **means** of transportation. | 車は私の主要な移動手段だ。 |
| She was sent to the principal's office for her **rude** behavior. | 彼女は無礼な振る舞いをして校長室に送られた。 |

主に筆記大問1で一回正解になり、長文などにも登場した語

| | | |
|---|---|---|
| 02 53 | **rough** <br> [ráf] | 形 ① (表面が) ざらざらした、でこぼこの (⇔smooth) <br> ② おおよその、概略の <br> 副 roughly おおよそ |
| 02 54 | **characteristic** <br> [kèrəktərístɪk] | 名 特徴、特色 (≒trait) <br> 形 特有の、特徴的な <br> 名 character 特徴；性格 <br> 動 characterize 〜を特徴づける |
| 02 55 | **generally** <br> [ʤénərəli] | 副 たいてい、通常 (≒in general) <br> 形 general 全体的な；一般的な <br> 名 generalization 一般化 |
| 02 56 | **wage** <br> [wéɪʤ] | 名 賃金 <br> ► 主に時給・日給などで支払われる賃金を意味する。 |
| 02 57 | **pack** <br> [pǽk] | 動 ① 〈かばんなど〉に荷物を詰める <br> ② 〜を詰める、詰め込む |
| 02 58 | **permanent** <br> [pə́ːrmənənt] <br> ① per- (最後まで)+man (留まる) +-ent 形 | 形 ① 常任の、終身の (⇔temporary) <br> ② 永続的な <br> 副 permanently 永続的に |
| 02 59 | **constantly** <br> [ká:nstəntli] | 副 いつも、絶えず (≒at all times) <br> 形 constant 絶え間ない；一定の |
| 02 60 | **empire** <br> [émpaɪər] ⚠ アクセント注意。 | 名 帝国 <br> 名 emperor 皇帝 |
| 02 61 | **accomplish** <br> [əká:mplɪʃ] <br> ① ac- (〜に)+com- (共に)+pl (満た す)+-ish (〜にする) | 動 〜を成し遂げる、達成する (≒achieve) <br> 名 accomplishment 達成 |
| 02 62 | **domestic** <br> [dəméstɪk] <br> ① dom (家)+-estic 形 | 形 ① 国内の (⇔foreign) <br> ② 家庭の ③ 人に飼われている (⇔wild) <br> 動 domesticate 〈動物〉を家畜化する <br> 名 domestication 家畜化 |
| 02 63 | **submit** <br> [səbmít] <br> ① sub- (下に)+mit (置く) | 動 〜を提出する (≒hand in, give in) <br> 名 submission 提出 |
| 02 64 | **cough** <br> [kɔ́(ː)f] ⚠ gh の発音に注意。 | 動 咳をする <br> 名 咳 |

| | | |
|---|---|---|
| The roads are really **rough** in these rural areas. | この農村地域は道が本当にでこぼこしている。 | |
| Concern for its employees is a **characteristic** of good companies. | 従業員への気づかいはよい企業の特徴だ。 | |
| These birds **generally** live in very dry areas. | これらの鳥は通常とても乾燥した地域に生息している。 | |
| Highly skilled workers receive higher **wages**. | 高度な技能を持つ労働者はより高い賃金を受け取る。 | |
| It only took me a few minutes to **pack** my bag. | 私はかばんに荷物を詰めるのに数分しかかからなかった。 | |
| Mark was recently promoted to a **permanent** position at his company. | マークは最近、会社で正社員に昇進した。 | |
| My sister and I fought **constantly** when we were kids. | 姉と私は子どものころいつもけんかしていた。 | |
| We are still dealing with the consequences of colonial **empires**. | 私たちはいまだに植民地帝国が残した結果に対処している。 | |
| Tyler **accomplished** her goal of living in Chile through hard work. | タイラーは懸命に働いてチリに住むという目標を達成した。 | |
| A tax increase may hurt the **domestic** economy. | 増税は国内経済に打撃を与えるかもしれない。 | |
| He **submitted** his resignation letter at the end of the day. | 彼はその日の終わりに辞表を提出した。 | |
| The smoke from the grille made him start **coughing**. | グリルからの煙で彼は咳込み始めた。 | |

| 02<br>65 **celebration**<br>[sèləbréɪʃən] | 名 祝賀会、祝典<br>動 celebrate ～を祝う |
|---|---|

| 02<br>66 **surround**<br>[səráʊnd]<br>① sur(r)- (越えて) +ound (あふれる) | 動 ～を囲む<br>形 surrounding 周囲の<br>名 surroundings 環境 |
|---|---|

| 02<br>67 **chase**<br>[tʃéɪs] | 動 (～を) 追いかける |
|---|---|

| 02<br>68 **incredible**<br>[ɪnkrédəbl]<br>① in- (否定) +cred (信じる) +-ible (できる) | 形 ① 素晴らしい、最高の (≒fantastic)<br>② 信じられない (ほどの)、信じがたい<br>(≒unbelievable)<br>副 incredibly 信じられないほどに |
|---|---|

| 02<br>69 **sum**<br>[sám] | 名 ① 金額 ② 合計、和 |
|---|---|

| 02<br>70 **approximately**<br>[əprá:ksəmətli]<br>① ap- (～に) +proxim (近く) +-ate形<br>+-ly副 | 副 およそ、約 (≒about, around)<br>形 approximate おおよその |
|---|---|

| 02<br>71 **motivate**<br>[móʊtəvèɪt]<br>① mot (動く) +-ivate (～にする) | 動 ～に動機を与える (≒inspire) (⇔discourage)<br>名 motivation 動機づけ<br>名 motive 動機 |
|---|---|

| 02<br>72 **immigrant**<br>[ímɪɡrənt]<br>① im- (中に) +migr (移る) +-ant (人) | 名 移民<br>動 immigrate 移住する<br>名 immigration 移住 |
|---|---|

| 02<br>73 **congratulate**<br>[kəngrǽtʃəlèɪt]<br>① con- (共に) +grat (喜び) +-ulate動 | 動 〈人〉を祝う<br>▶ 名詞形 Congratulations! (おめでとう) も頻出表現。 |
|---|---|

| 02<br>74 **pioneer**<br>[pàɪəníər] | 名 先駆者、草分け<br>動 ～を開拓する、創始する<br>形 pioneering 先駆的な |
|---|---|

| 02<br>75 **stick**<br>[stík] | 動 ① ～を貼る、くっつける ② ～を突き刺す<br>▶ stick-stuck-stuck と活用する。 |
|---|---|

| 02<br>76 **warmth**<br>[wɔ́:rmθ] | 名 暖かさ (⇔coldness)<br>形 warm 暖かい |
|---|---|

| | |
|---|---|
| The family held a big **celebration** when their twins graduated from high school. | 双子が高校を卒業したとき、その一家は盛大な祝賀会を開いた。 |
| The photographers **surrounded** the actress outside of her home. | カメラマンたちは自宅の外でその女優を取り囲んだ。 |
| The cashier **chased** after the woman who left her phone on the counter. | そのレジ係はカウンターに携帯電話を置き忘れた女性を追いかけた。 |
| The views from the top of the mountain are **incredible**. | その山の頂上からの眺めは最高だ。 |
| They paid a large **sum** to complete the home renovation. | 彼らは家の改築を完成させるために多額の費用を支払った。 |
| This test requires **approximately** two hours to complete. | このテストの所要時間は約2時間です。 |
| Her desire to become a writer **motivated** her to write every day. | 作家になりたいという願望が動機となって彼女は毎日原稿を書いた。 |
| The country has a reputation for not being welcoming to **immigrants**. | その国は移民を歓迎しないことで知られている。 |
| The teacher **congratulated** every single graduating student. | 教師は卒業生一人ひとりを祝福した。 |
| He is a **pioneer** in the field of medical technology. | 彼は医療技術の分野の先駆者だ。 |
| The student **stuck** his gum to the bottom of his desk. | その学生は自分の机の裏にガムを貼りつけた。 |
| It's cold; you should use this blanket for extra **warmth**. | 寒いわね。暖かくなるようにこの毛布を使いなさい。 |

| 02 77 | **priority**<br>[praɪɔ́:rəti]<br><br>① prior (優先の) + -ity 名 | 名 ① 優先 (権) ② 優先事項<br>▶ 形容詞的に「優先的な」という意味で使われることもある。<br>形 prior 優先の、前の<br>動 prioritize ~を優先させる |
|---|---|---|
| 02 78 | **minority**<br>[mənɔ́:rəti] | 名 少数者、少数派 (⇔majority)<br>形 少数派の<br>形 minor 少ないほうの |
| 02 79 | **category**<br>[kǽtəgɔ̀:ri] | 名 カテゴリー、種類<br>動 categorize ~を分類する |
| 02 80 | **dormitory**<br>[dɔ́:rmətɔ̀:ri]<br><br>① dorm (眠る) + -itory (場所) | 名 (大学などの) 寮 |
| 02 81 | **engagement**<br>[ɪngéɪdʒmənt]<br>① en- (中に) + gage (誓約)<br>+ -ment 名 | 名 婚約<br>形 engaged 婚約している<br>動 engage ~に従事させる;従事する |
| 02 82 | **pregnant**<br>[prégnənt] | 形 妊娠した<br>名 pregnancy 妊娠 |
| 02 83 | **master**<br>[mǽstər] | 動 ~を習得する<br>名 修士 |
| 02 84 | **bond**<br>[bá:nd] | 名 ① きずな、結びつき ② (化学) 結合 |
| 02 85 | **press**<br>[prés] | 名 新聞、出版物<br>動 ~を押す<br>▶ 名詞の意味は printing press (印刷機) から派生した。 |
| 02 86 | **seal**<br>[sí:l] | 動 ~を密封する<br>名 (手紙・容器などの) 封印紙、封ろう<br>▶ 長文問題で「アザラシ」の意味でも登場している。 |
| 02 87 | **recall**<br>[rɪkɔ́:l]<br><br>① re- (再び) + call (呼ぶ) | 動 ~を思い出す、覚えている (≒recollect) |
| 02 88 | **load**<br>[lóʊd] | 動 (車・船などに) 〈荷〉を積む (⇔unload)<br>名 荷物、積み荷 |

| | |
|---|---|
| Safety has **priority** over profits. | 安全性は利益よりも優先度が高い。 |
| This new plan is only supported by a **minority** of residents. | この新しい計画は少数の住民にしか支持されていない。 |
| Ursula separated her books into five different **categories**. | アースラは蔵書を5つの異なるカテゴリーに分けた。 |
| Victor lived in a student **dormitory** when he was in high school. | ヴィクターは高校時代、学生寮に住んでいた。 |
| They announced their **engagement** during the Christmas dinner. | 彼らはクリスマスディナーで婚約を発表した。 |
| She became **pregnant** two years after getting married. | 彼女は結婚して2年後に妊娠した。 |
| It only took him a few years to **master** Spanish. | 彼がスペイン語を習得するのに数年しかかからなかった。 |
| Ken and his brother had a special **bond**. | ケンと兄との間には特別なきずながあった。 |
| The **press** is reporting that the explosion was an accident. | 新聞はその爆発は事故だったと伝えている。 |
| You need to **seal** the envelope before you mail it. | 投函する前に封筒に封をしてください。 |
| There is a great restaurant in that area, but I cannot **recall** the name. | その辺りにおいしいレストランがあるのだが、名前を思い出すことができない。 |
| We should start **loading** the camping equipment into the car. | 私たちは車にキャンプ用品を積み始めたほうがいい。 |

| 02 89 | **claw** [klɔ́ː] | 名 かぎ爪 |
|---|---|---|

| 02 90 | **carriage** [kǽrɪʤ] | 名 (4 輪の) 馬車 |
|---|---|---|

| 02 91 | **confront** [kənfrʌ́nt] ① con- (共に) + front (額を突き合わせる) | 動 ① 〈問題など〉に立ち向かう<br>② 〈困難など〉に直面する (≒face)<br>名 confrontation 対立；直面 |
|---|---|---|

| 02 92 | **proceed** [prəsíːd] ① pro- (前に) + ceed (行く) | 動 ① 前進する、進む (≒go on, advance)<br>② 〈ことが〉続行する<br>名 process 過程、進行<br>名 procession 行列、行進 |
|---|---|---|

| 02 93 | **notion** [nóʊʃən] | 名 考え、概念 (≒idea, concept) |
|---|---|---|

| 02 94 | **marvelous** [mɑ́ːrvələs] | 形 驚くべき、素晴らしい<br>(≒wonderful, fantastic) (⇔terrible)<br>動 marvel 驚く |
|---|---|---|

| 02 95 | **remarkably** [rɪmɑ́ːrkəbli] ① remark (注目) + -abl (させるべき) + -y 副 | 副 際立って、著しく<br>形 remarkable 際立った、注目すべき |
|---|---|---|

| 02 96 | **sufficient** [səfíʃənt] ① suf- (下に) + fic (作る) + ient 形 | 形 十分な、満足な (≒adequate) (⇔insufficient)<br>副 sufficiently 十分に |
|---|---|---|

| 02 97 | **precise** [prɪsáɪs] | 形 正確な (≒exact) (⇔imprecise, vague)<br>副 precisely 正確に<br>名 precision 正確さ |
|---|---|---|

| 02 98 | **utilize** [júːtəlàɪz] ① util (役に立つ) + -ize 動 | 動 ~を利用する、役立たせる (≒make use of ~)<br>名 utilization 利用 |
|---|---|---|

| 02 99 | **awkward** [ɔ́ːkwərd] | 形 ① 〈瞬間・沈黙などが〉決まりの悪い、気まずい<br>② 〈人・動作などが〉不器用な、ぎこちない<br>(≒clumsy)<br>副 awkwardly 不器用に |
|---|---|---|

| 03 00 | **principle** [prínsəpl] | 名 ① 原理、原則 ② 主義、信条<br>▶ principal (主要な) と同音。 |
|---|---|---|

| | |
|---|---|
| The kitten's **claws** are very sharp. | その子ネコの爪はとても鋭い。 |
| It was still common to ride in **carriages** in the early 1900s. | 1900年代初頭はまだ馬車に乗るのが一般的だった。 |
| Tom **confronted** his problem by asking for help from friends. | トムは友人たちに助けを求めることによって、自分の問題に立ち向かった。 |
| The parade **proceeded** slowly through the whole town. | パレードは町中を通ってゆっくりと進んだ。 |
| The **notion** of space travel has been talked about for many years. | 宇宙旅行という考えは長年語られてきた。 |
| The acrobatics performance we saw last week was **marvelous**. | 私たちが先週見たアクロバットパフォーマンスは素晴らしかった。 |
| Sarah gave a **remarkably** good presentation despite her fear of public speaking. | 人前で話すことを怖がっていたにもかかわらず、サラは非常に素晴らしいプレゼンをした。 |
| Jeff's boss did not give him **sufficient** time to finish his task. | 上司はジェフに仕事を終えるのに十分な時間を与えなかった。 |
| Sometimes your **precise** weight is needed for medical procedures. | 医療処置のために正確な体重が必要になることがある。 |
| The school library can only be **utilized** for reading or doing schoolwork. | その学校の図書館は読書か学校の勉強をするためにしか利用できない。 |
| Fiona felt **awkward** because she was the only woman in a dress. | ドレスを着ている女性が自分だけだったので、フィオナは決まりの悪い思いをした。 |
| You need to understand the basic **principles** of accounting to work hcre. | ここで働くには、会計の基本的な原理を理解する必要がある。 |

| 03 01 | **absolute** [ǽbsəlùːt] ① ab- (離れて) +solute (ゆるめられた) | 形 ① まったくの、完全な (≒entire, full, pure) (⇔incomplete, partial) ② 絶対的な (≒definitive) 副 absolutely まったく;絶対に |
|---|---|---|
| 03 02 | **compensate** [kάːmpənsèɪt] ① con- (共に) +pens (釣り合い) + -ate 動 | 動 〈人〉に補償をする 名 compensation 補償 |
| 03 03 | **adequate** [ǽdɪkwət] ① ad- (~に) +equ (等しい) + -ate 形 | 形 十分な、満足な (≒sufficient) (⇔inadequate) 副 adequately 十分に |
| 03 04 | **masterpiece** [mǽstərpìːs] ① master (大家) +piece (作品) | 名 名作、最高傑作 (≒masterwork) |
| 03 05 | **tremble** [trémbl] | 動 〈人・声などが〉震える ► trem は「震える」を意味する語根。tremendous (ものすごい) も同語源語。 名 tremor 震え;震動 |
| 03 06 | **ambulance** [ǽmbjələns] | 名 救急車 |
| 03 07 | **exclusive** [ɪksklúːsɪv] ① ex- (外に) +clus (閉じる) + -ive 形 | 形 ① 排他的な;上流階級専用の ② 独占的な 動 exclude ~を除外する 副 exclusively もっぱら |
| 03 08 | **impose** [ɪmpóʊz] ① im- (上に) +pose (置く) | 動 〈税金・義務など〉を課す、科す ► impose A on B で「A を B に課す」という意味。 名 imposition 課すこと |
| 03 09 | **maximum** [mǽksəməm] | 名 最大限 (⇔minimum) 形 最大限の、最高の (⇔minimum) 動 maximize ~を最大にする |
| 03 10 | **parliament** [pάːrləmənt] | 名 議会、国会 |
| 03 11 | **enthusiasm** [ɪnθ(j)úːziæzm] ① en- (中に) +thus(i) (神) + -asm 名 | 名 熱意、熱中 形 enthusiastic 熱心な 副 enthusiastically 熱心に |
| 03 12 | **significance** [sɪɡnífɪkəns] ① sign(i) (印をつける) + -fic 動 + -ance 名 | 名 ① 重要性 (≒importance) ② 意味 (≒meaning) 形 significant 重要な、意義深い 動 signify 重要である |

| | |
|---|---|
| Some people need **absolute** silence in order to concentrate. | 集中するために完全な静寂が必要な人もいる。 |
| The airline **compensates** passengers if they lose their luggage. | 荷物が紛失した場合、その航空会社は乗客に補償する。 |
| He had to quit his job because the pay was not **adequate**. | 給料が十分でなかったので、彼は仕事を辞めなければならなった。 |
| The gallery showcases **masterpieces** from famous artists. | そのギャラリーには、有名な芸術家たちの名作が展示されている。 |
| The young girl **trembled** in fear just looking at the swimming pool. | その少女は、プールを見ただけで恐怖に震えた。 |
| Bernice had to call an **ambulance** when she fell off the ladder. | バーニスは、梯子から落ちて救急車を呼ばなければならなかった。 |
| The **exclusive** club of investors only accepts 20 new members per year. | 投資家たちのその排他的なクラブは、1年に20人しか新会員を受け入れない。 |
| The government is planning on **imposing** a new tax **on** freelancers. | 政府はフリーランサーに新しい税を課そうと計画している。 |
| You can only submit a **maximum** of five photos to the contest. | そのコンテストには最大5枚までしか写真を出せない。 |
| **Parliament** debated the law for days before eventually passing it. | 国会はその法律を何日も議論し、最終的に可決した。 |
| The students worked with **enthusiasm** on their class project. | 生徒たちはクラスの研究課題に熱心に取り組んだ。 |
| The **significance** of this medical discovery cannot be denied. | この医学的発見の重要性は否定できない。 |

| 03 13 | **considerate** [kənsídərət] | 形 思いやりがある<br>► be considerate of ~ で「~に思いやりがある」という意味。 |

| 03 14 | **intend** [inténd] | 動 ~を意図する<br>► intend to do で「~するつもりだ」という意味。 |

| 03 15 | **deceive** [disíːv]<br>① de- (~から) + ceive (取る) | 動 〈人〉をだます、欺く<br>名 deceit だますこと、詐欺<br>形 deceitful 詐欺の |

| 03 16 | **statistics** [stətístiks]<br>① statist (状態) + -ics (学問) | 名 統計<br>形 statistical 統計の、統計上の |

| 03 17 | **isolated** [áisəlèitid]<br>① isol (島) + -ate 動 + -d | 形 孤立した、隔離された<br>動 isolate ~を孤立させる<br>名 isolation 孤立、隔離 |

| 03 18 | **violate** [váiəlèit] | 動 ~に違反する<br>(≒break, disregard) (⇔follow, obey)<br>名 violation 違反 |

| 03 19 | **withdraw** [wiðdrɔ́ː]<br>① with- (離れて) + draw (引く) | 動 ① 〈預金〉を引き出す ② 撤退する<br>③ 〈前言〉を撤回する<br>► withdraw-withdrew-withdrawn と活用する。<br>名 withdrawal (預金の) 引き出し；撤退 |

| 03 20 | **inspect** [inspékt]<br>① in- (中に) + spect (見る) | 動 ~を詳しく調べる、検査する (≒examine)<br>名 inspection 検査、点検 |

| 03 21 | **sympathize** [símpəθàiz]<br>① sym- (共に) + path (感情) + -ize 動 | 動 同情する、共感する<br>形 sympathetic 思いやりのある<br>名 sympathy 同情、思いやり |

| 03 22 | **collaboration** [kəlæbəréiʃən]<br>① col- (共に) + labor (働く) + -ation 名 | 名 共同作業、協力<br>動 collaborate 協力する |

| 03 23 | **evaluate** [ivǽljuèit]<br>① e- (外に) + valu (価値がある) + -ate 動 | 動 ~を評価する (≒assess)<br>名 evaluation 評価 |

| 03 24 | **prayer** [préər] | 名 ① 祈りの言葉 ② 祈り、祈祷<br>動 pray 祈る |

| | |
|---|---|
| She **is** always very **considerate of** others. | 彼女はいつも他人に対してとても思いやりがある。 |
| She is saving money because she **intends to** buy a car next year. | 彼女は来年車を買うつもりなので、お金を貯めている。 |
| Gary **deceived** his parents by pretending he had finished his homework. | ゲイリーは宿題を終えたふりをして両親を欺いた。 |
| Companies regularly study **statistics** to make decisions about potential products. | どんな製品を作ったらいいか決めるため、企業は定期的に統計を調査している。 |
| The plane crashed in an **isolated** area of the national park. | その飛行機は国立公園内の人が踏み入らない場所に墜落した。 |
| Anyone found **violating** the rules will be disqualified from the tournament. | 規則違反が見つかった者はトーナメント失格となる。 |
| Sydney **withdrew** money to take to the currency exchange. | シドニーは預金を引き出して、両替所に持っていった。 |
| All concert attendees had their bags **inspected** before entering the venue. | コンサート参加者は全員、会場に入る前に手荷物を検査された。 |
| Jake **sympathized** with his friend when her pet died. | ジェイクは、ペットを亡くした友人を気の毒に思った。 |
| The **collaboration** between our research teams resulted in a new discovery. | われわれ研究チーム間の協力の結果、新しい発見がもたらされた。 |
| The professor **evaluated** his students' progress through weekly quizzes. | その教授は、毎週の小テストで学生たちの進歩を評価した。 |
| Charlotte says a **prayer** every night before going to bed. | シャーロットは毎晩寝る前に祈りの言葉を唱える。 |

| 03 25 | **prospect**<br>[prá:spekt]<br>① pro- (前方を) +spect (見る) | 名 ① 見通し、展望<br>② 見込み、可能性 (≒likelihood)<br>形 prospective 将来の、見込まれる |
|---|---|---|
| 03 26 | **obstacle**<br>[á:bstəkl]<br>① ob- (遮るように) +sta (立つ) +-cle (指小辞) | 名 障害 (物)、支障 (≒barrier, obstruction) |
| 03 27 | **hospitality**<br>[hà:spətǽləti]<br>① hospit (客) +-ality 名 | 名 もてなし、接待<br>形 hospitable 手厚い、もてなす |
| 03 28 | **welfare**<br>[wélfèər]<br>① wel (よく) +fare (行く) | 名 福祉、幸福 |
| 03 29 | **faith**<br>[féɪθ] | 名 ① 自信、信念 ② 信頼、信用 (≒trust)<br>③ 宗教、信仰<br>形 faithful 信心深い |
| 03 30 | **apparently**<br>[əpǽrəntli]<br>① ap- (〜に) +par (現れる) +-ent 形<br>+-ly 副 | 副 どうやら (〜らしい)<br>▶「明らかに」という意味では使わない。<br>形 apparent 明白な、明瞭な |
| 03 31 | **fate**<br>[féɪt] | 名 運命、運命の力<br>形 fated 運命づけられた |
| 03 32 | **dawn**<br>[dó:n] | 名 夜明け (≒sunrise) |
| 03 33 | **neat**<br>[ní:t] | 形 ① きれい好きな<br>② きちんとした、よく手入れされた<br>副 neatly きちんと |
| 03 34 | **funeral**<br>[fjú:nərəl] | 名 葬式 |
| 03 35 | **abruptly**<br>[əbrʌ́ptli]<br>① ab- (離れて) +rupt (破る) +-ly 副 | 副 突然、不意に<br>形 abrupt 突然の |
| 03 36 | **magnificent**<br>[mægnífəsənt] | 形 〈外観・景色などが〉壮大な (≒splendid)<br>名 magnificence 壮大、素晴らしさ |

| | |
|---|---|
| The hockey team's **prospects** improved when some great players joined the team. | いい選手が何人かチームに入って、そのホッケーチームの将来性は高まった。 |
| Lacking language skills can be an **obstacle** to finding a job abroad. | 語学力不足は、海外で仕事を見つけるときに障害となりうる。 |
| The Smiths are known for their great parties and **hospitality**. | スミス家は、その素晴らしいパーティーともてなしで知られている。 |
| Government spending on **welfare** programs improves overall quality of life. | 福祉政策への財政支出は、生活の質全体を向上させる。 |
| You just have to have **faith** that everything will work out. | すべてうまくいくという信念を持つしかない。 |
| **Apparently** she has not been getting a lot of sleep lately. | どうやら彼女は最近あまり睡眠をとっていないらしい。 |
| It was our **fate** to meet that day. | その日に私たちが出会ったのは運命だった。 |
| They woke up before **dawn** to go golfing. | 彼らはゴルフに行くために夜明け前に起きた。 |
| My mother is a very **neat** person. | 母はとてもきれい好きな性格だ。 |
| **Funerals** are held in different ways in different cultures. | 葬式の挙げ方は文化によって異なる。 |
| She stood **abruptly** and left the room. | 彼女は突然立ち上がり、部屋を出て行った。 |
| If the weather is good, the view from Mount Fuji is **magnificent**. | 天気がよければ、富士山からの眺めは壮大だ。 |

主に筆記大問1で一回正解になった語

| 03 37 | **anxiously** [ǽŋkʃəsli] | 副 心配して、不安げに |
|---|---|---|
| | | 形 anxious 心配して、気にして |
| | | 名 anxiety 心配、不安 |

| 03 38 | **resign** [rɪzáɪn] | 動 辞職する |
|---|---|---|
| | | 名 resignation 辞職 |
| | ① re- (後ろに) + sign (印をつける) | |

| 03 39 | **circumstance** [sə́ːrkəmstæns] | 名 [複数形で] 状況、事情 (≒condition) |
|---|---|---|
| | ① circum (周りに) + stance (立つ) | |

| 03 40 | **context** [ká:ntekst] | 名 ① 文脈 ② 状況、前後関係 |
|---|---|---|
| | ① con- (共に) + text (織られたもの) | |

| 03 41 | **dominate** [dá:mənèɪt] | 動 ~を支配する、取り仕切る (≒rule, command, lead) (⇔follow, obey) |
|---|---|---|
| | | 名 domination 支配 |
| | ① domin (支配する) + -ate 動 | 形 dominant 支配的な、優勢な |

| 03 42 | **sigh** [sáɪ] ⚠ 発音注意。 | 動 ため息をつく |
|---|---|---|

| 03 43 | **irony** [áɪrəni] | 名 ① 皮肉な状況 ② 皮肉、あてこすり |
|---|---|---|
| | | 形 ironic 皮肉な |
| | | 副 ironically 皮肉なことに |

| 03 44 | **nightmare** [náɪtmèər] | 名 悪夢 |
|---|---|---|
| | ① night (夜) + mare (悪霊) | |

| 03 45 | **seek** [síːk] | 動 ~を探す、探し求める (≒look for ~) |
|---|---|---|
| | | ► seek-sought-sought と活用する。 |

| 03 46 | **disgusting** [dɪsɡʌ́stɪŋ] | 形 むかつくような、最低な |
|---|---|---|
| | | 動 disgust 〈人〉に嫌悪感を起こさせる |
| | ① dis- (否定) + gust (好み) + -ing | |

| 03 47 | **grief** [ɡríːf] | 名 (深い) 悲しみ |
|---|---|---|
| | | 動 grieve (深く) 悲しむ |

| 03 48 | **beforehand** [bɪfɔ́ːrhæ̀nd] | 副 事前に、あらかじめ (≒in advance) |
|---|---|---|

| | |
|---|---|
| She waited **anxiously** for the operation to end. | 彼女は心配そうに手術が終わるのを待った。 |
| The governor was forced to **resign** after the scandal. | 知事はスキャンダルで辞任を余儀なくされた。 |
| This permission will be given only in special **circumstances**. | この許可は特別な事情がある場合にのみ与えられます。 |
| I guessed the meaning of the word from the **context**. | 私は文脈からその単語の意味を推測した。 |
| She tried to **dominate** the entire discussion. | 彼女は議論全体を仕切ろうとした。 |
| He **sighed** with disappointment when he heard the bad news. | 彼はその悪い知らせを聞くと、がっかりしてため息をついた。 |
| The **irony** is that once she got in bed, she was not sleepy anymore. | 皮肉なことに、彼女はベッドに入るともう眠くなかった。 |
| She said that being married to him was a **nightmare**. | 彼との結婚生活は悪夢だと彼女は言った。 |
| My company is currently **seeking** a salesperson. | わが社は現在、営業員を募集している。 |
| I love eggs now, but I used to think they were **disgusting**. | 私は今は卵が好きだが、以前はひどくまずいと思っていた。 |
| Playing the piano was the only way that she could express her **grief**. | ピアノを弾くことが、彼女が悲しみを表現できる唯一の方法だった。 |
| We should have bought our tickets **beforehand**. | 私たちは前もってチケットを買っておくべきだった。 |

03
48 ▶

| 03 49 | **alert**<br>[əlɔ́ːrt] | 動 〈人〉に警報を出す、警告する (≒warn)<br>形 警戒した、油断のない<br>名 alertness 用心深さ、注意力 |
|---|---|---|
| 03 50 | **awfully**<br>[ɔ́ːfli] | 副 ひどく (≒extremely)<br>形 awful ひどい、嫌な |
| 03 51 | **architecture**<br>[ɑ́ːrkətèktʃər] | 名 建築学<br>名 architect 建築家 |
| 03 52 | **credit**<br>[krédɪt] | 名 ① (功績に対する) 評価、称賛<br>② 貸付金；(支払いの) 信用<br>③ (履修) 単位 |
| 03 53 | **possession**<br>[pəzéʃən] | 名 ① [複数形で] 所有物 (≒belongings)<br>② 所有、占有<br>動 possess ～を所有する<br>形 possessive 独占欲 [所有欲] の強い |
| 03 54 | **trustworthy**<br>[trʌ́stwə̀ːrði]<br>① trust (信頼) +worthy (価値のある) | 形 信頼できる |
| 03 55 | **cease**<br>[síːs] | 動 ① ～ (するの) を終える、やめる<br>② 終わる、やむ<br>► ceaseless (絶え間ない) という語も覚えておこう。 |
| 03 56 | **formulate**<br>[fɔ́ːrmjəlèɪt]<br>① form (形) +-ul (指小辞) +-ate (～に<br>する) | 動 〈案・計画など〉を策定する |
| 03 57 | **undertake**<br>[ʌ̀ndərtéɪk]<br>① under- (下から) +take (とる) | 動 ① ～に着手する (≒set about ～)<br>② ～を引き受ける<br>(≒take on, accept) (⇔refuse)<br>► undertake-undertook-undertaken と活用する。 |
| 03 58 | **philosophy**<br>[fəlá:səfi]<br>① philo (愛する) +sophy (知) | 名 ① 信条、指針 ② 哲学<br>名 philosopher 哲学者 |
| 03 59 | **thrilling**<br>[θrílɪŋ] | 形 スリルに富んだ、ゾクゾクするような<br>名 動 thrill スリル；～をゾクゾクさせる |
| 03 60 | **famine**<br>[fǽmɪn] | 名 飢饉 |

| | |
|---|---|
| The government **alerted** residents that a storm was approaching. | 政府は住民に嵐が接近していると警告した。 |
| Getting the results of his test took an **awfully** long time. | テストの結果を得るのに、彼はひどく時間がかかった。 |
| Keith is studying **architecture** at the local university. | キースは地元の大学で建築を学んでいる。 |
| You should give **credit** for good work performance. | いい仕事に対しては正当な評価を与えるべきだ。 |
| Guests should keep their personal **possessions** close to them at all times. | 宿泊客は、自分の所持品を常に身近なところに置いておくべきだ。 |
| Above all, a business partner must be **trustworthy**. | 何よりもまず、ビジネスパートナーは信頼できる人でなければならない。 |
| The factory will **cease** operations next May. | その工場は今度の5月で操業を停止する。 |
| The company **formulated** a new plan to increase profits. | その会社は利益を増やすために新しい計画を策定した。 |
| I do not think our team is ready to **undertake** a task this important. | われわれのチームはこのような重要な仕事に着手する準備ができていないと思う。 |
| Everyone develops their own **philosophy** of life based on their own experiences. | 人は皆、自分の経験に基づいて独自の人生観を持つようになる。 |
| He told a **thrilling** story about his time in the jungle. | 彼はジャングルにいたときのスリルに富んだ話をしてくれた。 |
| **Famine** struck the country in the late 19th century. | 19世紀後半にその国を飢饉が襲った。 |

| 03 61 | **peak**<br>[píːk]<br>□□□ | 動 最大になる、ピークに達する<br>名 最高潮、絶頂 |
|---|---|---|
| 03 62 | **somehow**<br>[sʌ́mhàʊ]<br>□□□ | 副 どうにか、何とかして |
| 03 63 | **apparent**<br>[əpǽrənt]<br>□□□<br>① ap-(〜に)+par(現れる)+-ent 形 | 形 明白な、明瞭な(≒obvious)<br>副 apparently どうやら(〜らしい) |
| 03 64 | **misunderstanding**<br>[mìsʌndərstǽndɪŋ]<br>□□□ | 名 誤解<br>動 misunderstand 〜を誤解する |
| 03 65 | **surrender**<br>[səréndər]<br>□□□<br>① sur-(上に)+render(与える) | 動 降伏する(≒give in)<br>名 降伏 |
| 03 66 | **disturb**<br>[dɪstə́ːrb]<br>□□□<br>① dis-(完全に)+turb(混乱させる) | 動 〜を邪魔する、〜に迷惑をかける(≒bother)<br>形 disturbed 動揺して<br>形 disturbing 不穏な<br>名 disturbance 騒ぎ、騒動 |
| 03 67 | **defend**<br>[dɪfénd]<br>□□□<br>① de-(分離)+fend(打つ) | 動 〜を守る、防御する(≒protect)<br>名 defense 防御<br>形 defensive 防御用の |
| 03 68 | **publish**<br>[pʌ́blɪʃ]<br>□□□<br>① publ(公)+-ish(〜にする) | 動 ① 〜を出版する、発行する ② 〜を発表する<br>名 publishing 出版<br>名 publisher 出版社 |
| 03 69 | **surface**<br>[sə́ːrfəs]<br>□□□<br>① sur-(〜の上)+face(顔) | 名 表面 |
| 03 70 | **imitate**<br>[ímətèɪt]<br>□□□<br>① imit(模倣する)+-ate 動 | 動 〜をまねる、模倣する(≒copy)<br>名 imitation 模造品 |
| 03 71 | **melt**<br>[mélt]<br>□□□ | 動 ① 〜を溶かす ② 溶ける |
| 03 72 | **arrest**<br>[ərést]<br>□□□ | 動 〜を逮捕する<br>(≒catch, capture)(⇔release, let go)<br>名 逮捕 |

| | |
|---|---|
| Sales **peaked** the day after the product was launched. | 売上は商品発売の翌日にピークに達した。 |
| He did not even study, but **somehow** he managed to pass the test. | 彼はまったく勉強しなかったが、どうにか試験に合格した。 |
| It was **apparent** from his face that he was unhappy. | その顔つきから、彼が不満なのは明らかだった。 |
| Please include clear instructions to avoid any **misunderstandings**. | 誤解を避けるため明確な指示をしてください。 |
| After two years of fighting, they have finally **surrendered**. | 2年の戦闘ののち、彼らはついに降伏した。 |
| Don't **disturb** the baby while she's having a nap. | 赤ん坊が昼寝をしている間は邪魔をしてはいけない。 |
| We are working to **defend** women's rights. | 私たちは女性の権利を守るために働いている。 |
| The company **publishes** more than 50 books every year. | その会社は毎年50冊以上の本を出版している。 |
| The **surface** of Earth is very different from that of other planets. | 地球の表面はほかの惑星のそれとは大きく異なっている。 |
| The IT company is trying to **imitate** its competitor. | そのIT企業は競合他社をまねしようとしている。 |
| When you **melt** the chocolate, be careful not to burn it. | チョコレートを溶かすときは、焦がさないように気をつけなさい。 |
| Clarence was **arrested** for stealing luxury watches. | クラレンスは高級時計を盗んだ罪で逮捕された。 |

| 03 73 | **delay** [dɪléɪ] ① de- (分離) +lay (去る) | 動 ~を遅らせる 名 遅れ ► be delayed (遅れる、遅延する) の形で出題されることが多い。 |
|---|---|---|
| 03 74 | **argue** [á:rgju:] | 動 ① ~を主張する ② 議論する ► argue (that) ... で「…だと主張する」という意味。 名 argument 議論 |
| 03 75 | **supply** [səpláɪ] ① sup- (下に) +ply (満たす) | 動 ~を供給する 名 ① 供給 (⇔demand) ② [複数形で] 生活必需品 ► supply A to B = supply B with A (B に A を供給する) という言い換えが成り立つ。 |
| 03 76 | **income** [ínkʌm] ① in- (中に) +come (入ってくるもの) | 名 収入 (⇔expenditure) |
| 03 77 | **observe** [əbzə́:rv] ① ob- (~の方を) +serve (注意して見る) | 動 ~を観察する 名 observation 観察 |
| 03 78 | **accidentally** [æ̀ksədéntəli] ① ac- (~に) +cid (起こる) +-ental形 +-ly副 | 副 ① 誤って (≒mistakenly) ② 偶然 (≒by accident) 名 accident 事故；思いがけない出来事 形 accidental 偶然の、思いがけない |
| 03 79 | **policy** [pá:ləsi] | 名 方針、政策 |
| 03 80 | **rhythm** [ríðm] | 名 リズム ► つづりに注意。 |
| 03 81 | **instrument** [ínstrəmənt] ① in- (上に) +stru (建てる) +-ment名 | 名 ① 楽器 ② 器具 |
| 03 82 | **sense** [séns] | 名 ① 感覚 ② 意識、認識 ► 洋服などの「センス」は英語では taste と言う。 |
| 03 83 | **greet** [grí:t] | 動 〈人〉にあいさつをする、〈人〉を出迎える 名 greeting あいさつ |
| 03 84 | **forecast** [fɔ́:rkæst] ① fore- (前もって) +cast (投げる) | 名 予報、予測 動 ~を予測する ► forecast-forecast(ed)-forecast(ed) と活用する。 |

| | |
|---|---|
| Her flight **was delayed** by six hours because of the weather. | 天候のせいで彼女の乗る便は6時間遅れた。 |
| Some doctors **argue that** face transplants are not worth the risk. | 顔面移植はリスクに見合わないと主張する医師もいる。 |
| This lake **supplies** water **to** the nearby town. | この湖は近くの町に水を供給している。 |
| His **income** was quite low this year. | 彼の収入は今年かなり低かった。 |
| That species of bird can only be **observed** in New Zealand. | その種の鳥は、ニュージーランドでしか観察できない。 |
| I **accidentally** sent the message before I was finished writing it. | 私は書き終える前にメッセージをうっかり送信してしまった。 |
| Our **policy** is to put our customers first. | わが社のポリシーは、お客様を第一に考えることです。 |
| After moving, it took me a while to find my daily **rhythm**. | 引っ越しのあと、日々のリズムをつかむのにしばらくかかった。 |
| She can play over ten different **instruments**. | 彼女は10種類以上の楽器を演奏することができる。 |
| Taste is closely linked to our **sense** of smell. | 味は嗅覚と密接に関係している。 |
| She **greeted** her grandmother warmly by giving her a hug. | 彼女は祖母を抱きしめ、温かく出迎えた。 |
| The company's financial **forecasts** are not good. | その会社の財務予測はよくない。 |

| 03 85 | **illustrate** [íləstrèɪt] ① il- (上に)+lust (光)+-ate 動 | 動 (図・絵などで) ~を説明する 名 illustration 実例 |
|---|---|---|

| 03 86 | **foundation** [faʊndéɪʃən] | 名 ① 基金、財団法人 ② 設立 動 found ~を設立する |
|---|---|---|

| 03 87 | **revolution** [rèvəlúːʃən] ① re- (元に)+volut (回転する)+-ion 名 | 名 革命 動 revolve 回転する 形 revolutionary 革命的な |
|---|---|---|

| 03 88 | **pretend** [prɪténd] | 動 ~のふりをする ▶ pretend to do で「~するふりをする」という意味。 名 pretense ふり、見せかけ |
|---|---|---|

| 03 89 | **property** [prάːpərti] ① proper (自分自身の)+-ty (状態) | 名 ① 財産、所有物 ② 不動産、土地 ③ 特性 |
|---|---|---|

| 03 90 | **figure** [fígjər] | 名 ① 数字 ② 像 |
|---|---|---|

| 03 91 | **substitute** [sʌ́bstət(j)ùːt] ① sub- (下に)+stit (置く)+-ute (もの) | 動 ~を代わりに使う 名 代わり、代用品 名 substitution 代用 |
|---|---|---|

| 03 92 | **benefit** [bénəfɪt] ① bene (よい)+fit (行い) | 名 利益、利点 動 ① ~のためになる ② 利益を得る 形 beneficial 有益な |
|---|---|---|

| 03 93 | **contact** [kάːntækt] ① con- (共に)+tact (触れる) | 動 ~に連絡する 名 接触 |
|---|---|---|

| 03 94 | **promote** [prəmóʊt] ① pro- (前に)+mote (進める) | 動 ① ~を推進する、促進する ② ~を昇進させる (⇔demote) 名 promotion 促進、昇進 |
|---|---|---|

| 03 95 | **demand** [dɪmǽnd] ① de- (強意)+mand (命令する) | 動 ~を要求する、求める 名 需要 (⇔supply) ▶ demand for ~ (~に対する需要) という表現も覚えておこう。 |
|---|---|---|

| 03 96 | **trade** [tréɪd] | 名 取引、貿易 動 ~を取引する |
|---|---|---|

| | |
|---|---|
| Nelson **illustrated** his findings using graphs and diagrams. | ネルソンはグラフと図を使って自分の研究結果を説明した。 |
| The nonprofit **foundation** supports low-income students. | その非営利基金は低所得の学生を支援している。 |
| This discovery could cause a **revolution** in air travel. | この発見は空の旅に革命を起こすかもしれない。 |
| She **pretended to** understand what the professor was talking about. | 彼女は教授が話していることを理解しているふりをした。 |
| This building is private **property**, and it is closed to the public. | この建物は個人の所有物であり、一般には公開されていません。 |
| All **figures** point to rising costs of living on a global scale. | 世界規模で生活費が上昇していることをすべての数値が示している。 |
| If you don't have any chicken, you can **substitute** beef or pork. | 鶏肉がなければ牛肉か豚肉で代用することもできます。 |
| There are many **benefits** to owning one's own company. | 自分の会社を持つことには多くの利点がある。 |
| If you have any questions, please **contact** me by email. | 何か質問があったらメールで私に連絡してください。 |
| The city opened a new center to **promote** multicultural understanding. | 市は、多文化理解を促進するために新しいセンターを開設した。 |
| You shouldn't **demand** so much from your children. | 子どもたちにあまり多くのことを要求するべきではない。 |
| The **trade** was fair to both sides. | その取引は双方にとって公正なものだった。 |

| 03 97 | **describe** | 動 ~を描写する、表現する |
| | [dɪskráɪb] | 名 description 描写 |
| | ① de-（下に）+scribe（書く） | |

| 03 98 | **climate** | 名 気候 |
| | [kláɪmət] | |

| 03 99 | **trap** | 動 ~を閉じ込める |
| | [trǽp] | 名 わな |

| 04 00 | **consume** | 動 ① ~を消費する ② ~を食べる、摂取する |
| | [kəns(j)úːm] | 名 consumption 消費；摂取 |
| | ① com-（完全に）+sume（取る） | 名 consumer 消費者 |

| 04 01 | **prove** | 動 ① ~を証明する |
| | [prúːv] | ② わかる、判明する（≒turn out） |
| | | 名 proof 証拠 |

| 04 02 | **generation** | 名 世代、同世代の人々 |
| | [ʤènəréɪʃən] | |

| 04 03 | **measure** | 動 ~を測定する |
| | [méʒər] | 名 measurement 測定 |

| 04 04 | **criticize** | 動 ~を批判する |
| | [krítəsàɪz] | 形 critical 批評の |
| | ① crit（判断する）+-ic 形 +-ize 動 | 名 criticism 批評、批判 |

| 04 05 | **maintain** | 動 ① ~を維持する ② ~を整備する |
| | [meɪntéɪn] | 名 maintenance 維持；保守、メンテナンス |
| | ① main（手）+tain（保つ） | |

| 04 06 | **satisfy** | 動 ~を満足させる（⇔dissatisfy） |
| | [sǽtəsfàɪ] | 名 satisfaction 満足 |
| | ① satis（十分な）+-fy（~にする） | 形 satisfactory 満足な |

| 04 07 | **reveal** | 動 ~を明らかにする |
| | [rɪvíːl] | （≒disclose, unveil）（⇔conceal） |
| | ① re-（元に）+veal（覆い） | 名 revelation 暴露 |

| 04 08 | **detect** | 動 ~を検知［検出］する（≒discover） |
| | [dɪtékt] | 名 detection 検知、検出 |
| | ① de-（分離）+tect（覆う） | 形 detectable 検出できる |
| | | 名 detective 刑事；探偵 |

| | |
|---|---|
| Her essay **describes** the process used to develop new vaccines. | 彼女のエッセイは、新しいワクチンの開発プロセスを描いている。 |
| The island nation is well known for its humid **climate** and sunny beaches. | その島国は、湿度の高い気候と太陽が降り注ぐビーチでよく知られている。 |
| Putting a lid on a pot **traps** the heat inside it. | なべにふたをすると、その中に熱が閉じ込められる。 |
| Air conditioners **consume** a lot of energy. | エアコンは大量のエネルギーを消費する。 |
| The results of the experiment **proved** his theory wrong. | その実験の結果、彼の理論が間違っていることが証明された。 |
| The movies are especially popular with the younger **generation**. | それらの映画は特に若い世代に人気がある。 |
| Race times are **measured** with very precise stopwatches. | レースのタイムは、非常に精密なストップウォッチで測定される。 |
| Everyone **criticized** the police for how they handled the situation. | 誰もがその事態に対する警察の対応を批判した。 |
| Government officials are working hard to **maintain** peace in the area. | 政府の官僚たちはその地域の平和を維持するために懸命に働いている。 |
| The movie **satisfied** his curiosity regarding different bird species. | その映画は、さまざまな鳥類に対する彼の好奇心を満足させた。 |
| The CEO never **revealed** his true reasons for quitting. | CEO は辞任する本当の理由を決して明らかにしなかった。 |
| The security system **detected** the criminal's entry into the building. | 防犯システムは犯罪者の建物への侵入を検知した。 |

| 04 09 | **reflect**<br>[rɪflékt]<br>① re- (後ろに) +flect (曲げる) | 動 ① ~を反映する ② ~を反射する<br>名 reflection 反射、反省 |
|---|---|---|
| 04 10 | **portable**<br>[pɔ́ːrtəbl]<br>① port (運ぶ) + -able (できる) | 形 持ち運びのできる、携帯用の<br>名 portability 持ち運びやすさ |
| 04 11 | **elect**<br>[ɪlékt]<br>① e- (外に) +lect (選ぶ) | 動 (選挙で) ~を選ぶ<br>名 election 選挙 |
| 04 12 | **stretch**<br>[strétʃ] | 動 ① 〈手足など〉を伸ばす ② 伸びる |
| 04 13 | **wipe**<br>[wáɪp] | 動 ~を拭く |
| 04 14 | **harvest**<br>[háːrvəst] | 動 〈作物〉を収穫する (≒gather)<br>名 収穫 |
| 04 15 | **blame**<br>[bléɪm] | 動 ~を非難する、~のせいにする<br>名 責任、責め<br>▶ blame A for B で「BをAのせいにする」という意味。 |
| 04 16 | **instinct**<br>[ínstɪŋkt] | 名 本能<br>形 instinctive 本能的な |
| 04 17 | **protest**<br>[名 próʊtest 動 prətést]<br>① pro- (前に) +test (証言する) | 名 抗議<br>動 ① ~に抗議する ② …と主張する<br>▶ in protest (抗議して) という表現も覚えておこう。 |
| 04 18 | **judge**<br>[ʤʌ́ʤ] | 動 ~を判断する<br>名 審査員<br>名 judgment 判断 |
| 04 19 | **praise**<br>[préɪz] | 動 ~を褒める、称賛する<br>名 称賛 |
| 04 20 | **symbol**<br>[símbəl] | 名 象徴<br>形 symbolic 象徴的な |

| | |
|---|---|
| The speech clearly **reflected** his views on the issue. | スピーチはその問題に対する彼の見解をはっきりと反映していた。 |
| A **portable** stove is very useful in the event of a disaster. | 携帯用コンロは災害時にとても役立つ。 |
| Her father was **elected** to the local government. | 彼女の父親は地方自治体の議員に選出された。 |
| These exercises **stretch** the muscles in your chest. | これらの運動は胸の筋肉を伸ばします。 |
| The server **wiped** the table just before the guests sat down. | 給仕は客が席につく直前にテーブルを拭いた。 |
| The farm hires many people from Jamaica to **harvest** the cranberries. | その農場は、クランベリーを収穫するためにたくさんのジャマイカの人を雇っている。 |
| Stop trying to **blame** other people **for** your mistakes. | 自分の間違いをほかの人のせいにしようとするのはやめなさい。 |
| The baby turtles' **instincts** tell them to crawl toward the water. | カメの赤ちゃんは本能で水に向かって這っていく。 |
| The incident led to violent **protests**. | その事件は暴力的な抗議行動につながった。 |
| She always **judges** people by their appearance. | 彼女は常に人を外見で判断する。 |
| She **praised** her husband's cooking. | 彼女は夫の料理を褒めた。 |
| The picture soon became the **symbol** of the revolution. | その絵はすぐに革命の象徴となった。 |

| | | |
|---|---|---|
| 04 21 | **currency** [kə́:rənsi] | 名 通貨<br>▶ current（流通している）からできた語。 |
| 04 22 | **origin** [ɔ́:rədʒɪn] | 名 起源<br>形 original 元の、本来の<br>動 originate ~を始める |
| 04 23 | **signature** [sígnətʃər] | 名 署名、サイン<br>▶「（有名人の）サイン」は autograph と言う。<br>動 sign ~に署名する |
| 04 24 | **extend** [ɪksténd]<br>① ex-（外に）+tend（伸ばす） | 動 ①〈期間が〉延びる；〈期間〉を延ばす<br>② 〈土地などが〉広がる<br>③ 〈影響・支配などが〉及ぶ；〈影響・支配など〉を拡大する 名 extension 拡大；延長；（電話の）内線 |
| 04 25 | **legally** [lí:gəli]<br>① legal（法律の）+-ly 副 | 副 ① 法律的に ② 合法的に（≒lawfully）<br>形 legal 法律の；合法の |
| 04 26 | **restrict** [rɪstríkt]<br>① re-（強意）+strict（引き締める） | 動 ~を制限する、限定する（≒limit）<br>名 restriction 制限 |
| 04 27 | **brilliant** [bríljənt] | 形 ① 素晴らしい、見事な<br>（≒fantastic, amazing, wonderful）<br>（⇔awful, terrible, bad）<br>② 光り輝く |
| 04 28 | **whisper** [wíspər] | 動 ささやく<br>名 ささやき声 |
| 04 29 | **dedicate** [dédəkèɪt]<br>① de-（完全に）+dicate（言う） | 動 ~をささげる<br>▶ dedicate A to B で「A を B にささげる」という意味。<br>名 dedication 献身 |
| 04 30 | **replace** [rɪpléɪs]<br>① re-（元の場所に）+place（置く） | 動 ① ~を取り換える ② ~に取って代わる<br>名 replacement 取り換え |
| 04 31 | **moreover** [mɔ:róuvər] | 副 そのうえ<br>（≒besides, furthermore, in addition） |
| 04 32 | **complain** [kəmpléɪn] | 動 （…と）文句［不平］を言う<br>▶ complain about [of] ~ だと「~について文句を言う」という意味になる。<br>名 complaint 不平、苦情 |

| | |
|---|---|
| Many countries use a type of dollar as their **currency**. | 通貨としてドルの一種を使っている国がたくさんある。 |
| The **origin** of this phrase is not known. | この表現の由来は知られていない。 |
| We are collecting **signatures** to stop the construction of a factory. | 私たちは工場の建設中止を求めて署名を集めている。 |
| She asked her professor to **extend** the deadline for submitting her paper. | 彼女はレポート提出の締め切りを延ばしてほしいと教授に頼んだ。 |
| It is not easy to **legally** own a monkey as a pet. | サルをペットとして合法的に飼うことは容易ではない。 |
| The hotel **restricts** access to the VIP lounge. | そのホテルは VIP ラウンジへの立ち入りを制限している。 |
| The crowd was shocked by the **brilliant** performance of the orchestra. | 聴衆はそのオーケストラの見事な演奏に衝撃を受けた。 |
| The students **whispered** so their teacher would not hear them. | 生徒たちは先生に聞こえないように小声で話した。 |
| She **dedicated** her life **to** making the world a better place. | 彼女は世界をよりよくすることに生涯をささげた。 |
| They **replaced** the broken computer with a new one. | 彼らは壊れたコンピュータを新しいものに交換した。 |
| This treatment is safe, and **moreover**, extremely effective in curing the illness. | この治療法は安全で、しかもその病気を治すのに非常に効果的だ。 |
| He **complained** that his salary was too low. | 彼は給料が安過ぎると不平を言った。 |

04-32 ►

| 04 33 | **attend** [əténd] ① at-（～に）+tend（伸ばす） | 動 ① ～に出席する、参加する<br>② 〈学校など〉に通う<br>▶ attend to ～（〈問題など〉を扱う）という表現も覚えておこう。<br>名 attendance 出席 |
|---|---|---|
| 04 34 | **focus** [fóukəs] | 動 集中する<br>名 焦点<br>▶ focus on ～ で「～に集中する」という意味。 |
| 04 35 | **technique** [tekní:k] | 名 技術、テクニック<br>形 technical 工業技術の |
| 04 36 | **decrease** [動 dì:krí:s 名 dí:kri:s] | 動 ① 〈数量・価値などが〉減る、減少する（⇔increase）<br>② ～を減らす（≒reduce）（⇔increase）<br>名 減少<br>▶ 品詞によってアクセントの位置が変わる。 |
| 04 37 | **locate** [lóukeit] ① loc（場所）+-ate 動 | 動 〈建物など〉を置く、設置する<br>▶ be located で「位置する、ある」という意味。<br>名 location 場所、位置 |
| 04 38 | **destroy** [distrɔ́i] ① de-（否定）+story（積み上げる） | 動 ～を破壊する（⇔construct）<br>名 destruction 破壊 |
| 04 39 | **fuel** [fjú:əl] | 名 燃料 |
| 04 40 | **cure** [kjúər] | 動 〈病気など〉を治す |
| 04 41 | **appointment** [əpɔ́intmənt] | 名 （医者などの）予約、会う約束<br>▶ make an appointment で「予約する」という意味。 |
| 04 42 | **ingredient** [ingrí:diənt] ① in-（中に）+gredi（行く）+-ent 名 | 名 材料、食材 |
| 04 43 | **examine** [igzǽmən] | 動 ～を調べる、検討する<br>名 examination 試験 |
| 04 44 | **valuable** [vǽljuəbl] ① valu（価値）+-able（持った） | 形 貴重な、高価な<br>名 動 value 価値；～を評価する |

| | |
|---|---|
| The company requires its employees to **attend** a weekly meeting. | その会社は従業員に週1回のミーティングへの参加を必須としている。 |
| The room is too noisy for her to **focus on** her work. | 部屋がうるさすぎて、彼女は仕事に集中できない。 |
| Scientists have discovered a more effective plastic recycling **technique**. | 科学者たちはより効果的なプラスチックのリサイクル技術を発見した。 |
| The number of crimes **decreased** after the streetlights were installed. | 街灯が設置されたあと、犯罪の数は減少した。 |
| The library **is located** a two-minute walk from the station. | 図書館は駅から歩いて2分のところにある。 |
| Their whole naval fleet was **destroyed** during the battle. | 彼らの全海軍艦隊は戦闘中に破壊された。 |
| Airplanes use a high amount of **fuel**. | 飛行機は大量の燃料を使う。 |
| There is no medicine that can **cure** this disease. | この病気を治せる薬はない。 |
| Brittany **made an appointment** to get her nails done next week. | ブリタニーは来週ネイルをしてもらう予約をした。 |
| It is difficult to find the **ingredients** for this recipe. | このレシピの材料を見つけるのは難しい。 |
| We need to **examine** these results carefully before making a decision. | 私たちは決定を下す前にこれらの結果を注意深く検討する必要がある。 |
| This documentary contains a lot of **valuable** information about the Holocaust. | このドキュメンタリーには、ホロコーストに関する貴重な情報がたくさん含まれている。 |

| 04 45 | **decorate** [dékərèit] ① decor (装飾) + -ate 動 | 動 ~を飾る 名 decoration 飾り、装飾 |
|---|---|---|
| 04 46 | **influence** [ínfluəns] ▲ アクセント注意。 ① in- (中に) + fluence (流れ込むこと) | 動 ~に影響を与える 名 影響 |
| 04 47 | **license** [láisəns] | 名 免許 (証) |
| 04 48 | **concentrate** [kά:nsəntrèit] ① con- (共に) + centr (中心) + -ate 動 | 動 集中する ► concentrate on ~ で「~に集中する」という意味。 名 concentration 集中 |
| 04 49 | **prevent** [privént] ① pre- (前に) + vent (来る) | 動 ~を防ぐ、防止する ► prevent A from doing の項目 (1676) も参照。 名 prevention 防止 |
| 04 50 | **purpose** [pə́:rpəs] ① pur- (前に) + pose (置く) | 名 目的 (≒aim, goal) |
| 04 51 | **gather** [gǽðər] | 動 ① 〈情報・証拠など〉を収集する (≒collect) ② ~をかき集める ③ 集まる |
| 04 52 | **task** [tǽsk] | 名 (課せられた) 仕事 |
| 04 53 | **otherwise** [ʌ́ðərwàiz] | 副 そうでなければ 形 別で、違って |
| 04 54 | **luckily** [lʌ́kəli] | 副 運よく (≒fortunately) 名 luck 運 形 lucky 幸運な |
| 04 55 | **financial** [fənǽnʃəl] ① fin (終わる、決算する) + -anc 名 + -ial 形 | 形 ① 財政的な、財務の ② 金融 (業) の 副 financially 財政的に |
| 04 56 | **overall** [[副] òuvərɔ́:l [形] óuvərɔ̀:l] ① over- (上に) + all (すべて) | 副 全体として 形 全体の、総合的な |

| | |
|---|---|
| Colin **decorated** his room with posters of his favorite basketball players. | コリンは、自分の部屋をお気に入りのバスケットボール選手のポスターで飾った。 |
| Children are easily **influenced** by the adults around them. | 子どもは周りの大人に影響されやすい。 |
| In Japan, you cannot get a driver's **license** until you turn 18. | 日本では 18 歳になるまで運転免許をとることはできない。 |
| Amanda cannot **concentrate on** cleaning without listening to music. | アマンダは音楽を聴かないと掃除に集中できない。 |
| Unfortunately, you cannot **prevent** bad weather. | 残念ながら、悪天候を防ぐことはできない。 |
| She says that her **purpose** in life is to help young single mothers. | 彼女は、自分の人生の目的は若いシングルマザーを手助けすることだと言っている。 |
| The survey **gathered** information about the satisfaction rates of their clients. | その調査は、顧客の満足度に関する情報を集めた。 |
| Your main **task** is to keep the customer happy. | あなたの主な役割はお客さまにいつも満足していただくことです。 |
| We have to leave now. **Otherwise**, we'll be late. | 今すぐ出発しなければならない。そうでないと遅刻してしまう。 |
| **Luckily** the truck stopped before hitting the pedestrian. | 幸運にも、そのトラックは歩行者と衝突する前に止まった。 |
| How do you feel about our company's **financial** situation? | わが社の財務状況をどう思いますか。 |
| **Overall**, they had a nice trip, despite the disappointing weather. | 残念な天候ではあったが、全体としては彼らはいい旅を楽しんだ。 |

04 ►
56

| 04 57 | **refuse**<br>[rɪfjúːz]<br>① re- (元に) +fuse (注ぐ) | 動 (〜を) 拒否する、断る<br>► refuse to *do* で「〜することを拒否する」という意味。<br>名 refusal 拒否 |
|---|---|---|
| 04 58 | **impress**<br>[ɪmprés]<br>① im- (中に) +press (押す) | 動 〜に感銘を与える<br>名 impression 印象<br>形 impressive 印象的な、感動的な |
| 04 59 | **emergency**<br>[ɪmɚ́ːrdʒənsi] | 名 緊急事態<br>形 emergent 緊急の |
| 04 60 | **profit**<br>[prɑ́ːfət]<br>① pro- (前に) +fit (進む) | 名 利益<br>動 利益を得る<br>► make a profit で「利益を上げる」という意味。<br>形 profitable 利益になる、もうかる |
| 04 61 | **route**<br>[rúːt] | 名 道、道筋 |
| 04 62 | **campaign**<br>[kæmpéɪn] ⚠ g は発音しない。 | 名 (社会的・政治的な) 運動 (≒movement) |
| 04 63 | **disappear**<br>[dìsəpíɚr]<br>① dis- (否定) +appear (現れる) | 動 いなくなる、見えなくなる |
| 04 64 | **combine**<br>[kəmbáɪn]<br>① com- (共に) +bine (2 つのもの) | 動 ① 〜を組み合わせる、結合させる<br>② 結びつく<br>名 combination 組み合わせ、結合 |
| 04 65 | **obtain**<br>[əbtéɪn]<br>① ob- (〜に向かって) +tain (保つ) | 動 〜を得る、入手する (≒acquire) |
| 04 66 | **structure**<br>[strʌ́ktʃər]<br>① struct (建てる) +ure (結果) | 名 ① 構造、構成 ② 組織、体制<br>③ 構造物、建造物<br>形 structural 構造 (上) の |
| 04 67 | **journey**<br>[dʒɚ́ːrni] | 名 (長距離・長期間の) 旅、旅行 |
| 04 68 | **widely**<br>[wáɪdli] | 副 広く<br>形 wide 広い |

| | |
|---|---|
| She **refused to** tell the police what she knew. | 彼女は警察に知っていることを話すのを拒んだ。 |
| I was **impressed** by her acting ability. | 私は彼女の演技力に感銘を受けた。 |
| Call an ambulance if you have any kind of medical **emergency**. | 何らかの医療緊急事態が発生した場合は救急車を呼んでください。 |
| Mike's business did not **make a profit** until three years after it first opened. | マイクのビジネスは、起業して3年後まで利益が出なかった。 |
| The bus follows a different **route** on weekends. | バスは週末には違うルートを通る。 |
| The government ran a **campaign** spreading awareness of the new law. | 政府は、新しい法律の認知度を上げるためキャンペーンを行った。 |
| The woman **disappeared** without a trace. | その女性は何の痕跡も残さずに姿を消した。 |
| We **combined** both methods into one. | 私たちは両方の方法を一つに組み合わせた。 |
| The police **obtained** new information from the locals. | 警察は地元の人々から新たな情報を得た。 |
| Family **structures** are gradually changing. | 家族構成は徐々に変化している。 |
| Martin took a **journey** around the world in a sailboat. | マーティンはヨットで世界中を旅した。 |
| The pesticide is still used **widely** in various places around the globe. | その殺虫剤は現在でも世界各地で広く使われている。 |

## 04 69 manage
[mǽnɪʤ]

① man (手) +-age (行為)

動 ① 〈組織・事業など〉を経営する (≒run)
② ~をうまく処理する、扱う (≒handle)
名 management 経営、管理
名 manager 経営者、管理者

## 04 70 habit
[hǽbət]

名 習慣
形 habitual 常習的な；習慣的な

## 04 71 scenery
[síːnəri]

名 景色、風景 (≒landscape)

## 04 72 tough
[tʌf]

形 ① つらい、困難な (≒hard)
② 丈夫な、簡単に壊れない

## 04 73 select
[səlékt]

① se- (離れて) +lect (選ぶ)

動 ~を選ぶ
名 selection 選択
形 selective 慎重に選ぶ

## 04 74 construct
[kənstrʌ́kt]

① con- (共に) +struct (建てる)

動 ~を建設する (⇔destroy)
名 construction 建設

## 04 75 whatever
[hwʌtévər]

代 何が [何を] ~しようと (≒no matter what …)
形 どんな…が [を] ~しようと

## 04 76 luxury
[lʌ́gʒəri]

名 ① 豪華さ、ぜいたく；[形容詞的に] 高級な、
ぜいたくな
② ぜいたく品
形 luxurious 豪華な、ぜいたくな

## 04 77 punish
[pʌ́nɪʃ]

動 ~を罰する
名 punishment 罰

## 04 78 register
[réʤɪstər]

① re- (元に) +gister (運ぶ)

動 (~を) 登録する
名 登録 (表)
► register for ~ で「~に登録する」という意味。
名 registration 登録

## 04 79 import
[動 ɪmpɔ́ːrt 名 ímpɔːrt]

① im- (中に) +port (運ぶ)

動 ~を輸入する (⇔export)
名 輸入品 (⇔export)

## 04 80 overcome
[òʊvərkʌ́m]

① over- (越えて) +come (来る)

動 〈困難など〉を乗り越える、克服する
(≒conquer, get over ~)
► overcome-overcame-overcome と活用する。

| | |
|---|---|
| He **managed** the shop for 25 years. | 彼はその店を 25 年間経営した。 |
| I'm not in the **habit** of cooking. | 私は料理をする習慣がない。 |
| We went hiking to enjoy the beautiful mountain **scenery**. | 私たちは美しい山の景色を楽しむためにハイキングに行った。 |
| Zack has always found it **tough** to swallow pills. | ザックは、錠剤を飲み込むのが大変だとずっと感じている。 |
| Her poem was **selected** to be published in the magazine. | 彼女の詩は選ばれて雑誌に掲載された。 |
| A new highway was **constructed** along the coast. | その海岸沿いに新しい幹線道路が建設された。 |
| **Whatever** you decide, I'll support you. | あなたがどんな決断をしようと、支援します。 |
| They won a trip to stay at a **luxury** resort in Mexico. | 彼らは、メキシコの豪華なリゾートに滞在する旅行が当たった。 |
| The government **punishes** criminals by putting them in prison. | 政府は犯罪者を投獄によって処罰する。 |
| How many classes have you **registered for** next semester? | 次の学期はいくつの授業に登録しましたか。 |
| Our company **imports** auto parts from other countries. | わが社は車の部品を国外から輸入している。 |
| If you want to be a nurse, you'll need to **overcome** your fear of needles. | 看護師になりたいのなら、注射に対する恐怖心を克服する必要がある。 |

| 04 81 | **manual** [mǽnjuəl] ① manu (手) + -al 形 | 名 説明書、マニュアル (≒guide) 形 手の、手動の |
|---|---|---|
| 04 82 | **respect** [rɪspékt] ① re- (後ろを) + spect (見る) | 動 ~を尊敬する、尊重する 名 尊敬、敬意、尊重 形 respectful 丁重な |
| 04 83 | **scratch** [skrǽtʃ] | 動 ~を引っかく、~に傷をつける 名 引っかき傷 |
| 04 84 | **label** [léɪbl] ▲ a の発音に注意。 | 動 ~にラベルを貼る 名 ラベル |
| 04 85 | **stuck** [stʌk] | 形 ① 移動できなくて、動かなくて ② 行き詰まって |
| 04 86 | **monitor** [má:nətər] ① monit (忠告する) + -or (人) | 動 ~を監視する 名 モニター、ディスプレイー |
| 04 87 | **succeed** [səksí:d] ① suc- (後に) + ceed (続く) | 動 成功する 名 success 成功 形 successful 成功した |
| 04 88 | **conclude** [kənklú:d] ① con- (共に) + clude (閉じる) | 動 …だと結論を下す 名 conclusion 結論 形 conclusive 決定的な |
| 04 89 | **series** [síəri:z] | 名 連続、シリーズ ▶ 単複同形でふつう単数扱い。 |
| 04 90 | **adjust** [ədʒʌ́st] ① ad- (~に) + just (正しい) | 動 ① ~を調節する ② 順応する (≒adapt) 名 adjustment 調節 |
| 04 91 | **wherever** [hweərévər] | 接 ① ~するところならどこにでも ② どこに [で] ~するとしても |
| 04 92 | **consequently** [ká:nsəkwèntli] ① con- (共に) + sequ (ついていく) + -ent 形 + -ly 副 | 副 その結果、したがって (≒therefore, as a result) 名 consequence 結果、結末 形 consequent 結果として起こる |

| | |
|---|---|
| I can't find the **manual** for the TV. | テレビの取扱説明書が見つからない。 |
| Heather has always **respected** how hard her parents work. | ヘザーは、一生懸命に働いている両親をずっと尊敬している。 |
| I got **scratched** on the face by my cat. | 飼いネコに顔を引っかかれた。 |
| Issac spent all day **labeling** his crafting supplies. | アイザックは一日中自分の工作用品にラベルを貼って過ごした。 |
| He got **stuck** in traffic, and he almost missed his flight. | 彼は渋滞に巻き込まれ、危うく飛行機に乗り遅れるところだった。 |
| The police **monitored** the protest from a distance. | 警察は遠くからその抗議活動を監視した。 |
| The movie is not likely to **succeed**. | その映画は成功しそうにない。 |
| Scientists have **concluded** that the surgery is safe. | 科学者たちはその手術が安全であると結論づけた。 |
| I'm reading a **series** of science fiction novels. | 私はシリーズものの SF 小説を読んでいる。 |
| You can **adjust** the room's temperature and humidity. | 部屋の温度と湿度を調節できます。 |
| His wife is with him **wherever** he goes. | 彼の妻は彼がどこに行くときも彼と一緒にいる。 |
| Janet lost her job and **consequently** had to move back home. | ジャネットは失業し、その結果家に戻らなければならなくなった。 |

| 04 93 | **delicate** | 形 ① 〈ものが〉壊れやすい、繊細な |
|---|---|---|
| | [délɪkət] ▲ アクセント注意。 | ② 〈問題などが〉扱いが難しい |
| | | 副 delicately 繊細に |
| | | 名 delicacy 壊れやすさ；扱いにくさ |

| 04 94 | **resource** | 名 [通例複数形で] 資源、資産 |
|---|---|---|
| | [ríːsɔːrs] ▲ アクセント注意。 | |

| 04 95 | **violence** | 名 暴力 |
|---|---|---|
| | [váɪələns] | 形 violent 暴力的な |
| | | 動 violate 〈規則など〉に違反する |

| 04 96 | **generous** | 形 物惜しみしない、気前のよい |
|---|---|---|
| | [dʒénərəs] | 副 generously 気前よく |
| | | 名 generosity 気前のよさ |

| 04 97 | **complex** | 形 複雑な (≒complicated) (⇔simple, plain) |
|---|---|---|
| | [kàːmpléks] | ► カタカナ語の「コンプレックス(=劣等感)」は英語では inferiority complex と言う。 |
| | ① com- (共に) +plex (編み込まれた) | 名 complexity 複雑さ |

| 04 98 | **delete** | 動 ～を削除する (≒erase) |
|---|---|---|
| | [dɪlíːt] | |

| 04 99 | **terminal** | 名 発着駅、(空港の) ターミナル |
|---|---|---|
| | [tə́ːrmənl] | 形 〈病気などが〉末期の |
| | ① term (境界) + -inal 形 | 動 terminate ～を終わらせる |

| 05 00 | **legend** | 名 伝説 |
|---|---|---|
| | [lédʒənd] | 形 legendary 伝説の、伝説的な |

| 05 01 | **generate** | 動 ～を生み出す、発生させる (≒produce) |
|---|---|---|
| | [dʒénərèɪt] | 名 generation 生成；世代 |
| | ① gen (生み出す) + -erate 動 | |

| 05 02 | **curious** | 形 好奇心の強い、せんさく好きな |
|---|---|---|
| | [kjúəriəs] | 名 curiosity 好奇心 |
| | ① cur (注意) + -ious (満ちた) | |

| 05 03 | **trial** | 名 ① 裁判 ② 試み、試験 |
|---|---|---|
| | [tráɪəl] | 形 試みの |

| 05 04 | **assist** | 動 (仕事などで) ～を助ける (≒help) |
|---|---|---|
| | [əsíst] | 名 assistance 支援、補助 |
| | ① as- (そばに) + sist (立つ) | 名 assistant 助手 |

| | |
|---|---|
| Please be careful; that glass is very **delicate**. | 気をつけて。そのグラスはとても壊れやすいから。 |
| Canada is a country abundant in natural **resources**. | カナダは天然資源に恵まれた国だ。 |
| Evidence of **violence** at the protests is present. | その抗議行動での暴力の証拠はある。 |
| His parents have always been very **generous** with their money. | 彼の両親はいつもお金に関してとても気前がよかった。 |
| Building a car is a **complex** process. | 車の製造は複雑な工程だ。 |
| He accidentally **deleted** the file. | 彼はうっかりファイルを消してしまった。 |
| A new international **terminal** recently opened at the airport. | 最近その空港に新しい国際線のターミナルがオープンした。 |
| Local people tell many **legends** about that forest. | 地元の人々はその森について多くの言い伝えを語っている。 |
| The ocean's waves can be used to **generate** electricity. | 海の波は発電に利用できる。 |
| She is very **curious** about her family history. | 彼女は家族の歴史について強い好奇心を抱いている。 |
| The man was convicted of murder at the **trial**. | その男は裁判で殺人の有罪判決を受けた。 |
| No one would **assist** her with the job. | 誰も彼女の仕事を手伝おうとしなかった。 |

主に筆記大問1で一回誤答になり、長文などにも登場した語

| 05 05 | **commit** [kəmít] ① com- (共に) + mit (送る) | 動 〈罪・過失など〉を犯す 名 commitment 約束 |
|---|---|---|
| 05 06 | **conduct** [動 kəndÁkt 名 kÁ:ndʌkt] ① con- (共に) + duct (導く) | 動 〈実験・調査など〉を行う 名 行い、行為 |
| 05 07 | **declare** [dɪkléər] ① de- (完全に) + clare (明らかにする) | 動 ① ~を宣言する、発表する ② ~を申告する 名 declaration 宣言 |
| 05 08 | **define** [dɪfáɪn] ① de- (下に) + fine (限界) | 動 ① ~を定義する ② ~を明確にする、はっきりさせる 名 definition 定義　形 definite 明確な 形 defined 〈輪郭などが〉はっきりした |
| 05 09 | **pile** [páɪl] | 動 ~を積み上げる (≒stack) 名 積み重ね、山 (≒stack) |
| 05 10 | **frightened** [fráɪtnd] ① fright (恐れ) + -en (~にする) + -ed | 形 おびえた、ぞっとした 動 frighten 〈人〉を怖がらせる 名 fright 恐怖 |
| 05 11 | **regret** [rɪgrét] | 動 ① ~を後悔する、残念に思う ② [regret to do] 残念ながら~する 名 後悔、悔い ► ②の用法も頻出。 |
| 05 12 | **deposit** [dɪpá:zət] ① de- (下に) + posit (置く) | 名 ① 保証金、手付金 (≒down payment) ② 預金、預け入れ ③ 堆積物 動 ~を堆積させる |
| 05 13 | **informal** [ɪnfɔ́:rməl] ① in- (否定) + formal (形式的な) | 形 形式ばらない、非公式の (⇔formal) 副 informally 形式ばらずに、非公式に |
| 05 14 | **transform** [trænsfɔ́:rm] ① trans- (向こうに) + form (形) | 動 ~を変える 名 transformation 変化、変身 |
| 05 15 | **candidate** [kǽndədèɪt] | 名 候補者 ► 原義は「白衣をまとった者」。ローマ時代、公職の候補者は白衣を着たことから。 |
| 05 16 | **renew** [rɪn(j)ú:] ① re- (再び) + new (新しい) | 動 〈免許・契約など〉を更新する 名 renewal 更新 形 renewable 更新可能な；再生可能な |

| | |
|---|---|
| The police suspect that the man **committed** the murder. | 警察はその男が殺人を犯したのではないかと疑っている。 |
| The magazine **conducted** a survey among readers. | その雑誌は読者を対象に調査を行った。 |
| The President publicly **declared** his support for the plan. | 大統領はその計画に対する支持を公に表明した。 |
| Some words can be **defined** in ways that are not in the dictionary. | 単語の中には、辞書にない仕方で定義できるものもある。 |
| She **piled** books all over her desk because her bookshelf was full. | 本棚がいっぱいだったので、彼女は机じゅうに本を積み上げた。 |
| He is **frightened** of all types of insects. | 彼はあらゆる種類の昆虫を怖がる。 |
| I **regret** not studying more when I was younger. | 私は若いときにもっと勉強しておかなかったことを後悔している。 |
| The **deposit** on this apartment is two months of rent. | このアパートの保証金は家賃の2か月分だ。 |
| It was an **informal** meeting, so he did not need to wear a suit. | 形式ばらない会議だったので、彼はスーツを着る必要はなかった。 |
| The hit song **transformed** her into a pop star. | そのヒット曲は彼女をポップスターに変えた。 |
| All three presidential **candidates** participated in the latest debate. | 3人の大統領候補者全員が最近あった討論会に参加した。 |
| I need to **renew** my driver's license this month. | 私は今月、運転免許を更新しなければならない。 |

| 05 17 | **political** [pəlítɪkl] ▲ アクセント注意。 | 形 政治の、政治的な<br>名 politics 政治<br>名 politician 政治家 |
| 05 18 | **nutrition** [n(j)u(:)tríʃən]<br>① nutr (養う) + -ition 名 | 名 栄養摂取、栄養状態<br>形 nutritious 栄養のある<br>名 nutrient 栄養素 |
| 05 19 | **deserve** [dɪzə́:rv]<br>① de- (完全に) + serve (役立つ) | 動 ~に値する (≒merit) |
| 05 20 | **honor** [ɑ́:nər] ▲ 発音注意。<br>① hon (名誉) + -or 名 | 動 ~に栄誉を与える、~を称賛する<br>名 名誉<br>形 honorable 名誉の；尊敬すべき |
| 05 21 | **triumph** [tráɪəmf] ▲ 発音注意。 | 名 (大) 勝利<br>形 triumphant 勝ち誇った；祝勝の |
| 05 22 | **eagerly** [í:gərli] | 副 ① 切望して ② 熱心に<br>形 eager 切望した；熱心な<br>名 eagerness 熱心さ、熱意 |
| 05 23 | **edition** [ɪdíʃən]<br>① e- (外に) + dit (与える) + -ion 名 | 名 (書籍・雑誌などの) 版<br>動 edit ~を編集する<br>名 editor 編集者 |
| 05 24 | **instant** [ínstənt] | 形 即座の (≒immediate)<br>名 瞬間 (≒moment)<br>副 instantly 即座に |
| 05 25 | **negotiate** [nəgóuʃièɪt]<br>① neg (否定) + oti (ひま) + -ate (~にする) | 動 ① 交渉する、協議する<br>② ~を交渉して取り決める<br>名 negotiation 交渉<br>形 negotiable 交渉の余地がある |
| 05 26 | **fulfill** [fʊlfíl]<br>① ful (十分に) + fill (満たす) | 動 ~を果たす、実行する (≒carry out)<br>名 fulfillment 実行、達成 |
| 05 27 | **phrase** [fréɪz] | 名 言い回し |
| 05 28 | **stimulate** [stímjəlèɪt]<br>① stimul (尖筆) + -ate 動 | 動 ① 〈器官など〉を刺激する、活性化する<br>② 〈活動・感情など〉を活気づける (⇔suppress)<br>名 stimulation 刺激<br>名 stimulus 刺激 (の原因) |

| | |
|---|---|
| **Political** content is not permitted on this website. | このウェブサイトでは、政治的な内容は許可されていない。 |
| Good **nutrition** and regular exercise can fix many health problems. | きちんとした栄養摂取と定期的な運動は多くの健康上の問題を解決できる。 |
| His acting skills **deserve** more attention than they receive. | 彼の演技力は今受けている以上に注目される価値がある。 |
| Ellie was **honored** to accept the art award. | エリーは芸術賞を受賞するという栄誉に浴した。 |
| The players celebrated their **triumph** with a big party. | 選手たちは盛大なパーティーを開いて勝利を祝った。 |
| He waited **eagerly** for a response to his application. | 彼は応募に対する返答を首を長くして待っていた。 |
| New **editions** of several Greek classics are being published soon. | いくつかのギリシャ古典の新版が間もなく出版される。 |
| She had an **instant** dislike of her new teacher. | 彼女は新しい先生が一目で嫌いになった。 |
| The hijackers are refusing to **negotiate**. | ハイジャック犯は交渉を拒んでいる。 |
| She wants a job that **fulfills** her desire to help young people. | 彼女は、若者を助けたいという自らの願望をかなえる仕事を望んでいる。 |
| Learning set **phrases** in a language can help you communicate better. | 言語の慣用句を学ぶことは、よりよいコミュニケーションの手助けとなりうる。 |
| People are looking for different ways to **stimulate** the economy. | 人々は、経済を活性化するさまざまな方法を模索している。 |

05
28 ▶

| 05 29 | **applause** [əplɔ́:z] | 名 拍手 <br> 動 applaud (〜に) 拍手をする |
|---|---|---|

| 05 30 | **convert** [kənvə́:rt] <br> ① con- (共に) +vert (回る) | 動 〜を変える、変換する (≒change) <br> ► convert A into [to] B (AをBに変換する) の形でよく出題される。 <br> 名 conversion 変換 |
|---|---|---|

| 05 31 | **harmony** [há:rməni] | 名 ハーモニー、和音 |
|---|---|---|

| 05 32 | **routine** [ru:tí:n] <br> ① route (道) +-ine 名 | 名 日課、いつものやり方 <br> 形 決まりきった、いつもの <br> 副 routinely いつものように |
|---|---|---|

| 05 33 | **duty** [d(j)ú:ti] <br> ① du (負う) +-ty 名 | 名 ① 義務 ② 税 |
|---|---|---|

| 05 34 | **narration** [neréɪʃən] | 名 語り、ナレーション <br> 動 narrate 〜を語る <br> 名 narrative 物語 <br> 名 narrator 語り手 |
|---|---|---|

| 05 35 | **unit** [jú:nɪt] | 名 ① 単位 ② 装置、(機械の) 部品 <br> ► un は「1」を意味する語根で、unify (〜を統一する)、unique (独特の)、unity (単一) などと同語源語。 |
|---|---|---|

| 05 36 | **supplement** [名 sʌ́pləmənt 動 sʌ́pləmènt] <br> ① sup- (下に) +ple (満たす) +-ment 名 | 名 ① 補足 ② 栄養補助食品、サプリメント <br> 動 〜を補う、補足する <br> 形 supplementary 補足の、追加の |
|---|---|---|

| 05 37 | **debt** [dét] ▲ b は発音しない。 | 名 負債、借金 (≒liability) <br> ► get into debt ((使いすぎて) 借金をする) という表現も覚えておこう。 |
|---|---|---|

| 05 38 | **appeal** [əpí:l] | 動 ① 求める、懇願する ② (人の心に) 訴える <br> ► appeal to 〜 で「〜に求める」という意味。 |
|---|---|---|

| 05 39 | **pronunciation** [prənʌ̀nsiéɪʃən] | 名 発音 <br> 動 pronounce 〜を発音する |
|---|---|---|

| 05 40 | **superior** [su(:)píəriər] | 形 すぐれている、勝っている (⇔inferior) <br> ► super の比較級。 <br> 名 superiority 優越 |
|---|---|---|

| The presenter was shocked by the loud **applause**. | その発表者は大きな拍手に驚いた。 |
| Solar cells **convert** sunlight **into** energy. | 太陽電池は太陽光をエネルギーに変換する。 |
| The singers created beautiful **harmonies** in the song. | その歌手たちは、歌の中で美しいハーモニーを奏でた。 |
| My father reads the paper every morning as part of his **routine**. | 父は毎朝新聞を読むのが日課の一部になっている。 |
| It is a parent's **duty** to take care of their children. | 子どもの面倒を見るのは親の義務だ。 |
| The style of the **narration** in the novel was comforting. | その小説の語り口は、心地よかった。 |
| We must sell five more **units** to turn a profit. | 利益を出すには、さらに5セット売らなければならない。 |
| I've attached the data as a **supplement** to the report. | レポートを補完するものとしてデータを添付しています。 |
| After losing her job, her **debts** started adding up quickly. | 失業後、彼女の借金は急速に膨らみ始めた。 |
| She **appealed to** her father to invest in her business. | 彼女は自分の事業に投資してくれるよう父親に求めた。 |
| The **pronunciation** of this sound tends to be difficult for Japanese speakers. | この音の発音は日本語話者には難しい傾向がある。 |
| Our focus is on creating **superior**, reliable products. | 私たちは、よりすぐれた信頼できる製品を作ることに焦点を置いている。 |

| 05 41 | **insult** [動 ɪnsʌ́lt 名 ínsʌlt] ① in- (上に) + sult (跳ぶ) | 動 ~を侮辱する 名 (人に対する) 侮辱 (≒offense) |
|---|---|---|
| 05 42 | **punctual** [pʌ́ŋktʃuəl] ① punct (先端) + -ual 形 | 形 約束の時間を守る、時間に几帳面な 副 punctually 時間厳守で 名 punctuality 時間厳守 |
| 05 43 | **bargain** [bɑ́ːrgən] | 名 格安品、掘り出し物;[形容詞的に] 格安の 動 交渉する、商談する ▶「特売」は sale と言う。 |
| 05 44 | **fascinate** [fǽsənèɪt] | 動 ~を魅了する 名 fascination 魅せられること;魅力 形 fascinating 魅力的な |
| 05 45 | **illusion** [ɪlúːʒən] | 名 錯覚、幻想 (≒fantasy)(⇔reality) 形 illusory 錯覚による |
| 05 46 | **whistle** [wísl] ▲tは発音しない。 | 動 口笛を吹く 名 口笛 |
| 05 47 | **bravely** [bréɪvli] | 副 勇敢に (≒courageously) 形 brave 勇敢な 名 bravery 勇敢さ、勇気 |
| 05 48 | **tragedy** [trǽdʒədi] | 名 ① 惨事、悲劇的な事態 ② 悲劇 ▶「喜劇」は comedy と言う。 形 tragic 悲劇的な、悲惨な |
| 05 49 | **transmit** [trænsmít] ① trans- (越えて) + mit (送る) | 動 ① ~を送る、伝送する ② 〈病気〉を伝染させる 名 transmission 伝送、伝達;伝染 |
| 05 50 | **considerably** [kənsídərəbli] | 副 かなり 形 considerable かなりの |
| 05 51 | **polish** [pɑ́ːlɪʃ] | 動 ~を磨く |
| 05 52 | **resemble** [rɪzémbl] ① re- (元に) + semble (似た) | 動 ~に似ている (≒be similar to ~)(⇔differ from ~) 名 resemblance 類似 |

| | |
|---|---|
| Her mother **insulted** her new tattoo. | 母親は彼女の新しいタトゥーをけなした。 |
| The trains in Japan are very **punctual**. | 日本の電車は非常に時間に正確だ。 |
| The discounted salmon was a real **bargain**. | 値引きされたサーモンは本当にお買い得だった。 |
| This question has **fascinated** philosophers for centuries. | この問題は何世紀もの間哲学者たちを引きつけてきた。 |
| The design of the floor creates an **illusion** that it is real wood. | その床のデザインは本物の木だと錯覚させる。 |
| He **whistled** softly as he walked home from work. | 仕事から家に帰る道すがら、彼はそっと口笛を吹いた。 |
| The child **bravely** touched the snake at the zoo. | その子どもは勇敢にも動物園で蛇に触った。 |
| The death of those people in the accident is a real **tragedy**. | 事故によるあの人々の死は、まさに悲劇だ。 |
| Cell phones **transmit** calls via satellite. | 携帯電話は衛星経由で通話を伝送する。 |
| It took **considerably** longer than usual to see the doctor today. | 今日の診察はいつもよりかなり時間がかかった。 |
| He **polished** his shoes the day before the big event. | 彼はその大きなイベントの前日、靴を磨いた。 |
| This fruit **resembles** an orange in appearance. | この果物は見た目はオレンジに似ている。 |

05
52

| 05 53 | **resolve**<br>[rɪzá:lv]<br>① re- (元へ) + solve (解く) | 動 ～を解決する (≒solve)<br>名 resolution 解決(策) |
|---|---|---|
| 05 54 | **sorrow**<br>[sá:rou] | 名 悲しみ<br>形 sorrowful 悲しそうな |
| 05 55 | **fasten**<br>[fǽsn] ▲tは発音しない。<br>① fast (固定した) + -en (～にする) | 動 ～を締める (≒tie)(⇔undo, unfasten) |
| 05 56 | **reduce**<br>[rɪd(j)ú:s]<br>① re- (元へ) + duce (導く) | 動 ～を減らす (≒decrease, lessen)<br>名 reduction 削減 |
| 05 57 | **research**<br>[rí:sə̀:rtʃ]<br>① re- (再び) + search (探す) | 名 研究、調査 (≒study)<br>動 ～を調査する、調べる<br>名 researcher 研究者 |
| 05 58 | **unfortunately**<br>[ʌnfɔ́:rtʃənətli] | 副 不運にも、残念ながら<br>(≒unluckily)(⇔fortunately, luckily)<br>形 unfortunate 不運な、不幸な |
| 05 59 | **suggest**<br>[səgdʒést]<br>① sug- (下から) + gest (持ち出す) | 動 ① ～を提案する (≒propose)<br>② ～を暗示する (≒imply)<br>► ①では続くthat 節中の動詞は (should+) 原形になる。<br>名 suggestion 提案 |
| 05 60 | **repair**<br>[rɪpéər]<br>① re- (再び) + pair (準備する) | 動 ～を修理する (≒mend)<br>名 修理 |
| 05 61 | **cause**<br>[kɔ́:z] | 動 ～を引き起こす<br>名 原因 |
| 05 62 | **statement**<br>[stéɪtmənt]<br>① state (述べる) + -ment 名 | 名 発言、述べられたこと<br>動 state ～を明確に述べる |
| 05 63 | **cost**<br>[kɔ́(:)st] | 動 〈お金〉がかかる<br>名 費用、経費<br>► cost-cost-cost と活用する。<br>形 costly 費用のかかる |
| 05 64 | **serve**<br>[sə́:rv] | 動 ① 〈人〉に仕える、〈組織〉のために働く<br>② 〈機能など〉を果たす ③ 〈食べ物など〉を出す<br>名 service 接客、サービス |

| | |
|---|---|
| Charlie and his brother may never **resolve** their differences. | チャーリーと弟が意見の食い違いを解決することはないかもしれない。 |
| His **sorrow** over his father's death was hard for him to overcome. | 父親の死に対する悲しみは、彼には克服しがたいものだった。 |
| You should always **fasten** your seatbelt when driving. | 運転するときは常にシートベルトを締めるべきだ。 |
| Going to the gym is a great way to **reduce** stress. | ジムに行くことはストレスを軽減するよい方法だ。 |
| The nonprofit organization specializes in cancer **research**. | この非営利団体はがん研究を専門としている。 |
| **Unfortunately**, we are no longer selling the figure. | 残念ながら、そのフィギュアはもう販売しておりません。 |
| He **suggested** that they delay the sale by a week. | 彼は、販売を1週間遅らせることを提案した。 |
| This phone can no longer be **repaired**. | この電話はもう修理できない。 |
| The heavy rain **caused** a flood. | 大雨が洪水を引き起こした。 |
| The author made a **statement** through her agent. | その著者は代理人を通じて声明を発表した。 |
| It **cost** a lot to fix the old machine. | その古い機械を直すのに多額の費用がかかった。 |
| The politician has promised she will **serve** the people. | その政治家は国民のために働くと約束した。 |

| 05 65 | **produce** [prəd(j)úːs] ① pro- (前に) +duce (導く) | 動 ~を生産する、生み出す (≒manufacture) 名 production 生産 名 product 製品 |
|---|---|---|
| 05 66 | **remove** [rɪmúːv] ① re- (再び) +move (動かす) | 動 ~を取り除く、除去する 名 removal 除去 |
| 05 67 | **provide** [prəváɪd] ① pro- (前もって) +vide (見る) | 動 ~を提供する、供給する ▶ provide A for B (あるいは provide B with A) で、「A を B に供給する」という意味。 |
| 05 68 | **various** [véəriəs] | 形 さまざまな 名 variety 種類、多様さ |
| 05 69 | **affect** [əfékt] ① af- (~に) +fect (する) | 動 ~に (直接) 影響する |
| 05 70 | **attract** [ətrǽkt] ① at- (~に) +tract (引く) | 動 ~を引きつける 名 attraction 魅力、引きつけるもの 形 attractive 魅力的な |
| 05 71 | **especially** [ɪspéʃəli] | 副 特に (≒particularly) |
| 05 72 | **leave** [líːv] | 動 ① ~を残す、置き忘れる ② ~を…のままにしておく 名 休暇 ▶ leave-left-left と活用する。 |
| 05 73 | **reservation** [rèzərvéɪʃən] ① re- (後ろに) +serv (取っておく) +-ation 名 | 名 (部屋・座席などの) 予約 (≒booking) ▶ make a reservation で「予約する」という意味。 動 reserve ~をとっておく、予約する |
| 05 74 | **experience** [ɪkspíəriəns] | 名 経験 動 ~を経験する 形 experienced 経験豊富な |
| 05 75 | **contain** [kəntéɪn] ① con- (共に) +tain (保つ) | 動 ~を含む (≒include) 名 container 容器 名 content 内容、中身 |
| 05 76 | **equipment** [ɪkwípmənt] | 名 ① 装置、機器 ② 備品 動 equip ~を備えつける |

| | |
|---|---|
| The new factory will **produce** over 1,000 cars per day. | 新しい工場は1日あたり1,000台以上の車を生産する予定だ。 |
| She went to the doctor to get a mole **removed**. | 彼女はほくろを除去してもらうために医者に行った。 |
| The company **provides** childcare services **for** its employees. | その会社は従業員に保育サービスを提供している。 |
| People from **various** cultural backgrounds live in this community. | このコミュニティには、さまざまな文化的背景を持つ人々が暮らしている。 |
| Most people do not realize how much they **affect** the environment. | 自分が環境にどれだけ影響を与えているか、ほとんどの人は気がついていない。 |
| The game convention **attracts** people from all over the country. | そのゲーム大会には国中から人が集まる。 |
| Learning new languages is difficult, **especially** for old people. | 新しい言語を学ぶのは特に高齢者にとっては難しい。 |
| I **left** my umbrella on the train yesterday. | 私はきのう電車にかさを忘れた。 |
| He **made a reservation** at his wife's favorite restaurant for her birthday. | 彼は妻の誕生日に、妻のお気に入りのレストランを予約した。 |
| Wendy has over a decade of programming **experience**. | ウェンディは、プログラミングの経験が10年以上ある。 |
| This product may **contain** traces of peanuts. | この製品には微量のピーナッツが含まれている可能性があります。 |
| Musicians need a lot of **equipment** to hold a large concert. | 大きなコンサートを開くには、音楽家はたくさんの機材が必要だ。 |

| 05 77 | **rare** [réər] □□□ | 形 珍しい、まれな (≒unusual) (⇔common) ▶ rare earth (レアアース、希土類元素)、rare metal (レアメタル、希少金属) などのようにカタカナ語にもなっている。 副 rarely めったに〜しない |
|---|---|---|
| 05 78 | **deliver** [dɪlívər] □□□ ① de- (〜から) +liver (自由にする) | 動 ① 〜を配達する、届ける ② 〈スピーチなど〉をする 名 delivery 配達、デリバリー |
| 05 79 | **quality** [kwá:ləti] □□□ | 名 (品)質、性質 ▶「量」は quantity。 |
| 05 80 | **raise** [réɪz] □□□ | 動 ① 〈お金〉を集める ② 〜を育てる、飼育する (≒bring up) |
| 05 81 | **detail** [díːteɪl] □□□ | 名 詳細 形 detailed 詳細な |
| 05 82 | **common** [káːmən] □□□ com- (共に) +mon (義務を負わされた) | 普通の、一般的な (⇔rare) commonly 一般的に |
| 05 83 | **survive** [sərváɪv] □□□ sur- (越えて) +vive (生きる) | (〜を切り抜けて) 生き残る survival 生き残ること |
| 05 84 | **sincerely** [sɪnsíərli] □□□ | 副 心から、誠実に ▶ 手紙・メールの末尾に Sincerely, と書くと日本語の「敬具」に相当する。 形 sincere 心からの |
| 05 85 | **certain** [sə́ːrtn] □□□ | 形 ① 一定の、特定の ② 確かな (≒sure) 副 certainly 確かに 名 certainty 確実性 |
| 05 86 | **notice** [nóʊtəs] □□□ ① not (印をつける) + -ice 動 | 動 〜に気づく 名 通知 形 noticeable 目立つ、顕著な 副 noticeably 目立って |
| 05 87 | **effective** [ɪféktɪv] □□□ ① ef- (外に) +fect (作る) + -ive 形 | 形 効果的な (⇔ineffective) 名 effect 効果、影響 副 effectively 効果的に 名 effectiveness 有効性 |
| 05 88 | **train** [tréɪn] □□□ | 動 〜を訓練する、教育する 名 training 訓練 名 trainer 訓練する人 |

| | |
|---|---|
| Gail likes to collect **rare** stones. | ゲイルは珍しい石を集めるのが好きだ。 |
| It took him over two hours to **deliver** the pizza in the heavy snow. | 彼は大雪の中、ピザを配達するのに2時間以上かかった。 |
| Tea from Taiwan is extremely high **quality**. | 台湾のお茶は非常に高品質だ。 |
| Their club sold baked goods to **raise** money for charity. | 慈善活動のお金を集めるために、彼らのクラブは焼き菓子を販売した。 |
| You can find the **details** in the email I sent you. | 詳細についてはお送りしたメールに記載されています。 |
| Gender neutral uniforms are becoming more **common**. | ジェンダーニュートラルな制服がより一般的になりつつある。 |
| All the passengers managed to **survive** the plane crash. | 乗客は全員、その飛行機事故から何とか生還した。 |
| He **sincerely** apologized for making the mistake. | 彼はミスを犯したことを心からわびた。 |
| In **certain** situations, lying is actually not a bad thing. | 特定の状況では、うそをつくのは実は悪いことではない。 |
| He has **noticed** a change in his sleep quality recently. | 彼は睡眠の質が変わったことに最近気づいた。 |
| Yoga can be an **effective** way of reducing stress. | ヨガはストレスを軽減する効果的な方法となりうる。 |
| It costs a lot of money to **train** new employees. | 新入社員を教育するには多額の費用がかかる。 |

| 05 89 | purchase | 動 ~を購入する (≒buy) |
|---|---|---|
| | [pə́ːrtʃəs] | 名 購入 (品) |
| | ① pur- (求めて) + chase (追う) | |

| 05 90 | career | 名 ① 経歴、キャリア ② 職業 |
|---|---|---|
| | [kəríər] | |

| 05 91 | upset | 形 ① 動揺した、うろたえた ② 憤慨して |
|---|---|---|
| | [ʌpsét] | 動 ① ~を動揺させる ② 〈胃など〉 の調子を狂わせる |
| | ① up- (上に) + set (置く) | ► upset-upset-upset と活用する。 |

| 05 92 | ancient | 形 古代の (⇔modern, contemporary) |
|---|---|---|
| | [éɪnʃənt] | |

| 05 93 | waste | 動 ~を無駄にする |
|---|---|---|
| | [wéɪst] | 名 ① 無駄、浪費 ② 廃棄物 |
| | | 形 wasteful 無駄の多い |

| 05 94 | advertise | 動 ~を広告する、宣伝する |
|---|---|---|
| | [ǽdvərtàɪz] | 名 advertisement 広告 |

| 05 95 | exchange | 動 ~を交換する |
|---|---|---|
| | [ɪkstʃéɪndʒ] | 名 交換 |
| | ① ex- (外に) + change (換える) | ► exchange A for B で「A を B と交換する」という意味。 |

| 05 96 | majority | 名 大多数、過半数 (⇔minority) |
|---|---|---|
| | [mədʒɔ́ːrəti] | |

| 05 97 | complete | 動 ~を完成させる (≒finish) |
|---|---|---|
| | [kəmplíːt] | 形 完全な (≒total) |
| | ① com- (完全に) + plete (満たす) | 副 completely 完全に |

| 05 98 | discovery | 名 発見 |
|---|---|---|
| | [dɪskʌ́vəri] | 動 discover ~を発見する |
| | ① dis- (分離) + cover (覆い) + y 名 | |

| 05 99 | remain | 動 ① (依然として) ~のままである ② 残る (≒stay) |
|---|---|---|
| | [rɪméɪn] | 名 [複数形で] 残り、遺物 |
| | ① re- (元に) + main (留まる) | |

| 06 00 | furthermore | 副 さらに、そのうえ |
|---|---|---|
| | [fə́ːrðərmɔ̀ːr] | (≒besides, moreover, in addition) |

| | |
|---|---|
| She **purchased** her first car as soon as she got her license. | 免許を取るとすぐ、彼女は初の車を購入した。 |
| Taking this accounting course will help your **career**. | この会計コースを取っておくと、キャリアの役に立つだろう。 |
| The child got very **upset** when she dropped her ice cream. | アイスクリームを落として、その子はとても慌てた。 |
| Archaeologists study **ancient** civilizations and attempt to understand them. | 考古学者は、古代文明を研究し、それを理解しようと試みる。 |
| He **wastes** his time watching TV all day. | 彼は一日中テレビを見て時間を無駄にしている。 |
| They **advertised** the product on TV. | 彼らはテレビでその商品を宣伝した。 |
| Could I **exchange** this shirt **for** a bigger one? | このシャツをもっと大きいものと交換したいのですが。 |
| The **majority** of my friends live in Tokyo. | 友人の大部分は東京に住んでいる。 |
| Development of the area was **completed** ahead of schedule. | その地域の開発は予定よりも早く完了した。 |
| The scientist's **discovery** changed the world. | その科学者の発見は世界を変えた。 |
| It **remains** unclear why he decided to quit school. | 彼がなぜ学校を退学することにしたのか、はっきりしないままだ。 |
| PCs are getting cheaper. **Furthermore**, they are getting faster. | コンピュータはだんだん安くなっている。そのうえ、動作も速くなってきている。 |

| 06 01 | **responsibility**<br>[rɪspɑ̀:nsəbíləti]<br>① respons (答える) + -ibili (できる)<br>+ -ty 名 | 名 責任、義務<br>形 responsible 責任のある |
|---|---|---|
| 06 02 | **conference**<br>[kɑ́:nfərəns] | 名 会議 (≒convention, forum)<br>► 特に大規模で正式な「会議」を指す。 |
| 06 03 | **require**<br>[rɪkwáɪər]<br>① re- (再び) + quire (求める) | 動 ① ~を必要とする ② ~を要求する<br>名 requirement 要求されるもの、必要条件 |
| 06 04 | **mostly**<br>[móʊstli] | 副 ① 主に、大部分は ② たいてい |
| 06 05 | **immediately**<br>[ɪmíːdiətli]<br>① im- (否定) + mediate (介在する)<br>+ -ly 副 | 副 すぐに、ただちに (≒instantly)<br>形 immediate 即座の |
| 06 06 | **flavor**<br>[fléɪvər] | 名 味、風味<br>動 ~に風味をつける |
| 06 07 | **decade**<br>[dékeɪd]<br>① dec- (10) + -ade 名 | 名 10 年<br>► for decades (何十年もの間) という表現も覚えておこう。 |
| 06 08 | **crop**<br>[krɑ́:p] | 名 作物 |
| 06 09 | **increasingly**<br>[ɪnkríːsɪŋli] | 副 ますます、次第に (≒more and more) |
| 06 10 | **occur**<br>[əkə́:r]<br>① oc- (~に) + cur (走る) | 動 ① (偶然に) 起こる、生じる (≒happen)<br>② 思い浮かぶ<br>► occur to ~ (~の頭に思い浮かぶ) も重要。<br>名 occurrence 出来事 |
| 06 11 | **perform**<br>[pərfɔ́:rm]<br>① per- (完全に) + form (形作る) | 動 ① 演技する、演奏する ② 〈仕事など〉を行う<br>名 performance 演技、演奏 |
| 06 12 | **negative**<br>[négətɪv]<br>① negat (否定する) + -ive 形 | 形 好ましくない、否定的な (⇔positive) |

| | |
|---|---|
| Teachers have a **responsibility** to educate their students. | 教師には生徒を教育する責任がある。 |
| What hotel are you staying at for the **conference**? | 会議ではどのホテルに泊まるのですか。 |
| Solving this problem will **require** more time. | この問題を解決するには、さらに時間が必要となるだろう。 |
| The town was **mostly** how I had remembered it. | 町はほとんど私が覚えていたままだった。 |
| Stop taking the medication **immediately** if you notice any side effects. | 副作用に気づいた場合は、ただちにその薬の服用を中止してください。 |
| This fruit has a really unique **flavor**. | この果物にはとても変わった風味がある。 |
| It has been almost a **decade** since she left her country. | 彼女が国を離れてから10年近くになる。 |
| The farmer grows different **crops** each year. | その農家は毎年さまざまな作物を育てている。 |
| This problem is becoming **increasingly** difficult to deal with. | この問題は対処するのが次第に難しくなってきている。 |
| Hundreds of accidents **occur** on this highway every year. | この幹線道路では毎年何百件もの事故が起きている。 |
| He was nervous to **perform** in front of so many people. | 彼はそんなにたくさんの人の前で演奏するのに緊張した。 |
| His job had a **negative** effect on his mental health. | 仕事は彼の精神衛生に悪影響を与えた。 |

06 ►
12

| | | |
|---|---|---|
| 06 13 | **opportunity**<br>[àːpərt(j)úːnəti]<br>□<br>□<br>□ | 名 好機、チャンス (≒chance) |
| 06 14 | **charge**<br>[tʃáːrdʒ]<br>□<br>□<br>□ | 動 ① 〈料金〉を請求する ② 〈責任・任務など〉を課す<br>③ 〈電池・機器〉を充電する<br>名 料金 |
| 06 15 | **private**<br>[práɪvət]<br>□<br>□<br>□ | 形 ① 私的な、個人的な (⇔official, public)<br>② 内密の (≒secret)<br>副 privately 個人的に、密かに<br>名 privacy プライバシー |
| 06 16 | **share**<br>[ʃéər]<br>□<br>□<br>□ | 動 ① ~を共有する、一緒に使う ② ~を分け合う |
| 06 17 | **appear**<br>[əpíər]<br>□<br>□<br>□ | 動 ① 現れる、姿を現す<br>(≒emerge) (⇔disappear)<br>② ~のように見える (≒seem)<br>名 appearance 外見 |
| 06 18 | **transport**<br>[trænspɔ́ːrt]<br>□<br>□<br>□<br>① trans- (向こうへ) +port (運ぶ) | 動 (~を) 輸送する、運ぶ<br>名 transportation 輸送 |
| 06 19 | **commercial**<br>[kəmə́ːrʃəl]<br>□<br>□<br>□<br>① com- (共に) +merc (商う) +-ial 形 | 形 営利的な、商用の<br>名 広告放送、コマーシャル<br>副 commercially 商業的に |
| 06 20 | **contract**<br>[名 káːntrækt 動 kəntrǽkt]<br>□<br>□<br>□<br>① con- (共に) +tract (引き合う) | 名 契約、契約書<br>動 (~と) 契約する |
| 06 21 | **production**<br>[prədʌ́kʃən]<br>□<br>□<br>□<br>① pro- (前方に) +duct (導く)<br>+-ion 名 | 名 製造<br>動 produce ~を生み出す、生産する<br>名 product 製品、生産物<br>形 productive 生産的な |
| 06 22 | **medical**<br>[médɪkl]<br>□<br>□<br>□<br>① med(i) (癒やす) +-cal 形 | 形 医療の、医学の<br>名 medicine 医学；医薬 |
| 06 23 | **audience**<br>[ɔ́ːdiəns]<br>□<br>□<br>□<br>① audi (聞く) +-ence 名 | 名 聴衆<br>▶「たくさんの聴衆」は many audience ではなく a large audience と言う。 |
| 06 24 | **escape**<br>[ɪskéɪp]<br>□<br>□<br>□<br>① es- (外に) +cape (マント) | 動 (~を) 脱出する、逃げる |

| | |
|---|---|
| She had an **opportunity** to study in France during college. | 彼女は大学時代、フランスに留学する機会があった。 |
| The mechanic **charged** him double the usual rate for an oil change. | その整備士は彼に通常の2倍のオイル交換費用を請求した。 |
| Betty likes to keep her **private** life separate from her professional life. | ベティは、私生活と仕事上の生活を分けておきたいと思っている。 |
| Everyone on the team **shares** responsibility for this project. | チーム全員がこのプロジェクトに対する責任を共有している。 |
| The sun **appeared** on the horizon. | 太陽が地平線に現れた。 |
| These pineapples will be **transported** to Japan by ship. | これらのパイナップルは船で日本に運ばれる。 |
| All **commercial** companies must pay taxes to the government. | すべての営利企業は政府に税を納めなければならない。 |
| Never sign a **contract** without reading it. | 読まずに契約書にサインしてはいけません。 |
| **Production** in all of our factories is down. | わが社のすべての工場で生産が落ちている。 |
| The university opened a new **medical** center to service the local community. | その大学は、地域社会に貢献するため新しい医療センターを開設した。 |
| He is going to have to speak in front of an **audience** of 2,000 people. | 彼は2,000人の聴衆の前でスピーチをしなければならない。 |
| Every winter, we stay in Mexico to **escape** the cold weather. | 毎年冬になると、私たちは寒い気候を逃れるためにメキシコに滞在する。 |

113

| 06 25 | **serious** [síəriəs] | 形 ① 〈問題・病気などが〉重大な、深刻な （≒major, severe）（⇔minor） ② まじめな、本気の（≒earnest） 副 seriously 深刻に、重く |
|---|---|---|
| 06 26 | **impact** [ímpækt] ① im- (反対に)+pact (固定する) | 名 ① 影響 ② 衝撃 |
| 06 27 | **membership** [mémbərʃìp] | 名 会員であること、会員権 |
| 06 28 | **mystery** [místəri] | 名 謎、神秘 形 mysterious 不可解な、神秘的な |
| 06 29 | **obvious** [á:bviəs] ① ob- (～を遮って)+vi(a) (道) +-ous 形 | 形 明らかな、わかりやすい 副 obviously 明らかに |
| 06 30 | **spread** [spréd] | 動 ① 広まる、散らばる ② ～を広げる 名 広まり ▶ spread-spread-spread と活用する。 |
| 06 31 | **anniversary** [æ̀nəvə́:rsəri] ① anni (年)+vers (戻る)+-ary 名 | 名 記念日、～周年 |
| 06 32 | **marry** [mǽri] | 動 ～と結婚する ▶ marry with ～ としないように注意。get married (結婚する) という表現も覚えておこう。 名 marriage 結婚 (生活) |
| 06 33 | **facility** [fəsíləti] ① facil (容易な)+-ity 名 | 名 設備、施設 |
| 06 34 | **empty** [émpti] | 形 〈容器などが〉空の、〈建物・席などが〉空いている （⇔full） 動 ～を空にする |
| 06 35 | **injure** [índʒər] | 動 ～にけがをさせる（≒hurt） 名 injury けが |
| 06 36 | **expand** [ɪkspǽnd] ① ex- (外に)+pand (広げる) | 動 (～を) 拡大する、拡張する 名 expansion 拡大、拡張 形 expansive 広範囲な |

| | |
|---|---|
| Child hunger is a **serious** problem. | 子どもの飢えは深刻な問題だ。 |
| Anton has had a huge **impact** on my life. | アントンは私の人生に大きな影響を与えた。 |
| **Membership** to this dating service is free for everyone. | この出会い系サービスへの会員登録は誰でも無料だ。 |
| The **mystery** of the man's disappearance was never solved. | その男性の失踪の謎は決して解明されなかった。 |
| The answer to this math problem should be **obvious** to anyone. | この数学の問題の答えは誰にでも明らかなはずだ。 |
| The virus **spread** throughout the world rapidly. | そのウイルスは世界中に急速に広がった。 |
| My parents celebrated their 40th **anniversary** last week. | 私の両親は先週、結婚40周年を祝った。 |
| He **married** Laura only a month after meeting her. | 彼は出会ってからわずかひと月でローラと結婚した。 |
| This is the best sports **facility** in the country. | ここは国内で最高のスポーツ施設だ。 |
| You can sit in the **empty** seat by the window. | 窓際のその空いている席に座れますよ。 |
| Athletes are frequently **injured** regardless of sport. | アスリートはスポーツの種類に関係なく、頻繁にけがをする。 |
| They **expanded** the highway to increase accessibility to rural areas. | 地方へのアクセスをよくするために、彼らは幹線道路を拡張した。 |

06
36

| 06<br>37 | **involve**<br>[ɪnvá:lv]<br>① in-(中に)+volve(巻き込む) | 動 ~を含む、伴う<br>► be involved in ~ の項目 (1714) も参照。<br>名 involvement 関わり、関与 |
| 06<br>38 | **throughout**<br>[θruáʊt] | 前 ① ~の至る所に ② ~の間中ずっと |
| 06<br>39 | **opinion**<br>[əpínjən] | 名 意見 |
| 06<br>40 | **explanation**<br>[èksplənéɪʃən]<br>① ex-(完全に)+plan(平らにする)<br>+-ation 名 | 名 説明<br>動 explain ~を説明する<br>形 explanatory 説明的な |
| 06<br>41 | **historical**<br>[hɪstɔ́:rɪkəl] | 形 歴史的な、歴史上の<br>名 history 歴史<br>► historic は「歴史上有名 [重要] な」という意味。 |
| 06<br>42 | **continue**<br>[kəntínju:] | 動 ① 続く ② ~を続ける<br>► 後ろに動詞がくるときは continue to *do* / continue<br>*do*ing どちらの場合もある。<br>形 continuous 絶え間ない |
| 06<br>43 | **earn**<br>[ə́:rn] | 動 ① 〈金・報酬〉を得る、稼ぐ<br>② 〈名声など〉を得る (≒win) |
| 06<br>44 | **receipt**<br>[rɪsí:t] ▲ p は発音しない。 | 名 領収書、レシート<br>動 receive ~を受け取る |
| 06<br>45 | **dramatic**<br>[drəmǽtɪk] | 形 〈変化・状況などが〉劇的な<br>副 dramatically 劇的に |
| 06<br>46 | **expense**<br>[ɪkspéns] | 名 費用、出費 (≒cost)<br>形 expensive 高価な<br>動 expend ~を費やす |
| 06<br>47 | **store**<br>[stɔ́:r] | 動 ~を蓄える、貯蔵する<br>名 storage 貯蔵 |
| 06<br>48 | **absorb**<br>[əbzɔ́:rb]<br>① ab-(~から)+sorb(吸い込む) | 動 ~を吸収する<br>► 水分や栄養だけでなく、会社、衝撃などを吸収するという意<br>味でも使われる。<br>名 absorption 吸収 |

| | |
|---|---|
| Her job **involves** sitting in front a computer all day. | 彼女は仕事柄、一日中コンピュータの前に座ることになる。 |
| Evelyn is known **throughout** the game industry as a genius. | エブリンは、天才としてゲーム業界じゅうで知れわたっている。 |
| **Opinions** on how to best help the planet are divided. | 地球を救う最善の方法については意見が分かれている。 |
| Your parents deserve an **explanation** for why you are misbehaving. | あなたがなぜ無作法に振る舞っているのか、ご両親には説明を受ける権利がある。 |
| The discovery of a new Mayan pyramid has great **historical** significance. | マヤの新しいピラミッドの発見は、歴史的に大きな意味を持つ。 |
| It will **continue to** rain until early tomorrow morning. | 明日の早朝まで雨は降り続くだろう。 |
| Yan **earns** the highest salary on her team. | ヤンはチームの中で最も高い給料を得ている。 |
| You cannot return items if you don't keep the **receipt**. | レシートをお持ちでない場合、返品はできません。 |
| The **dramatic** change in his appearance after the surgery shocked his friends. | 手術後の彼の外見の劇的な変化に、友人たちはショックを受けた。 |
| The **expense** of the building repairs was more than he could afford. | 建物の修繕費は、彼が支払える金額を超えていた。 |
| Farmers **store** grain for their animals in large silos. | 農家は自分の家畜用の穀物を大きなサイロに貯蔵している。 |
| Plants **absorb** light and convert it into energy. | 植物は光を吸収し、それをエネルギーに変換する。 |

| | | |
|---|---|---|
| 06 49 | **layer** [léɪər] | 名 層 |
| 06 50 | **traffic** [trǽfɪk] | 名 交通、交通量 |
| 06 51 | **breathe** [bríːð] ⚠ 発音注意。 | 動 呼吸する<br>名 breath 息、呼吸 |
| 06 52 | **analyze** [ǽnəlàɪz]<br>① ana- (上に) +ly (解く) +-ze 動 | 動 ～を分析する<br>名 analysis 分析<br>形 analytical 分析の<br>名 analyst アナリスト |
| 06 53 | **cultural** [kʌ́ltʃərəl]<br>① cult (耕す) +-ural 形 | 形 文化の、文化的な<br>名 culture 文化 |
| 06 54 | **decline** [dɪkláɪn]<br>① de- (下に) +cline (曲げる) | 動 ① 減少する、低下する<br>(≒decrease)(⇔increase, rise)<br>② (～を) 断る (≒refuse)(⇔accept)<br>名 減少 (≒decrease)(⇔increase) |
| 06 55 | **movement** [múːvmənt]<br>① move (動く) +-ment 名 | 名 ① 動き<br>② (政治的・社会的な) 運動 (≒campaign)<br>動 move 動く |
| 06 56 | **identify** [aɪdéntəfàɪ]<br>① ident (同じ) +-ify (～にする) | 動 ① ～を特定する ② ～を (…と) 見なす<br>▶ identify A with B (A を B と結びつけて考える、同一視する) という表現も覚えておこう。<br>名 identification 識別 形 identifiable 識別できる |
| 06 57 | **review** [rɪvjúː]<br>① re- (再び) +view (見る) | 動 ～を再検討する、見直す<br>名 批評、レビュー |
| 06 58 | **guess** [gés] | 動 …だと推測する、思う<br>▶ Guess what? (ちょっと聞いてよ) という会話表現も覚えておこう。 |
| 06 59 | **ability** [əbíləti]<br>① abl (できる) +-ity (状態) | 名 能力<br>形 able 能力がある |
| 06 60 | **explore** [ɪksplɔ́ːr]<br>① ex- (外に) +plore (叫ぶ) | 動 ～を探検する、探索する<br>名 exploration 探検<br>名 explorer 探検家 |

| | |
|---|---|
| This cake has three **layers**. | このケーキは3層仕立てだ。 |
| **Traffic** into the city is always heavy on Sunday evenings. | 市内に向かう交通量は、日曜の夕方にはいつも多い。 |
| She **breathed** deeply and counted to ten. | 彼女は深呼吸して、10まで数えた。 |
| The biologist carefully **analyzed** the DNA for any mutations. | その生物学者は、突然変異がないかDNAを注意深く分析した。 |
| Food is a very important part of **cultural** identity for many people. | 多くの人々にとって、食べ物は文化的アイデンティティの非常に重要な部分だ。 |
| The market for DVDs is gradually **declining**. | DVD市場は徐々に衰退している。 |
| He watched his opponent's eye **movements**. | 彼は相手の目の動きを見た。 |
| The doctor conducted many tests to **identify** the patient's problem. | その医師は患者の問題を特定するためにたくさんの検査をした。 |
| She **reviewed** her notes before the test. | 彼女は試験の前にノートを見直した。 |
| I **guess** he forgot we're meeting today. | 彼はきょう会うことになっているのを忘れてしまったのではないかと思う。 |
| Opal worked hard to improve her singing **ability**. | オパールは歌唱力を磨くために懸命に努力した。 |
| The robot will **explore** the surface of Mars and send back the data it collects. | そのロボットは火星の表面を探査し、収集したデータを送り返す。 |

| 06 61 | **switch** [swítʃ] | 動 (~を) 切り替える |
|---|---|---|

| 06 62 | **shape** [ʃéɪp] | 名 ① 形、形状、体型（≒form）② 体調<br>動 ~を形作る（≒form）<br>► in shape（体調がいい）、out of shape（体調を壊して）も<br>出題されている。 |
|---|---|---|

| 06 63 | **freeze** [fríːz] | 動 凍る<br>► freeze-froze-frozen と活用する。<br>形 frozen 冷凍の |
|---|---|---|

| 06 64 | **entry** [éntri] | 名 ① 入ること、入場<br>② （コンテストなどへの）参加（者）<br>動 enter 入る、~に参加する |
|---|---|---|

| 06 65 | **wrap** [rǽp] | 動 ① ~を包む ② ~を巻きつける<br>► 食品用の「ラップ」は plastic wrap と言う。 |
|---|---|---|

| 06 66 | **border** [bɔ́ːrdər] | 名 国境、境 |
|---|---|---|

| 06 67 | **popularity** [pὰːpjəlérəti]<br>① popul（人々）+ -arity 名 | 名 人気<br>形 popular 人気のある |
|---|---|---|

| 06 68 | **fashion** [fǽʃən] | 名 流行、ファッション<br>形 fashionable 流行の |
|---|---|---|

| 06 69 | **citizen** [sítəzn] | 名 ① 国民 ② 市民、住民<br>名 citizenship 市民権 |
|---|---|---|

| 06 70 | **link** [líŋk] | 動 ~を結びつける、関連づける（≒connect）<br>名 ① 結びつき、関連<br>② （ウェブサイトなどの）リンク |
|---|---|---|

| 06 71 | **ideal** [aɪdíːəl] | 形 理想的な<br>名 理想<br>副 ideally 理想的に<br>動 idealize ~を理想化する |
|---|---|---|

| 06 72 | **claim** [kléɪm] | 動 ~を主張する<br>名 主張、要求<br>► 日本語の「クレーム」（不平、不満）は、英語では complaint<br>と言う。 |
|---|---|---|

| | |
|---|---|
| It is easy to **switch** the language displayed from the menu. | 表示される言語はメニューから簡単に切り替えられる。 |
| Cakes can be carved into many different **shapes**. | ケーキはいろいろな形に切り分けることができる。 |
| The flowers will die if they **freeze**. | その花は凍ると枯れてしまう。 |
| **Entry** to the venue started an hour before the show began. | 会場への入場は、そのショーの開演1時間前に始まった。 |
| Is it common to **wrap** gifts in the U.S.? | アメリカでは贈り物を包むのは一般的ですか。 |
| We crossed the **border** into Mexico. | 私たちは国境を越えてメキシコに入った。 |
| The app gained **popularity** by offering a free trial. | このアプリは無料トライアルを提供することで人気を得た。 |
| It is not easy getting into the **fashion** business. | ファッションビジネスに参入するのは容易なことではない。 |
| As a **citizen** of the country, you have a right to healthcare. | この国の国民として、あなたには医療を受ける権利がある。 |
| The two towns are **linked** by a single highway. | 2つの町はたった1本の幹線道路でつながっている。 |
| Yolanda is the **ideal** person for this job. | ヨランダはこの仕事にうってつけの人だ。 |
| He **claims** that he was the first person to discover this bacteria. | 彼は、この細菌を最初に発見したのは自分だと主張している。 |

06
72 ►

| 06 73 | **reward**<br>[rɪwɔ́ːrd]<br>① re- (後ろを) +ward (守る) | 動 ~に報酬を与える<br>名 報酬、報い<br>▶ reward *A* for *B* (B に対して A に報酬を与える) という表現も覚えておこう。 |
|---|---|---|
| 06 74 | **trust**<br>[trʌ́st] | 動 ~を信頼する<br>名 信用 |
| 06 75 | **unless**<br>[ənlés] | 接 …するのでなければ |
| 06 76 | **scene**<br>[síːn] | 名 ① (映画・小説などの) 場面、シーン ② 現場 |
| 06 77 | **rival**<br>[ráɪvl] | 名 競争相手、ライバル<br>形 競合する、ライバルの<br>名 rivalry 競争、争い |
| 06 78 | **severe**<br>[sɪvíər] | 形 厳しい、〈痛みなどが〉激しい<br>(≒hard, harsh) (⇔mild)<br>副 severely 厳しく、激しく<br>名 severity 厳しさ |
| 06 79 | **steady**<br>[stédi]<br>① stead (場所) +-y 形 | 形 一定の、着実な<br>副 steadily 着実に |
| 06 80 | **function**<br>[fʌ́ŋkʃən] | 名 機能、働き<br>動 機能する<br>形 functional 機能的な |
| 06 81 | **arrange**<br>[əréɪndʒ] | 動 ① (~を) 手配する、準備する ② ~を整理する<br>名 arrangement 手配、準備 |
| 06 82 | **deal**<br>[díːl] | 名 ① 買い得 (価格) ② 取引 |
| 06 83 | **sensitive**<br>[sénsətɪv]<br>① sens (感じる) +-itive 形 | 形 ① 敏感な、影響を受けやすい (⇔insensitive)<br>② 微妙な、細心の注意を要する (≒delicate)<br>名 sensitivity 細やかさ、感受性 |
| 06 84 | **locally**<br>[lóʊkəli] | 副 地元で<br>形 local 地元の |

| | |
|---|---|
| Rachel was **rewarded for** all her hard work. | レイチェルはそれまでの努力すべてに対する報酬を受けた。 |
| Acrobats have to **trust** their partners completely. | 曲芸師は自分のパートナーを完全に信頼しなければならない。 |
| You cannot submit an assignment late **unless** you have a good excuse. | 正当な理由がない限り、課題を遅れて提出することはできません。 |
| This is my favorite **scene** of the movie. | これはその映画で一番好きなシーンだ。 |
| Jeremy looked forward to taking on his **rival** at the chess tournament. | ジェレミーは、チェスの大会でライバルと対戦するのを楽しみにしていた。 |
| The typhoon caused **severe** damage to the small town. | 台風はその小さな町に深刻な被害をもたらした。 |
| The runners maintained a **steady** pace for two hours. | ランナーたちは2時間一定のペースを保った。 |
| A clock's **function** is to tell the time. | 時計の機能は時を知らせることだ。 |
| Could you please **arrange** a meeting with Mr. Andrews? | アンドリューズさんとの打合せを手配していただけますか。 |
| I got a great **deal** on this TV. | このテレビはとてもお買い得だった。 |
| The author is quite **sensitive** to criticism. | その作家は批判にかなり敏感だ。 |
| All of our wine is produced **locally**. | わが社のワインはすべて地元で生産されている。 |

| | | |
|---|---|---|
| 06 85 | **fire** [fáɪər] | 動 ～を首にする、解雇する (≒dismiss) |
| 06 86 | **gentle** [ʤéntl] | 形 ① 〈性格などが〉穏やかな、やさしい<br>② 〈傾斜などが〉ゆるやかな (≒gradual)<br>副 gently やさしく、親切に |
| 06 87 | **custom** [kʌ́stəm] | 名 慣習<br>形 customary 習慣的な |
| 06 88 | **appreciate** [əprí:ʃièɪt] | 動 ① ～をありがたく思う、～に感謝する<br>② ～を高く評価する<br>名 appreciation 感謝；評価 |
| 06 89 | **count** [káʊnt] | 動 ～を数える、計算する |
| 06 90 | **honest** [áːnəst] ▲ 発音注意。 | 形 正直な、率直な<br>副 honestly 正直に<br>名 honesty 正直さ |
| 06 91 | **league** [líːg] | 名 競技同盟、リーグ |
| 06 92 | **degree** [dɪgríː] | 名 ① (大学の) 学位 ② (温度などの) 度 |
| 06 93 | **manufacture** [mæ̀njəfǽktʃər]<br>① manu (手) +fact (作る) +-ure 動 | 動 ～を製造する (≒produce)<br>名 製造<br>名 manufacturing 製造業<br>名 manufacturer 製造業者、メーカー |
| 06 94 | **exception** [ɪksépʃən]<br>① ex- (外に) +cept (取る) +-ion 名 | 名 例外<br>前 except ～を除いて<br>形 exceptional 例外的な<br>副 exceptionally 例外的に |
| 06 95 | **wonder** [wʌ́ndər] | 動 …だろうかと思う |
| 06 96 | **fail** [féɪl] | 動 ((〈試験など〉に)) 落ちる<br>► fail to do (～しない、できない) という表現も覚えておこう。<br>名 failure 失敗、落第 |

| | |
|---|---|
| Walter was **fired** after he shared company secrets. | ウォルターは企業機密を漏らして、解雇された。 |
| His dog is very **gentle** and loves children. | 彼の犬はとても穏やかで、子どもが大好きだ。 |
| Following local **customs** abroad will make your life easier. | 海外では現地の習慣に従うと、生活が楽になる。 |
| He did not **appreciate** the gifts that he got for his birthday. | 彼は誕生日にもらった贈り物をありがたく思わなかった。 |
| As a child, I used to always **count** my steps. | 子どものころ、いつも歩数を数えたものだ。 |
| You should always be **honest** about your lifestyle with your doctor. | 主治医には自分の生活習慣について常に正直であるべきだ。 |
| Our hockey **league** is currently looking for a new sponsor. | 当ホッケー連盟では、現在新しいスポンサーを探しています。 |
| She has a **degree** in engineering from the local university. | 彼女は地元の大学の工学の学位を持っている。 |
| My company **manufactures** children's toys. | わが社では子どものおもちゃを製造しています。 |
| It's against the rules, but this time I'll make an **exception**. | 規則に反しますが、今回は例外としましょう。 |
| Katie **wondered** why she was not allowed to go to the dance. | ケイティは、なぜそのダンスパーティーに行かせてもらえないのだろうかと思った。 |
| Evan **failed** his science exam, so he had to take the class again. | エヴァンは理科の試験に落ちたので、もう一度その授業を取らなければならなかった。 |

| 06 97 | **advance**<br>[ədvǽns] | 動 ① 進歩する ② 前進する<br>名 ① 進歩 ② 前進<br>形 advanced 進歩した；上級の |
|---|---|---|
| 06 98 | **sponsor**<br>[spá:nsər]<br>① spons (約束する) + -or (人) | 動 ~のスポンサーである、~を後援する<br>名 番組提供者、スポンサー |
| 06 99 | **roast**<br>[róʊst] | 動 ~を焼く、あぶる |
| 07 00 | **determine**<br>[dɪtə́ːrmən]<br>① de- (完全に) + termine (境界を定める) | 動 ① ~を決定する (≒decide)<br>② ~を決意する (≒decide)<br>名 determination 決定<br>形 determined 断固とした |
| 07 01 | **terribly**<br>[térəbli] | 副 (質・程度などが) ひどく (≒extremely) |
| 07 02 | **burst**<br>[bə́ːrst] | 動 破裂する；~を破裂させる<br>名 爆発、破裂<br>► burst-burst-burst と活用する。 |
| 07 03 | **rescue**<br>[réskjuː]<br>① re- (元に) + scue (振り払う) | 動 ~を救出する<br>名 救助、救出 |
| 07 04 | **propose**<br>[prəpóʊz]<br>① pro- (前に) + pose (置く) | 動 ① 〈計画など〉を提案する<br>② 〈理論など〉を提唱する<br>名 proposal 提案 |
| 07 05 | **native**<br>[néɪtɪv] | 形 ① 生まれた土地の、母語の ② 先住民の |
| 07 06 | **insert**<br>[ɪnsə́ːrt] | 動 ~を差し込む、挿入する<br>(≒inject, put in) (⇔remove, withdraw)<br>名 insertion 挿入 |
| 07 07 | **pleasant**<br>[plézənt] ▲ ea の発音に注意。 | 形 楽しい、心地よい (⇔unpleasant)<br>動 please ~を喜ばせる<br>形 pleased 満足した<br>名 pleasure 喜び |
| 07 08 | **wisdom**<br>[wízdəm]<br>① wis (知っている) + dom (状態) | 名 賢明さ<br>形 wise 賢い |

| Train technology has **advanced** significantly since trains were first invented. | 列車の技術は、列車が発明された当初から大幅に進歩した。 |
| The famous singer **sponsors** a local youth football team. | その有名な歌手は地域の青少年サッカーチームのスポンサーをしている。 |
| If you **roast** your pumpkin seeds, you will have a healthy snack. | カボチャの種を炒めれば、健康的なおやつになる。 |
| The secretary **determined** how much paper she needed to order. | その秘書は注文しなければならない紙の量を決めた。 |
| It is **terribly** upsetting that we cannot go to the concert. | そのコンサートに行けなくて、私たちはひどくがっかりしている。 |
| The cold weather can cause the water pipes to **burst**. | 寒冷な気候のせいで水道管が破裂することがある。 |
| The firefighters were able to **rescue** everyone from the burning building. | 消防士たちは燃えている建物からすべての人を救出できた。 |
| The committee **proposed** a plan to solve the energy crisis. | 委員会はエネルギー危機の解決策を提案した。 |
| She speaks English well, but her **native** language is Vietnamese. | 彼女は英語を上手に話すが、母国語はベトナム語だ。 |
| He **inserted** a coin into the vending machine. | 彼は自動販売機にコインを入れた。 |
| They spent a **pleasant** evening together talking about the old days. | 彼らは昔の話をして楽しい夜を過ごした。 |
| It takes time to gain the **wisdom** to know when to quit. | やめ時を知る知恵を得るには時間がかかる。 |

| 07 09 | **resist** [rɪzíst] ① re- (後ろに) +sist (立つ) | 動 ① ~に抵抗する ② ~への耐性がある<br>名 resistance 抵抗<br>形 resistant 耐性のある |
|---|---|---|
| 07 10 | **barrier** [bǽriər] | 名 障壁、障害<br>▶「(通行・出入りなどを阻む) 柵、フェンス」の意味もある。 |
| 07 11 | **migrate** [máigreit] ① migr (移る) +-ate 動 | 動 移住する、〈鳥などが〉渡る<br>(≒emigrate, immigrate) (⇔stay, remain)<br>名 migration 移住<br>形 migratory〈動物が〉移動性の |
| 07 12 | **slightly** [sláitli] | 副 少し、わずかに<br>形 slight わずかな |
| 07 13 | **suburb** [sʌ́bəːrb] ① sub- (近くに) +urb (都市) | 名 郊外 (の一地区)<br>▶ the suburbs で集合的に「郊外、近郊」を表す。<br>形 suburban 郊外の |
| 07 14 | **entire** [intáiər] | 形 全体の (≒whole)<br>副 entirely 全体的に |
| 07 15 | **spell** [spél] | 名 (天候の) ひと続きの期間<br>▶ 同じつづりで「〈語〉をつづる」という意味の動詞もある。 |
| 07 16 | **equal** [íːkwəl] ▲ 発音・アクセント注意。 ① equ (等しい) +-al 形 | 形 ① 等しい (⇔unequal) ② 平等な (⇔unequal)<br>▶ 数学の「イコール (=)」はこの単語。<br>副 equally 等しく；平等に<br>名 equality 平等、同等 |
| 07 17 | **shorten** [ʃɔ́ːrtn] ① short (短い) +-en (~にする) | 動 ~を短くする、短縮する (⇔lengthen) |
| 07 18 | **dig** [díg] | 動 ~を掘る<br>▶ dig-dug-dug と活用する。目的語には「穴、トンネルなど」も「地面など」もどちらも入る。 |
| 07 19 | **treasure** [tréʒər] ▲ ea の発音に注意。 | 名 宝もの、財宝<br>名 treasury 宝庫 |
| 07 20 | **gap** [gǽp] | 名 ① 格差、不均衡 ② すき間、裂け目 |

| | |
|---|---|
| That country has long **resisted** opening up its markets. | その国は長い間、市場開放に抵抗してきた。 |
| Train stations without elevators create a **barrier** for wheelchair users. | エレベーターのない駅は、車椅子利用者に越えられない壁を作り出す。 |
| Every winter, swans **migrate** to this area. | 毎年冬になると、白鳥がこの地域に渡ってくる。 |
| You may have bought **slightly** too many books. | あなたは少し本を買いすぎたかもしれない。 |
| Lily grew up in **the suburbs** of Chicago. | リリーはシカゴの郊外で育った。 |
| The little boy ate an **entire** cake by himself. | その小さな少年は一人でケーキを丸ごと食べた。 |
| The crops may be negatively affected by this dry **spell**. | この日照り続きによって、農作物に悪影響が出るかもしれない。 |
| The protestors are fighting for **equal** rights for all people. | その抗議者たちは、すべての人々の平等な権利を求めて戦っている。 |
| He had to **shorten** his report to get it under the 20-page limit. | 20ページという制限に収めるため、彼は報告書を短くしなければならなかった。 |
| Her dog loves to **dig** holes in the backyard. | 彼女の犬は裏庭に穴を掘るのが好きだ。 |
| There is a rumor that there is **treasure** buried on that island. | あの島には宝が埋まっているといううわさがある。 |
| The wealth **gap** is growing larger by the year. | 貧富の差は年々広がっている。 |

| 07 21 | **invisible** [ɪnvízəbl] ① in- (否定) + vis (見る) + -ible (できる) | 形 見えない (⇔visible) |
|---|---|---|

| 07 22 | **sight** [sáɪt] | 名 ① [複数形で] 名所 ② 視覚；視力 ③ 眺め |
|---|---|---|

| 07 23 | **term** [tə́ːrm] | 名 ① 用語 ② [複数形で] (契約などの) 条件 |
|---|---|---|

| 07 24 | **obey** [oʊbéɪ] ① ob- (〜に) + ey (聞く) | 動 〜に従う (≒follow) (⇔disobey) 形 obedient 従順な 名 obedience 従順さ |
|---|---|---|

| 07 25 | **single** [síŋgl] | 形 ① たった1つ [1人] の ② 独身の 形 singular 単数の |
|---|---|---|

| 07 26 | **latest** [léɪtɪst] | 形 最新の、最近の |
|---|---|---|

| 07 27 | **fault** [fɔ́ːlt] | 名 ① 過失、(過失の) 責任 ② 欠陥 (≒flaw) ► find fault with 〜 (〜のあら探しをする) という表現も覚えておこう。 形 faulty 欠陥のある |
|---|---|---|

| 07 28 | **knowledge** [nɑ́ːlɪdʒ] ⚠ 発音注意。 ① know (知る) + ledge (行為) | 名 知識 形 knowledgeable 精通している |
|---|---|---|

| 07 29 | **fiction** [fíkʃən] | 名 小説、フィクション 形 fictitious 虚構の |
|---|---|---|

| 07 30 | **volume** [vɑ́ːljəm] | 名 ① 量、数量 (≒amount) ② 音量、ボリューム |
|---|---|---|

| 07 31 | **repeatedly** [rɪpíːtɪdli] ① re- (再び) + peat (求める) + -ed + -ly 副 | 副 繰り返し、何度も 動 repeat 〜を繰り返す 名 repetition 繰り返し |
|---|---|---|

| 07 32 | **annoy** [ənɔ́ɪ] ① an- (〜に) + noy (害のある) | 動 〜をいらいらさせる 形 annoyed いらいらした 形 annoying 不快な、いらいらさせる 名 annoyance いらだち |
|---|---|---|

| | |
|---|---|
| Radio waves are **invisible** to human eyes. | 電波は人の目には見えない。 |
| I saw many historical **sights** during my trip around the U.K. | 私は英国周遊旅行の間に多くの歴史的な名所を訪れた。 |
| There are a lot of scientific **terms** in this novel. | この小説には科学用語がたくさん出てくる。 |
| We must teach our children to **obey** the rules. | 私たちは規則に従うことを子どもたちに教えなければならない。 |
| She did not want to waste a **single** minute of her vacation. | 彼女は休暇を1分たりとも無駄にしたくなかった。 |
| Chris always buys all of the **latest** tech gadgets. | クリスはいつも最新のハイテク機器をすべて買う。 |
| It's my **fault** that the flowers died. | 花が枯れてしまったのは私の責任です。 |
| Public libraries allow the public to easily access a wealth of **knowledge**. | 公共図書館のおかげで、一般の人々は豊富な知識を簡単に手に入れられる。 |
| I usually read biographies, not **fiction**. | 私は普段、フィクションではなく伝記を読む。 |
| The company purchased a large **volume** of plastic containers. | その会社は大量のプラスチック容器を購入した。 |
| These plastic plates can be used **repeatedly**. | これらのプラスチックの皿は繰り返し使うことができる。 |
| It really **annoys** her when people talk very quietly. | 人がとても静かに話すと、彼女は本当にいらいらする。 |

07/32

| 07 33 | **hunt** [hʌ́nt] | 動 狩りをする；～を狩る<br>名 hunter ハンター<br>名 hunting 狩り |
|---|---|---|

| 07 34 | **tax** [tǽks] | 名 税金<br>動 ～に課税する<br>名 taxation 課税 |
|---|---|---|

| 07 35 | **minimum** [mínɪməm]<br>① mini (小さい) + -mum (最上級) | 形 最小限の、最低限の<br>(≒minimal) (⇔maximum)<br>名 最小限、最低限 |
|---|---|---|

| 07 36 | **extreme** [ɪkstríːm] | 形 極度の、極端な<br>副 extremely 非常に、極度に |
|---|---|---|

| 07 37 | **tail** [téɪl] | 名 (動物の) 尾、しっぽ |
|---|---|---|

| 07 38 | **amaze** [əméɪz]<br>① a- (強意) + maze (まごつかせる) | 動 ～を驚かせる、感心させる<br>(≒astonish, astound, impress) (⇔bore, tire)<br>形 amazing 驚くべき、素晴らしい |
|---|---|---|

| 07 39 | **stable** [stéɪbl]<br>① st (立つ) + -able (できる) | 形 安定した (≒steady) (⇔unstable)<br>名 stability 安定<br>動 stabilize ～を安定させる |
|---|---|---|

| 07 40 | **reject** [rɪʤékt]<br>① re- (元に) + ject (投げる) | 動 ～を拒否する (⇔accept)<br>名 rejection 拒否 |
|---|---|---|

| 07 41 | **alter** [ɔ́ːltər] | 動 ～を変える (≒modify, adjust) (⇔leave, keep)<br>名 alteration 変更 |
|---|---|---|

| 07 42 | **geography** [ʤiɑ́ːgrəfi]<br>① geo (土地) + graphy (書かれたもの) | 名 ① 地理、地形 ② 地理学<br>形 geographical 地理 (学) の |
|---|---|---|

| 07 43 | **puzzle** [pʌ́zl] | 動 ～を困惑させる<br>名 パズル |
|---|---|---|

| 07 44 | **convention** [kənvénʃən]<br>① con- (共に) + ven (来る) + -tion 名 | 名 ① (各種団体による定期的な) 大会、集会<br>② 慣習、しきたり<br>動 convene 〈人・会議など〉を招集する<br>形 conventional 伝統的な、従来の |
|---|---|---|

| | |
|---|---|
| He and his family **hunt** deer together every fall. | 彼は、毎年秋に家族で鹿狩りをする。 |
| The President is talking about raising **taxes**. | 大統領は増税について話している。 |
| This is the **minimum** amount of money we will need for the trip. | これは旅行に必要な最低限の金額だ。 |
| This area experiences **extreme** changes in temperature. | この地域では気温が極端に変化する。 |
| Some monkeys have really long **tails**. | サルの中には非常に長いしっぽを持つものがいる。 |
| The little girl **amazed** the audience with her piano playing skills. | その少女はピアノ演奏の腕前で聴衆を驚かせた。 |
| The doctor let her family see her once she was in a **stable** condition. | 彼女の病状が安定すると、医師は家族に面会を許可した。 |
| She dislikes her manager because he **rejects** every idea presented to him. | マネージャーは提示されたどんなアイデアも拒否するので、彼女は彼のことが嫌いだ。 |
| The strange weather has **altered** the behavior of many animals. | 異常気象により多くの動物の行動が変化した。 |
| Todd studied the **geography** of South America in university. | トッドは大学で南アメリカの地理を研究した。 |
| The cat was **puzzled** by her owner's tattoo. | その猫は飼い主のタトゥーに戸惑っていた。 |
| The largest game **convention** in the United States was canceled. | アメリカで最大のゲームの大会が中止になった。 |

| 07 45 | **dye** [dáɪ] | 動 〈髪・布など〉を染める 名 染料 |
| 07 46 | **slice** [sláɪs] | 動 ~を薄く切る、スライスする 名 (パン・肉などの) ひと切れ |
| 07 47 | **cheat** [tʃíːt] | 動 不正をする |
| 07 48 | **moment** [móʊmənt] | 名 瞬間 (≒instant) 形 momentary 瞬時の |
| 07 49 | **beat** [bíːt] | 動 ① ~を負かす (≒defeat) ② ~を (何度も) 打つ ► beat-beat-beaten と活用する。音楽の「ビート」もこの beat。 |
| 07 50 | **lazy** [léɪzi] | 形 怠惰な、怠けた 名 laziness 怠惰 |
| 07 51 | **marine** [məríːn] | 形 海の ► 「陸の」は terrestrial。 |
| 07 52 | **pause** [pɔ́ːz] | 名 (一時的な) 中断、小休止 動 (~を) 休止する |
| 07 53 | **wound** [wúːnd] ▲ ou の発音に注意。 | 動 ~を傷つける、負傷させる (≒injure) 名 外傷 ► wind (曲がる) の過去分詞 wound は [wáʊnd]。 |
| 07 54 | **romantic** [roʊmǽntɪk] | 形 恋愛の 名 romance 恋愛 |
| 07 55 | **vital** [váɪtl] ① vit (生命) + -al 形 | 形 ① 極めて重要な (≒essential) ② 生命維持に不可欠な 名 vitality 生命力 |
| 07 56 | **embarrassed** [ɪmbérəst] | 形 恥ずかしい、決まりの悪い 動 embarrass ~を当惑させる 名 embarrassment 恥ずかしさ、困惑 |

| | |
|---|---|
| Ashley **dyed** her hair purple a few days ago. | 数日前、アシュリーは髪を紫に染めた。 |
| The chef **sliced** the carrots for a salad. | シェフはサラダ用にニンジンをスライスした。 |
| Her teacher caught her **cheating** on the exam. | 教師は彼女が試験でカンニングをしているのを見つけた。 |
| In that **moment**, he was the happiest he had ever been. | その瞬間、彼はそれまでで一番幸せだった。 |
| She **beat** her brother at a game of cards. | 彼女はトランプで兄に勝った。 |
| His parents always complain about how **lazy** he is. | 両親はいつも、彼がいかに怠惰であるか、こぼしている。 |
| Her dream as a child was to study **marine** life. | 子どものころの彼女の夢は、海洋生物を研究することだった。 |
| After a short **pause**, he continued speaking. | 彼は少し間をおいてから話を続けた。 |
| Four soldiers were **wounded** in the attack. | その攻撃で4人の兵士が負傷した。 |
| He loves to watch **romantic** movies with his partner. | 彼は恋人と恋愛映画を見るのが好きだ。 |
| The project lost **vital** government funding because of the incident. | その事件のせいで、そのプロジェクトは重要な政府の資金援助を失った。 |
| She was so **embarrassed** by her mother's behavior. | 彼女は、母親の振る舞いにとても恥ずかしい思いをした。 |

主に筆記大問1で一回誤答になった語

| 07<br>57 | **aid**<br>[éɪd] | 名 援助、支援物資<br>動 ～を援助する、助ける（≒assist） |
|---|---|---|
| 07<br>58 | **force**<br>[fɔ́:rs] | 名 ① [通例複数形で] 軍隊 ② 力<br>動 〈人〉に強制する<br>► force *A* to *do* で「〈人〉に無理に～させる」という意味。 |
| 07<br>59 | **incident**<br>[ínsədənt]<br>① in- (上に)+cid (落ちる)+ent 名 | 名 出来事（≒episode, occurrence）<br>形 incidental 偶発的な<br>名 incidence (病気などの) 発生 |
| 07<br>60 | **rehearsal**<br>[rɪhə́:rsl] | 名 リハーサル、試演<br>動 rehearse ～のリハーサルをする |
| 07<br>61 | **sneeze**<br>[sní:z] | 動 くしゃみをする<br>名 くしゃみ |
| 07<br>62 | **allowance**<br>[əláʊəns]<br>① allow (与える)+-ance 名 | 名 ① (子どもの) 小遣い<br>② (定期的に支給される) 手当て |
| 07<br>63 | **march**<br>[má:rtʃ] | 動 行進する<br>名 行進 |
| 07<br>64 | **cruel**<br>[krú:əl] | 形 残酷な（≒mean）（⇔kind, sympathetic）<br>副 cruelly 残酷に、意地悪に<br>名 cruelty 残酷さ |
| 07<br>65 | **pour**<br>[pɔ́:r] | 動 ～を注ぐ、つぐ |
| 07<br>66 | **stock**<br>[stá:k] | 名 ① 在庫 ② 株、株式<br>► in stock/out of stock (在庫があって／在庫切れで) という表現を押さえておこう。 |
| 07<br>67 | **minor**<br>[máɪnər] | 形 ① あまり重要でない（⇔major）<br>② 深刻でない<br>名 未成年者（⇔adult）<br>名 minority 少数者、少数民族 |
| 07<br>68 | **victim**<br>[víktɪm] | 名 被害者 |

| | |
|---|---|
| Many countries provided **aid** after the earthquake in Haiti. | ハイチ地震のあと、多くの国が援助を行った。 |
| The enemy **forces** are approaching quickly. | 敵軍が急速に近づいている。 |
| The police are looking for witnesses of the **incident**. | 警察はその事件の目撃者を探している。 |
| We will hold a **rehearsal** the night before the show. | 私たちはショーの前の夜にリハーサルを行う。 |
| It is common to say "Bless you" after someone **sneezes**. | 誰かがくしゃみをしたあと Bless you と言うのは一般的だ。 |
| Jessie earns his **allowance** by doing chores around the house. | ジェシーは家の雑用をして小遣い稼ぎをしている。 |
| The drummers **marched** in a complicated formation. | 太鼓奏者たちは複雑な隊列を組んで行進した。 |
| It was **cruel** of them to give the new employee the worst job. | 彼らは残酷なことに新入社員に最悪の仕事を与えた。 |
| Keri **poured** too much milk into the cup and spilled some. | ケリはカップにミルクを注ぎすぎて、いくらかこぼしてしまった。 |
| I'm sorry, but your size is **out of stock**. | 申し訳ありませんが、お客さまのサイズは品切れです。 |
| Thankfully, the passengers only had **minor** injuries. | 幸いなことに、乗客たちは軽傷で済んだ。 |
| The murder **victim** was found in a lake outside the town. | 殺人の被害者は町の外れの湖で見つかった。 |

## 07 69 voyage
[vɔ́ɪɪʤ] ▲ a の発音に注意。

名 (特に船・空の長い) 旅 (≒journey)

## 07 70 exaggerate
[ɪgzǽʤərèɪt]

動 ~を誇張する (⇔play down)
名 exaggeration 誇張

## 07 71 fade
[féɪd]

動 〈色が〉あせる、〈記憶などが〉薄れる

## 07 72 reuse
[動 rì:jú:z 名 rì:jú:s]

動 ~を再利用する
名 再利用

## 07 73 strike
[stráɪk]

動 ~を襲う (≒hit)
名 ストライキ
► strike-struck-struck と活用する。go on strike (ストライキに入る) という表現も覚えておこう。

## 07 74 contrast
[名 kɑ́:ntræst 動 kəntrǽst]

① contra (対立して) +st (立つ)

名 対照
動 対照を成す
► in [by] contrast (対照的に) という表現も出題されている。

## 07 75 bark
[bɑ́:rk]

動 ほえる
名 ほえ声

## 07 76 jealous
[ʤéləs] ▲ 発音注意。

形 うらやんで、嫉妬して (≒envious)
名 jealousy 嫉妬

## 07 77 bloom
[blú:m]

動 花が咲く
名 花 (≒flower)
► in bloom (咲いている) という表現も覚えておこう。

## 07 78 plain
[pléɪn]

形 ① 装飾のない、無地の (⇔fancy) ② 平易な
► plane (飛行機) と同音。

## 07 79 landmark
[lǽndmɑ̀:rk]

① land (陸) +mark (印)

名 ① 史跡 ② 目印、目標 (物)

## 07 80 humor
[hjú:mər] ▲ 発音注意。

名 ユーモア
形 humorous おかしい、ユーモラスな

| | |
|---|---|
| Yasmine took only a single backpack on her **voyage** around the world. | ヤスミンは世界一周の旅にバックパックひとつしか持っていかなかった。 |
| He always **exaggerates** his stories to make them funnier. | 彼はいつも、面白くしようと話を誇張する。 |
| Memories of the war have gradually **faded**. | 戦争の記憶は徐々に薄れてきている。 |
| She **reuses** egg cartons to make paper for crafting. | 彼女は卵のパックを再利用して工作用の紙を作る。 |
| The typhoon **struck** the town last night. | 台風は昨夜その町を襲った。 |
| Even though they are twins, there is a big **contrast** in their appearance. | 彼らは双子なのに、見た目は大きく違う。 |
| The neighbor's dog is always **barking** at the squirrels. | 隣人の犬はいつもリスに向かってほえている。 |
| You shouldn't be **jealous** of other people's success. | 他人の成功をねたむべきではない。 |
| Everyone is always excited when the first cherry blossoms **bloom**. | 最初の桜が開花すると、いつも皆気分が高揚する。 |
| I usually wear **plain** white T-shirts under my dress shirts. | 私は普段、ワイシャツの下には無地の白いTシャツを着ている。 |
| The Eiffel Tower is a famous **landmark** in Paris. | エッフェル塔はパリの有名なランドマークだ。 |
| Claude is known for his great sense of **humor**. | クロードは素晴らしいユーモアのセンスで有名だ。 |

| 07<br>81 | **lean**<br>[líːn] | 動 ① もたれる、寄りかかる ② 上体を曲げる<br>形 やせた、引き締まった |
|---|---|---|

| 07<br>82 | **tip**<br>[típ] | 名 ① 心づけ、チップ ② 秘訣、助言<br>動 (~に) チップをやる |
|---|---|---|

| 07<br>83 | **estate**<br>[istéit] | 名 所有地、地所<br>▶ real estate (不動産) という表現も覚えておこう。 |
|---|---|---|

| 07<br>84 | **basis**<br>[béisis] | 名 基礎 (≒base, foundation)<br>▶ 複数形は bases。 |
|---|---|---|

| 07<br>85 | **length**<br>[léŋkθ] ▲ gの発音に注意。 | 名 長さ<br>▶ at length (ついに、ようやく) という表現も覚えておこう。<br>形 long 長い<br>動 lengthen ~を伸ばす、長くする |
|---|---|---|

| 07<br>86 | **reconsider**<br>[rìːkənsídər]<br>① re- (再び)+conside (考慮する) | 動 (~を) 再考する |
|---|---|---|

| 07<br>87 | **forgive**<br>[fərgív] | 動 ~を許す<br>(≒excuse, pardon)(⇔blame, condemn)<br>▶ forgive-forgave-forgiven と活用する。 |
|---|---|---|

| 07<br>88 | **possibly**<br>[pá:səbli] | 副 もしかしたら (≒maybe, perhaps)<br>形 possible 可能な<br>名 possibility 可能性 |
|---|---|---|

| 07<br>89 | **scholarship**<br>[ská:lərʃìp] | 名 奨学金 |
|---|---|---|

| 07<br>90 | **wave**<br>[wéiv] | 動 (手などを) 振る<br>名 波<br>▶ sound wave (音波)、radio wave (電波) のような複合語<br>も出題されている。 |
|---|---|---|

| 07<br>91 | **souvenir**<br>[sùːvəníər] ▲ アクセント注意。 | 名 (旅などの) 記念品<br>▶ ほかの人のために買う「お土産」は present、gift などとも<br>言う。 |
|---|---|---|

| 07<br>92 | **bet**<br>[bét] | 動 ① ⟨金⟩ を賭ける ② 必ず…だと思う<br>名 賭け<br>▶ bet-bet(ted)-bet(ted) と活用する。 |
|---|---|---|

| | |
|---|---|
| A few boys are **leaning** against the convenience store wall. | 数人の少年がコンビニの壁にもたれている。 |
| At the end of the day, he gave their tour guide a big **tip**. | 一日の終わりに、彼はツアーガイドに多額のチップを渡した。 |
| Mr. Smith's **estate** went up for sale after he died. | スミスさんの所有地は、彼の死後、売りに出された。 |
| This research will be the **basis** for a new revolutionary treatment. | この研究は、新しい画期的な治療法の基礎となるだろう。 |
| The price can change depending on the **length** of your stay. | 料金は滞在の長さに応じて変わることがあります。 |
| We hope the mayor **reconsiders** his decision to resign. | 私たちは、市長が辞任の決断を再考することを望んでいる。 |
| He has never **forgiven** her for crashing his car. | 彼は、彼女が彼の車をぶつけてしまったことを許していない。 |
| A new system will probably cost $500, **possibly** even more. | 新しいシステムはおそらく500ドル、もしかしたらそれ以上かかるかもしれない。 |
| The university offered her a full **scholarship**. | 大学は彼女に全額給付の奨学金を提供した。 |
| The baseball player **waved** to his fans. | その野球選手はファンに手を振った。 |
| I'm looking for a **souvenir** to take back home. | 家に持って帰る記念の品を探しています。 |
| He **bet** his sister $100 that it would not rain. | 彼は姉に対して、雨が降らないほうに100ドル賭けた。 |

| | | |
|---|---|---|
| 07 93 | **mature** [mətʃúər] ▲ 発音・アクセント注意。 | 動 成長する、成熟する (≒grow up)<br>形 成長した、成熟した (≒grown-up, developed)<br>(⇔immature, undeveloped) |
| 07 94 | **breeze** [brí:z] | 名 そよ風 |
| 07 95 | **fine** [fáɪn] | 名 罰金 |
| 07 96 | **recover** [rɪkʌ́vər]<br>① re- (再び) +cover (覆う) | 動 回復する<br>名 recovery 回復 |
| 07 97 | **relation** [rɪléɪʃən]<br>① re- (元に) +lat (運ぶ) +-ion 名 | 名 関係 (≒relationship)<br>動 relate ~を関連させる |
| 07 98 | **fortunate** [fɔ́ːrtʃənət] | 形 幸運な (≒lucky)(⇔unfortunate)<br>副 fortunately 幸いにも |
| 07 99 | **social** [sóuʃəl] | 形 ① 社会的な、社会の<br>② 社交的な (≒sociable)<br>名 society 社会 |
| 08 00 | **entertainment** [èntərtéɪnmənt]<br>① enter- (間に) +tain (保つ)<br>+-ment 名 | 名 娯楽、気晴らし<br>動 entertain ~を楽しませる |
| 08 01 | **strictly** [stríktli] | 副 厳重に<br>形 strict 厳しい |
| 08 02 | **impulse** [ímpʌls]<br>① im- (上に) +pulse (駆り立てる) | 名 (突然の) 欲求、衝動<br>形 impulsive 衝動的な |
| 08 03 | **offspring** [ɔ́(:)fsprìŋ]<br>① off- (外に) +spring (飛び出る) | 名 (人・動物の) 子、子孫 (⇔ancestor)<br>▶ 複数形も offspring (単複同形)。 |
| 08 04 | **confine** [kənfáɪn]<br>① con- (共に) +fine (限界) | 動 ~を限定する、限る (≒restrict)<br>名 [複数形で] 限界 (≒limits) |

| | |
|---|---|
| The cell phone industry **matured** in a short time. | 携帯電話産業は短期間のうちに成熟した。 |
| The light **breeze** felt great on such a hot summer day. | そんな夏の暑い日にはかすかなそよ風が気持ちよかった。 |
| She had to pay a **fine** after causing a traffic accident. | 彼女は、交通事故を起こして罰金を払わなければならなかった。 |
| I'm still **recovering** from the flu. | 私はまだインフルエンザから回復している途中だ。 |
| The **relation** between these two books is minimal. | この2冊の本の関連性はごくわずかである。 |
| They were **fortunate** that no one was hurt in the accident. | 事故で誰もけがをしなくて彼らは幸運だった。 |
| An aging population is a **social** problem that is very difficult to solve. | 高齢化は、解決するのが非常に難しい社会問題だ。 |
| There is not as much **entertainment** in rural areas as in cities. | 地方には都会ほど娯楽がない。 |
| Access to the Internet during work hours is **strictly** prohibited. | 勤務時間中のインターネットへのアクセスは厳しく禁じられている。 |
| She could not resist the **impulse** to laugh when her friend tripped. | 友人がつまずいたとき、彼女は笑いたい衝動を抑えられなかった。 |
| Some animals are not good at taking care of their **offspring**. | 動物の中には子どもの世話をするのが苦手なものもいる。 |
| The rise in home prices is not **confined** to this single area. | 住宅価格の高騰はこの一帯に限ったことではない。 |

08
04

| 08 05 | **prohibit**<br>[prouhíbət]<br>① pro-(前に)+hibit (保つ) | 動 ① 〈法・規則などが〉~を禁止する (≒ban)<br>② 〈物事が〉~を妨げる (≒prevent)<br>名 prohibition 禁止；禁止事項 |
|---|---|---|
| 08 06 | **partially**<br>[pá:rʃəli] | 副 部分的に<br>形 partial 部分的な、一部の |
| 08 07 | **pardon**<br>[pá:rdn] | 動 〈人〉を許す (≒excuse)<br>名 許し<br>▶ pardon A for B で「B のことで A を許す」という意味。 |
| 08 08 | **humble**<br>[hámbl] | 形 ① 謙遜した、控えめな<br>(≒polite, modest) (⇔arrogant, proud)<br>② (身分の) 低い、卑しい |
| 08 09 | **inquiry**<br>[ínkwəri]<br>① in-(中に)+quiry (求めること) | 名 問い合わせ、質問すること (≒question)<br>動 inquire 質問する |
| 08 10 | **sweep**<br>[swí:p] | 動 ① 〈嵐・疫病などが〉襲来する、広がる<br>② 〈床など〉を掃く<br>▶ sweep-swept-swept と活用する。<br>形 sweeping 広範囲な、無差別な |
| 08 11 | **overwhelm**<br>[òuvərwélm]<br>① over (過度に)+whelm (ひっくり返す) | 動 ~を圧倒する、対処できなくする<br>形 overwhelming 圧倒的な |
| 08 12 | **distract**<br>[dɪstrǽkt]<br>① dis-(分離)+tract (引く) | 動 〈注意など〉をそらす、散らす (≒divert) (⇔attract)<br>▶ distract A from B で「B から A をそらす」という意味。<br>名 distraction 気を散らすこと [もの] |
| 08 13 | **intense**<br>[ɪnténs]<br>① in-(中に)+tense (伸ばす) | 形 ① 〈感情・運動などが〉激しい<br>② 〈熱・光などが〉強烈な<br>名 intensity 激しさ；強烈さ　形 intensive 集中的な<br>動 intensify ~を増強する、激しくする |
| 08 14 | **neglect**<br>[nɪglékt]<br>① neg (否定)+lect (集める) | 動 ~を無視する、放置する<br>名 無視<br>名 negligence 怠慢、不注意<br>形 negligent 怠慢な、不注意な |
| 08 15 | **accuse**<br>[əkjú:z]<br>① ac-(~に)+cuse (原因) | 動 ① ~を告発する、訴える ② ~を非難する<br>▶ accuse A of B で「A を B の件で訴える」という意味。<br>名 accusation 告発 |
| 08 16 | **flatter**<br>[flǽtər] | 動 ~にお世辞を言う、~を喜ばせる<br>(≒compliment) (⇔insult, condemn)<br>名 flattery お世辞 |

| | | |
|---|---|---|
| Smoking is **prohibited** in all areas of the university campus. | 大学のキャンパス内のすべての場所で喫煙が禁止されている。 | 🔊 Track **068** |
| You are **partially** to blame for losing your toy at the store. | その店でおもちゃをなくしたのはあなたにも部分的に責任がある。 | |
| She **pardoned** him **for** all of his mistakes. | 彼女は彼のすべての過ちを許した。 | |
| He is far too **humble** to accept anyone's compliments. | 彼は謙虚すぎて、誰の誉め言葉も受け入れない。 | |
| Please make an **inquiry** with our office if you have any questions. | ご質問がありましたら、弊社事務局までお問い合わせください。 | |
| The disease **swept** across the nation rapidly. | その病気は国中に急速に広がった。 | |
| The staff were **overwhelmed** by the number of customers entering the store. | 店員たちは店に入ってくる客の多さに圧倒された。 | 08 16 |
| His sister's music **distracted** him **from** his studies. | 姉の音楽が彼の勉強の邪魔をした。 | |
| Her doctor told her to avoid **intense** exercise for a few weeks. | 医師は彼女に、数週間は激しい運動を避けるように言った。 | |
| She **neglected** her houseplants, and they all died. | 彼女は観葉植物を放ったらかしにして、すべて枯らしてしまった。 | |
| Gary **accused** his neighbor **of** stealing his bicycle. | ゲイリーは自転車を盗んだとして隣人を訴えた。 | |
| He **flattered** her by saying it was the best fish he had ever eaten. | 彼はそれまで食べた魚の中で一番おいしかったと言って彼女を喜ばせた。 | |

| 08 17 | **govern** [gÁvərn] | 動 ~を統治する、治める (≒rule, administer) 名 government 政府；政治 名 governor 知事 |
|---|---|---|

| 08 18 | **ambition** [æmbíʃən] | 名 (強い) 欲求、目標 形 ambitious 野心のある、大志を抱いた |
|---|---|---|

| 08 19 | **intelligent** [ɪntélɪdʒənt] ① intel- (間の) +lig (選ぶ) +-ent 形 | 形 知能の高い、頭のよい (≒smart) ► AI (人工知能) は artificial intelligence の略。 名 intelligence 知性、知能 |
|---|---|---|

| 08 20 | **forbid** [fərbíd] ① for- (禁止) +bid (命令する) | 動 〈権威者・法などが〉 ~を禁じる、許さない (≒ban, prohibit) (⇔permit) ► forbid-forbad(e)-forbidden と活用する。 |
|---|---|---|

| 08 21 | **inherit** [ɪnhérət] ① in- (中に) +herit (相続) | 動 ① ~を相続する ② (遺伝的に) ~を受け継ぐ (⇔pass on) 名 inheritance 相続；遺産 |
|---|---|---|

| 08 22 | **proportion** [prəpɔ́:rʃən] ① pro- (応じて) +portion (分け前) | 名 割合、比率 形 proportional 比例した、釣り合った |
|---|---|---|

| 08 23 | **objectively** [əbdʒéktɪvli] ① ob- (~に) +ject (投げる) +-ive 形 +-ly 副 | 副 客観的に (⇔subjectively) 形 名 objective 客観的な；目標 |
|---|---|---|

| 08 24 | **ridiculous** [rɪdíkjələs] | 形 ばかげた、滑稽な (≒absurd, unreasonable) 動 ridicule ~を嘲笑する |
|---|---|---|

| 08 25 | **visually** [víʒuəli] ① vis(u) (見る) +-al 形 +-ly 副 | 副 視覚的に、見た目に 形 visual 視覚的な；視力の 名 vision 視力、視覚 |
|---|---|---|

| 08 26 | **drag** [drǽg] | 動 ~を引きずる ► パソコンのマウスを「ドラッグする」もこの drag。drug (麻薬) と混同しないように注意。 |
|---|---|---|

| 08 27 | **frown** [fráun] ▲ ow の発音に注意。 | 動 眉をひそめる |
|---|---|---|

| 08 28 | **astonish** [əstá:nɪʃ] ① as- (~に) +ton (雷) +-ish 動 | 動 〈人〉を (非常に) 驚かせる (≒amaze, astound) 形 astonishing 驚くべき 名 astonishment 驚き |
|---|---|---|

| | |
|---|---|
| The tribe is **governed** by a small group of elders. | その部族は少数の長老グループによって統治されている。 |
| His **ambition** eventually caused his family life to fall apart. | 彼の野心は最終的に家庭生活を崩壊させた。 |
| Whales are known to be highly **intelligent** animals. | クジラは非常に知能の高い動物として知られている。 |
| The law **forbids** people from being at the beach without clothes on. | 裸でビーチにいることは法律によって禁じられている。 |
| Nelly **inherited** her grandfather's car when he died. | ネリーは祖父の死後、その車を相続した。 |
| The **proportion** of carbon dioxide in the air is rapidly increasing. | 大気中の二酸化炭素の割合は急速に増加している。 |
| **Objectively** speaking, the movie was animated really well. | 客観的に言って、その映画は実にうまくアニメーション化されていた。 |
| Your claim that a dog ate your homework is completely **ridiculous**. | 犬に宿題を食べられたというあなたの主張はまったくばかげている。 |
| **Visually**, the movie is very impressive, but the story itself is not great. | この映画は視覚的には非常に印象的だが、ストーリー自体は大したことはない。 |
| She had to **drag** the sofa across the floor to move it. | 彼女は、床の上を引きずってソファを動かすしかなかった。 |
| Ryan **frowned** when he heard the bad news. | ライアンはその悪い知らせを聞いて顔をしかめた。 |
| The musician was **astonished** by the positive reaction to her music. | そのミュージシャンは、自分の音楽に対する好意的な反応に驚いた。 |

| 08 29 | **differ**<br>[dífər] | 動 〈もの・事が〉異なる、違う<br>► differ from ~ (~と異なる) の形で押さえておこう。<br>形 different 異なる　名 difference 相違<br>動 differentiate ~を差別化する |
|---|---|---|
| 08 30 | **grasp**<br>[grǽsp] | 動 ① ~を (しっかり) つかむ、握る<br>　　(≒clutch, grip) (⇔let go, release)<br>　② ~を理解する (≒understand) |
| 08 31 | **twist**<br>[twíst] | 動 ① ~をねじる、曲げる<br>　② 〈ふた・つまみなど〉を回す<br>　③ 〈体の一部〉をねんざする |
| 08 32 | **glance**<br>[glǽns] | 名 ちらりと見ること (≒peek, glimpse)<br>動 ちらりと見る<br>► at a glance (一目見ただけで) という表現も覚えておこう。 |
| 08 33 | **matter**<br>[mǽtər] | 動 重要である (≒count)<br>名 問題 (≒issue) |
| 08 34 | **barely**<br>[béərli] | 副 ① かろうじて　② ほとんど~ない (≒hardly) |
| 08 35 | **arrogant**<br>[ǽrəgənt]<br>① ar- (~に) +rog (請う) +-ant 形 | 形 横柄な、尊大な<br>名 arrogance 横柄さ |
| 08 36 | **embrace**<br>[ɪmbréɪs]<br>① em- (中に) +brace (腕) | 動 〈考え・提案など〉を受け入れる、採用する<br>　(≒accept) |
| 08 37 | **innocent**<br>[ínəsənt]<br>① in- (否定) +noc (害のある) +-ent 形 | 形 ① 無実の、無罪の (⇔guilty)<br>　② 無邪気な<br>副 innocently 罪の意識なく、無邪気に<br>名 innocence 無罪 |
| 08 38 | **overtake**<br>[òʊvərtéɪk]<br>① over- (超えて) +take (取る) | 動 ~を追い抜く<br>► overtake-overtook-overtaken と活用する。 |
| 08 39 | **temper**<br>[témpər] | 名 ① 冷静、平常心 (≒calmness)<br>　② (一時的な) 気分、機嫌<br>► lose one's temper で「かっとなる」という意味。 |
| 08 40 | **spectator**<br>[spékteɪtər] | 名 観客、見物人<br>名 spectacle 壮観<br>形 spectacular 壮大な |

|  |  |
|---|---|
| Our shoes **differ from** our competitiors' primarily in quality. | 当社の靴は、何よりもまず品質において競合他社のものとは違う。 |
| He **grasped** the bottle tightly so he would not drop it. | 彼は、落とさないようにその瓶をしっかりと握った。 |
| She **twisted** the fabric to remove the water from it. | 水分を取るために、彼女はその布をしぼった。 |
| Please take a **glance** at these sales numbers before today's meeting. | 今日の会議の前にこの売上の数字を見ておいてください。 |
| It doesn't **matter** what other people think about you. | 他人があなたのことをどう思うかなんて大した問題ではない。 |
| There is **barely** enough rice to last a week. | かろうじて1週間持つだけの米がある。 |
| People dislike the artist's **arrogant** attitude, but he is very talented. | 人々はそのアーティストの傲慢な態度を嫌っているが、彼は非常に才能がある。 |
| Everyone **embraced** the new relaxed dress code. | 皆、新しいリラックスしたドレスコードを受け入れた。 |
| Jenna is **innocent** of all of those crimes. | ジェナはそれらすべての犯罪について無実だ。 |
| The gray horse **overtook** all the others in the race. | レースで、その灰色の馬はほかのすべての馬を追い抜いた。 |
| He is a patient father, and he almost never **loses** his **temper**. | 彼は忍耐強い父親で、かっとなることはほとんどない。 |
| The **spectators** cheered as everyone reached the finish line. | 全員がゴールにたどり着くと、観客は歓声を上げた。 |

Track 070

08 40

149

筆記大問1の選択肢以外で出題された重要語

| | | |
|---|---|---|
| **08 41** era [íərə] | 名 時代、時期；〜時代 | |
| **08 42** roll [róʊl] | 動 ① 転がる；〜を転がす ② 〜を丸める | |
| **08 43** district [dístrɪkt]<br>① di-（分離）+strict（引く） | 名 地区、区域 | |
| **08 44** orbit [ɔ́ːrbət] | 動 〜の軌道を回る<br>名 軌道<br>形 orbital 軌道の | |
| **08 45** offensive [əfénsɪv]<br>① of-（〜に対して）+fens（打つ）<br>+-ive 形 | 形 ①〈言葉・態度などが〉失礼な、侮辱的な<br>（≒insulting）<br>② 不快な、嫌な（≒unpleasant）<br>動 offend 〜を不快にさせる　名 offense 侮辱 | |
| **08 46** envy [énvi]<br>① en-（上に）+vy（見る） | 名 ねたみ、嫉妬（≒jealousy）<br>動 〜をねたむ<br>形 envious うらやんで | |
| **08 47** sphere [sfíər] | 名 ① 球、球体（≒globe）② 範囲、領域（≒field） | |
| **08 48** territory [térətɔ̀ːri] | 名 領土、（グループ・動物などの）土地<br>形 territorial 領土の | |
| **08 49** prosperity [prɑːspérəti]<br>① pro-（応じて）+sper（希望）+-ity 名 | 名 繁栄<br>動 prosper 繁栄する<br>形 prosperous 繁栄した | |
| **08 50** massive [mǽsɪv]<br>① mass（大きな塊）+-ive 形 | 形 〈規模・量などが〉大きい（≒huge）<br>名 mass 塊；多数、多量 | |
| **08 51** relieve [rɪlíːv]<br>① re-（再び）+lieve（持ち上げる） | 動 〜を和らげる、緩和する（≒ease）<br>名 relief 緩和、軽減 | |
| **08 52** shift [ʃíft] | 名 ① 転換、変化（≒change）<br>② 勤務時間、シフト<br>動 〜を転換する、移す | |

| The discovery of electricity marked the beginning of a new **era**. | 電気の発見は、新しい時代の始まりを告げるものとなった。 |
| The kids laughed as they **rolled** down the hill. | 子どもたちは坂を転がり落ちながら笑った。 |
| The whole **district** flooded during the typhoon. | その台風のときには、その地区全体が浸水した。 |
| Eight planets **orbit** the Sun in our solar system. | 太陽系では 8 つの惑星が太陽の周りを回っている。 |
| You are not allowed to use those **offensive** words in school. | 学校ではそのような失礼な言葉を使うことは許されません。 |
| He feels **envy** when he sees the successes of others. | 彼は他人の成功を見ると嫉妬を感じる。 |
| Beth made a sculpture shaped like a **sphere**. | ベスは球状の彫刻を作った。 |
| Human cities are taking away **territory** from wild animals. | 人間の都市は野生動物から土地を奪いつつある。 |
| The **prosperity** of ancient civilizations is studied by many people. | 古代文明の繁栄は多くの人々に研究されている。 |
| There is a **massive** amount of information on the Internet. | インターネット上には膨大な量の情報がある。 |
| Exercise has been scientifically proven to **relieve** stress. | 運動はストレスを軽減すると科学的に証明されてきた。 |
| The **shift** in policy under the new president shocked everyone. | 新大統領の下での政策の転換は皆に衝撃を与えた。 |

08
52 ►

151

| 08 53 | **remark** [rɪmáːrk] | 名 発言 (≒comment) 動 〈意見などを〉言う、述べる (≒comment, mention) |
|---|---|---|
| 08 54 | **soak** [sóʊk] | 動 ～を浸す |
| 08 55 | **solid** [sáːləd] | 形 固体の 名 固体 動 solidify ～を凝固させる |
| 08 56 | **margin** [máːrdʒɪn] | 名 余白 形 marginal 余白の |
| 08 57 | **owe** [óʊ] | 動 〈お金〉を借りている |
| 08 58 | **appetite** [ǽpətàɪt] ① ap- (～に) +pet (求める) + -ite 名 | 名 食欲 |
| 08 59 | **admire** [ədmáɪər] ① ad- (～を) +mire (驚く) | 動 ～に感嘆する 形 admirable 感嘆に値する 名 admiration 感嘆 |
| 08 60 | **boundary** [báʊndəri] ① bound (境界) + -ary (場所) | 名 境界 (線) (≒border) |
| 08 61 | **summary** [sʌ́məri] | 名 概要、要約 (≒outline, abstract) 動 summarize ～を要約する |
| 08 62 | **occupy** [áːkjəpàɪ] | 動 ① ～を占める ② ～を占領する 名 occupation 占領；職業 名 occupant 占有者 |
| 08 63 | **belongings** [bɪlɔ́(ː)ŋɪŋz] | 名 持ち物、所持品 (≒possessions) |
| 08 64 | **neutral** [n(j)úːtrəl] ⚠ 発音注意。 | 形 中立の 名 neutrality 中立 動 neutralize ～を中立化する |

| | |
|---|---|
| Her rude **remarks** resulted in her losing her job. | 失礼な発言の結果、彼女は職を失った。 |
| He **soaked** his foot in ice water. | 彼は足を氷水に浸した。 |
| Don't use the ice cubes until they are frozen **solid**. | 固く凍るまでそのアイスキューブを使ってはいけません。 |
| She wrote various notes in the **margins** of her textbook. | 彼女は教科書の余白にさまざまなメモを書き込んだ。 |
| I **owe** you $40 for buying my dinner last night. | 私はあなたに昨夜の夕食代 40 ドルを借りている。 |
| Whenever it is hot, he does not really have an **appetite**. | 暑いときはいつも、彼は本当に食欲がなくなる。 |
| I **admired** how well she handled the problem. | 私は彼女が問題にうまく対処したことに感心した。 |
| This river marks the **boundary** between Spain and Portugal. | この川はスペインとポルトガルの国境となっている。 |
| This is a **summary** of our research findings. | これはわれわれの調査結果の概要だ。 |
| Sleep **occupies** roughly a third of our lives. | 睡眠は人生のおよそ3分の1を占める。 |
| The family lost all of their **belongings** in the fire. | その一家は火事ですべての持ち物を失った。 |
| A good journalist should be fair and **neutral**. | よいジャーナリストは公正かつ中立であるべきだ。 |

| 08 65 | **suspend** [səspénd] ① sus- (下に) + pend (つるす) | 動 ① ～を一時停止する、中止する ② ～を停職 (処分) にする<br>名 suspension (一時的な) 停止 |
|---|---|---|
| 08 66 | **inspire** [ɪnspáɪər] ① in- (中に) + spire (息をする) | 動 ① 〈人〉を奮い立たせる ② 〈人〉に着想を与える<br>► inspire A to do で「A を促して～させる」という意味。<br>名 inspiration 着想、インスピレーション |
| 08 67 | **technically** [téknɪkəli] | 副 ① 厳密に (言えば) ② 技術的に、専門的に<br>名 technique (専門) 技術<br>形 technical 技術的な |
| 08 68 | **conscious** [ká:nʃəs] ① con- (共に) + sci (知っている) + -ous 形 | 形 意識している、自覚している<br>(≒aware) (⇔unconscious)<br>副 consciously 意識して<br>名 consciousness 意識 |
| 08 69 | **subtle** [sʌ́tl] | 形 かすかな、微妙な (≒slight)<br>副 subtly 微妙に<br>名 subtlety 微妙 |
| 08 70 | **vanish** [vǽnɪʃ] ① van (からの) + -ish (～にする) | 動 (突然) 消える、姿を消す (⇔appear) |
| 08 71 | **frontier** [frʌntíər] ⚠ アクセント注意。 ① front (正面) + -ier 名 | 名 ① 辺境 ② 未開拓分野、最先端分野 |
| 08 72 | **merit** [mérət] | 名 ① 実績、功績 ② 長所 (≒benefit, advantage) (⇔fault, problem, shortcoming)<br>動 ～に値する<br>► 「メリット」(利点) は英語では advantage と言う。 |
| 08 73 | **miniature** [mɪ́niətʃər] ⚠ アクセント注意。 | 形 小型の、縮小した |
| 08 74 | **trace** [tréɪs] | 動 ～をたどる、さかのぼる<br>名 跡<br>形 traceable 追跡できる<br>名 traceability 追跡可能性、トレーサビリティ |
| 08 75 | **wander** [wá:ndər] | 動 さまよう、歩き回る<br>► wonder[wʌ́ndər] (不思議に思う) と混同しないように注意。 |
| 08 76 | **vacant** [véɪkənt] ① vac (からの) + -ant 形 | 形 ① 空いている、使われていない ② 欠員の<br>名 vacancy 空き、欠員<br>動 vacate ～を明け渡す |

| | |
|---|---|
| The bus service is **suspended** due to the heavy snow. | バスの運行は大雪で一時中止されている。 |
| Your story **inspired** me **to** follow my dreams. | あなたの話に感動して、私は自分の夢を追うことにした。 |
| **Technically**, an eggplant is a fruit, not a vegetable. | 厳密に言えば、ナスは果物であって野菜ではない。 |
| She was **conscious** of the fact that this was her only chance. | 彼女はこれが唯一のチャンスだということを理解していた。 |
| There are **subtle** design differences between the two dresses. | その2着のドレスには、微妙なデザインの違いがある。 |
| The fog **vanished** a few hours later. | 霧は数時間後に消えた。 |
| The deep sea is the earth's final **frontier**. | 深海は地球最後の辺境だ。 |
| Promotion is based on **merit**, not on seniority. | 昇進は年功序列ではなく実績に基づきます。 |
| The supermarket has **miniature** shopping carts for kids. | このスーパーには子ども用の小型のショッピングカートがある。 |
| His ancestry can be **traced** to a famous 16th century aristocrat. | 彼の家系は16世紀の有名な貴族にさかのぼることができる。 |
| On my days off, I like to **wander** around the city taking pictures. | 休みの日には写真を撮りながら街をぶらぶら歩き回るのが好きだ。 |
| The apartment was **vacant** for six months. | そのアパートの部屋は半年間空いていた。 |

## 08 77 adore
[ədɔ́ːr]

① ad-（〜に）+ ore（嘆願する）

動 ① 〜を敬愛する
② 〜が大好きだ
（≒cherish, treasure）（⇔hate, detest）

## 08 78 discrimination
[dɪskrɪ̀mənéɪʃən]

① discrimin（区別する）+ -ation 名

名 差別
動 discriminate 区別する、識別する

## 08 79 fragile
[frǽdʒəl]

① frag（壊す）+ -ile 形

形 ① 壊れやすい（⇔tough）
② （状態が）不安定な

## 08 80 extensive
[ɪksténsɪv]

① ex-（外に）+ tens（伸ばす）+ -ive 形

形 ① 広範囲の、多方面にわたる
② 〈被害・影響などが〉大規模な、莫大な
► extension（内線）も覚えておこう。
動 extend 〜を拡張する

## 08 81 frankly
[frǽŋkli]

副 率直に、正直に言って
► frankly speaking（率直に言って）という表現も覚えておこう。
形 frank 率直な

## 08 82 shield
[ʃíːld]

名 ① 盾 ② 防御物、遮蔽物
動 〜を保護する、守る

## 08 83 rotate
[róʊteɪt]

① rot（車輪）+ -ate 動

動 ① 回転する、循環する；〜を回転させる
② （〜を）輪番で交替する
名 rotation 回転、自転；交替

## 08 84 capable
[kéɪpəbl]

形 ① 有能な（⇔incapable）
② できる、能力がある（≒able）（⇔incapable）
名 capability 能力

## 08 85 actually
[ǽktʃuəli]

副 ① 実は ② 実際に
形 actual 実際の

## 08 86 recently
[ríːsntli]

副 最近、ついこの間
形 recent 最近の

## 08 87 improve
[ɪmprúːv]

動 ① 〜を向上させる（⇔worsen）② よくなる
名 improvement 改良、向上

## 08 88 offer
[ɔ́(ː)fər]

① of-（〜に）+ fer（運ぶ）

動 ① 〜を提供する ② 〜を申し出る
名 申し出
► offer to do（〜しようと申し出る）という表現も覚えておこう。

| | |
|---|---|
| He is **adored** by his employees. | 彼は従業員たちから敬愛されている。 |
| Racial **discrimination** in the workplace is against the law. | 職場における人種差別は違法だ。 |
| The delivery company specializes in delivering **fragile** items. | その宅配業者は壊れやすいものの配達を専門にしている。 |
| The Tokyo public transportation network is **extensive**. | 東京の公共交通網は広域にわたっている。 |
| **Frankly**, I don't think that dress looks very good on you. | 率直に言ってそのドレスはあなたにはあまり似合わないと思う。 |
| The riot police held up **shields** to protect themselves. | 機動隊は自分の身を守るために盾を掲げた。 |
| The Earth **rotates** completely once every 24 hours. | 地球は 24 時間に一度完全に回転する。 |
| She is a highly **capable** salesperson. | 彼女はとても有能な販売員だ。 |
| **Actually** I'd like to become a professional guitarist. | 実はプロのギタリストになりたいんです。 |
| Tom **recently** started a new business. | トムは最近、新しい事業を始めた。 |
| Taking private lessons **improved** my ability to speak Spanish. | 個人レッスンを受けて、スペイン語を話す力が向上した。 |
| They **offer** a variety of home cleaning services. | 彼らはさまざまなホームクリーニング・サービスを提供している。 |

08
88

| 08 89 | extra<br>[ékstrə] | 形 ① 追加の (≒additional) ② 余分の |
|---|---|---|
| 08 90 | own<br>[óʊn] | 形 自分自身の、独自の<br>動 ~を所有している (≒possess)<br>名 owner 所有者 |
| 08 91 | presentation<br>[prì:zentéɪʃən] | 名 プレゼンテーション、発表<br>▶ make [give] a presentationで「プレゼンテーションを<br>行う」という意味。 |
| 08 92 | available<br>[əvéɪləbl]<br>① avail (役に立つ) + -able (できる) | 形 ① 〈ものが〉利用できる、空いている<br>② 入手できる<br>③ 〈人が〉手が空いている、会える<br>動 avail ~に役立つ 名 availability 利用できること |
| 08 93 | amount<br>[əmáʊnt]<br>① a- (~に) + mount (山) | 名 量 (≒volume)<br>▶ amount の「多い／少ない」は large/small で表す。<br>「数」は number。 |
| 08 94 | item<br>[áɪtəm] | 名 ① 品、商品 (≒article) ② 記事 (≒article) |
| 08 95 | skill<br>[skíl] | 名 技能、スキル<br>形 skilled 熟練した<br>形 skillful 上手な |
| 08 96 | cancel<br>[kǽnsl] | 動 ~を取り消す、中止する<br>名 cancellation 取り消し、中止 |
| 08 97 | nearby<br>[nìərbáɪ] | 副 近くに (⇔far away) |
| 08 98 | electricity<br>[ɪlèktrísəti] | 名 電気、電力<br>形 electric 電動の<br>形 electrical 電気の |
| 08 99 | increase<br>[動 ɪnkrí:s 名 ínkri:s]<br>① in- (上に) + crease (成長する) | 動 ① 〈数量・価値などが〉増える、増加する (⇔decrease)<br>② ~を増やす (⇔decrease)<br>名 増加 (⇔decrease)<br>▶ 品詞によってアクセントの位置が変わる。 |
| 09 00 | quit<br>[kwít] | 動 〈会社・学校など〉を辞める、〈職〉を離れる (≒leave)<br>▶ quit-quit-quit と活用する。 |

| | |
|---|---|
| There is an **extra** charge to include coffee with your meal. | 食事にコーヒーをつけるには追加料金がかかります。 |
| He spent a lot of his **own** money building the museum. | 彼はその美術館を建てるのに多額の私財を投じた。 |
| The scientist's **presentation** on climate change impressed the audience. | 気候変動についてのその科学者の発表は、聴衆に感銘を与えた。 |
| There are no more seats **available** at the concert. | そのコンサートはもう空いている席がない。 |
| We should all work to reduce the **amount** of waste we produce. | 私たちは皆、自分が出すゴミの量を減らすよう努めるべきだ。 |
| All the **items** in this bin are 50% off. | この箱の中の商品はすべて50パーセントオフです。 |
| I don't have the **skills** necessary for a job like this. | 私にはこのような仕事に必要なスキルがありません。 |
| She had to **cancel** her trip to Australia. | 彼女はオーストラリア旅行を取りやめなければならなかった。 |
| There is a park **nearby** where we can go to relax. | 近くにゆっくり休める公園がある。 |
| All the **electricity** used in their home is produced by solar power. | 彼らの家で使われる電気はすべて太陽光発電で作られている。 |
| The prices of food are **increasing** everywhere. | 食料品の価格はどこでも上がっている。 |
| She decided to **quit** her job because of all the overtime. | 彼女は、残業が多いので仕事を辞めることにした。 |

| 09 01 | **avoid**<br>[əvɔ́ɪd]<br>① a- (離れて) +void (空にする) | 動 ~を避ける<br>▶ 後ろに動詞がくるときには ing 形になる。<br>名 avoidance 回避 |
|---|---|---|
| 09 02 | **huge**<br>[hjúːʤ] | 形 巨大な、莫大な<br>(≒enormous, massive) (⇔tiny) |
| 09 03 | **originally**<br>[əríʤənəli] | 副 元々、最初は<br>形 original 元々の<br>名 origin 源、起源 |
| 09 04 | **chemical**<br>[kémɪkəl]<br>① chem (錬金術) +-ical 形 | 名 化学薬品、化学物質<br>形 化学的な<br>副 chemically 化学的に<br>名 chemistry 化学 |
| 09 05 | **client**<br>[kláɪənt] | 名 顧客、(弁護士・会計士などへの) 依頼人<br>▶ 商店の「客」は customer、招待された「客」やホテルなどの<br>「宿泊客」は guest と言う。 |
| 09 06 | **material**<br>[mətíəriəl]<br>① materi (物質) +-al 形 | 名 ① 材料、物質 ② 資料<br>▶ 「原料」は raw material と言う。 |
| 09 07 | **include**<br>[ɪnklúːd]<br>① in- (中に) +clude (閉じる) | 動 ~を含む (≒contain) (⇔exclude)<br>名 inclusion 包含<br>前 including ~を含めて |
| 09 08 | **protect**<br>[prətékt]<br>① pro- (前を) +tect (覆う) | 動 ~を保護する、守る<br>名 protection 保護<br>形 protective 保護の |
| 09 09 | **charity**<br>[tʃǽrəti] | 名 ① 慈善団体 ② 慈善事業<br>形 charitable 慈善の |
| 09 10 | **rest**<br>[rést] | 名 ① 休息 ② 残り (≒remainder) |
| 09 11 | **develop**<br>[dɪvéləp]<br>① de- (分離) +velop (包む) | 動 ① ~を開発する ② 成長する、発達する<br>▶ 「(病気) を患う」という意味も覚えておこう。<br>名 development 開発、発達 |
| 09 12 | **therefore**<br>[ðéərfɔ̀ːr] | 副 それゆえ、したがって |

| | |
|---|---|
| Dillion **avoids** going outside when it is too hot. | ディリオンは、暑すぎるときには外出を避ける。 |
| Hotels use a **huge** amount of water and electricity. | ホテルは莫大な量の水と電力を使う。 |
| **Originally**, the fast-food chain only sold milkshakes. | 元々そのファストフードチェーンはミルクセーキだけを売っていた。 |
| Some **chemicals** have been proven to cause cancer. | いくつかの化学物質はがんを引き起こすことが証明されている。 |
| She needs more **clients** if she wants to quit her day job. | 彼女が生活のための仕事を辞めたいのなら、もっと多くの顧客が必要だ。 |
| This shirt is made of a very soft **material**. | このシャツはとても柔らかい素材でできている。 |
| Please note that these prices do not **include** tax. | これらの価格に税は含まれていないのでご注意ください。 |
| Hats and sunscreen can help **protect** us from the sun. | 帽子と日焼け止めは、太陽から身を守るのに役立つ。 |
| He volunteers at several **charities** every week. | 彼は毎週いくつかの慈善団体でボランティアをしている。 |
| If you don't get enough **rest**, you will get sick. | 十分な休息を取らないと病気になりますよ。 |
| The scientists **developed** a new weight-loss drug. | 科学者たちは新しい減量薬を開発した。 |
| The tickets are cheap; **therefore**, there is no reason not to go. | そのチケットは安いので、行かないわけがない。 |

09
12 ▶

| 09<br>13 | **advantage**<br>[ədvǽntɪʤ]<br>① advant (前にある) + -age (状態) | 名 利点、メリット (≒benefit) (⇔disadvantage)<br>形 advantageous 有利な |
|---|---|---|
| 09<br>14 | **donate**<br>[dóʊneɪt]<br>① don (与える) + -ate 動 | 動 ① ～を寄付する ② 〈臓器など〉を提供する<br>名 donation 寄付 |
| 09<br>15 | **article**<br>[áːrtɪkl] | 名 (新聞・雑誌の) 記事、論文 |
| 09<br>16 | **community**<br>[kəmjúːnəti]<br>① commun (共通の) + -ity 名 | 名 地域社会、コミュニティー |
| 09<br>17 | **nevertheless**<br>[nèvərðəlés] | 副 それにもかかわらず (≒nontheless) |
| 09<br>18 | **past**<br>[pǽst] | 形 過去の、過ぎたばかりの<br>名 過去<br>► in the past (昔は、かつては) という表現も覚えておこう。 |
| 09<br>19 | **temperature**<br>[témprətʃər] | 名 気温、温度 |
| 09<br>20 | **discuss**<br>[dɪskás]<br>① dis- (分離) + cuss (振る) | 動 ～について話し合う<br>► 後ろに直接、目的語がくることに注意。discuss about ～ とは言わない。<br>名 discussion 話し合い |
| 09<br>21 | **prepare**<br>[prɪpéər]<br>① pre- (前に) + pare (準備する) | 動 ① ～を準備する、作成する<br>② 〈食事〉を作る (≒make)<br>名 preparation 準備 |
| 09<br>22 | **neighborhood**<br>[néɪbərhùd] | 名 近所、区域<br>名 neighbor 近所の人、隣人<br>形 neighboring 隣の |
| 09<br>23 | **run**<br>[rán] | 動 ① ～を経営する、運営する (≒manage)<br>② 〈映画・劇などが〉(一定期間) 上映 [上演] される<br>► run-ran-run と活用する。「〈鼻水が〉出る」という意味で出題されたこともある。 |
| 09<br>24 | **support**<br>[səpɔ́ːrt]<br>① sup- (下で) + port (支える) | 動 ～を支持する、後援する<br>名 支援<br>名 supporter 支持者<br>形 supportive 協力的な |

This program has the **advantage** of being very easy to use.

このプログラムは非常に使いやすいという利点がある。

---

Fran **donated** over $500 to a local animal welfare organization.

フランは地元の動物愛護団体に500ドル以上寄付した。

---

He sometimes writes **articles** about pop culture for a magazine.

彼は時々雑誌にポップカルチャーについての記事を書いている。

---

Devin has lived in this **community** his whole life.

デヴィンは生まれてからずっとこのコミュニティーで暮らしている。

---

I lost my wallet; **nevertheless**, I had a nice trip.

財布をなくしてしまったが、それでも楽しい旅行だった。

---

Over the **past** few years, this area has seen a lot of natural disasters.

この数年の間にこの地域は多くの自然災害に見舞われた。

---

**Temperatures** have been at record highs this summer.

この夏の気温は、記録的な高さだった。

---

During the meeting, we **discussed** the most recent sales figures.

会議で、私たちは最新の販売実績について話し合った。

---

His lawyer **prepares** all his contracts for him.

彼の弁護士は、彼のためにすべての契約書を作成する。

---

We want to raise our children in a safe **neighborhood**.

私たちは子どもたちを安全な地域で育てたい。

---

She has been **running** the restaurant for about 10 years.

彼女は10年ほどそのレストランを経営している。

---

Her parents **supported** her decision to study abroad.

両親は海外留学するという彼女の決断を支持した。

**condition**
[kəndíʃən]

① con- (共に) + dit (言う) + -ion 名

名 ① 状態、コンディション ② [複数形で] 状況
③ 条件
► on (the) condition that ... (…するという条件で) という
表現も覚えておこう。 形 conditional 条件つきの

---

**situation**
[sìtʃuéiʃən]

名 状況 (≒circumstance)

---

**clothing**
[klóuðiŋ]

名 [集合的に] 衣類
► 不可算名詞で単数扱い。clothes (衣服) は複数扱い。

---

**search**
[sə́ːrtʃ]

動 ① (~を) 探す、探し求める ② ~を検索する
► search for ~ で「~を探す」という意味。

---

**agree**
[əgríː]

動 (~に) 賛成する
► agree to do で「~することに同意する」、agree (that) ...で
「…ということに同意する」という意味。
名 agreement 同意、合意

---

**effect**
[ɪfékt]

① ef- (外に) + fect (作る)

名 ① 影響 ② 効果
► effect on ~ で「~に与える影響」という意味。
形 effective 効果的な
副 effectively 効果的に

---

**form**
[fɔ́ːrm]

動 ① ~を組織する ② ~を形成する、形作る
名 ① 用紙 ② 形態
名 formation 形成

---

**discount**
[dískaunt]

① dis- (否定) + count (数える)

名 割引
動 ~を割引して売る
► get a discount (割引してもらう) という表現も覚えておこ
う。

---

**rent**
[rént]

動 ~を賃借りする
名 賃貸料
► 「~を賃貸しする」という意味もある。
形 rental 賃貸用の、レンタルの

---

**invent**
[ɪnvént]

① in- (上に) + vent (出てくる)

動 ~を発明する、考案する
名 invention 発明
名 inventor 発明家

---

**wealthy**
[wélθi]

形 裕福な (≒affluent)
名 wealth 富、財産

---

**lately**
[léitli]

副 最近 (≒recently)
► ふつう現在完了形と共に使う。「遅く」は late。

164

| | |
|---|---|
| Trading cards in good **condition** will sell for more money. | 状態のよいトレーディングカードは、もっと高く売れるだろう。 |
| The economic **situation** in the country continues to worsen. | その国の経済状況は悪化し続けている。 |
| Our store specializes in gender neutral **clothing** for babies. | 当店は、ジェンダーニュートラルなベビー服を専門に扱っております。 |
| Everyone is still **searching for** the missing hikers. | 今もみんなが行方不明のハイカーたちを捜索している。 |
| They all **agreed to** meet the following week to sign the contract. | 彼らは皆、契約書にサインするため、翌週に会うことで同意した。 |
| Too much sunlight can have a negative **effect on** the plants. | 過剰な日光は植物に悪影響を及ぼす可能性がある。 |
| Koki **formed** a board game club with his friends. | コウキは友人たちとボードゲームクラブを結成した。 |
| We offer a 10% **discount** to all customers over the age of 65. | 65歳以上のすべてのお客さまに10パーセントの割引をご提供しております。 |
| She used to **rent** movies to watch every weekend. | 彼女はかつては毎週末映画をレンタルして見ていた。 |
| He tried to **invent** an engine that runs on salt water. | 彼は海水で動くエンジンを発明しようとした。 |
| Derek grew up in a **wealthy** neighborhood. | デレクは裕福な地区で育った。 |
| I have been exercising a lot **lately**. | 私は最近たくさん運動している。 |

| 09 37 | **population** [pὰ:pjəléɪʃən] ① popul (人) + -ation 名 | 名 ① 人口、(動物の) 個体数 ② 人々、住民 |
|---|---|---|

| 09 38 | **current** [kə́:rənt] ① cur(r) (走る) + -ent 形 | 形 現在の (≒present) 名 流れ 副 currently 現在 |
|---|---|---|

| 09 39 | **mainly** [méɪnli] | 副 主に (≒primarily) 形 main 主な、主要な |
|---|---|---|

| 09 40 | **transfer** [[動] trænsfə́:r 名 trǽnsfə:r] ① trans- (向こうに) + fer (運ぶ) | 動 ① ~を転勤 [異動] させる ② 〈情報など〉 を移す、移動させる ③ 〈金〉 を振り込む 名 転勤、異動 ▶「〈乗り物〉 を乗り換える」という意味で出題されたこともある。 名 transference 移動、移転 |
|---|---|---|

| 09 41 | **realize** [rí:əlàɪz] ① real (現実) + -ize 動 | 動 ① ~に気づく (≒notice) ② ~を実現する ▶ realize (that) ... で「…ということに気づく」という意味。 形 real 本当の 名 realization 認識；実現 |
|---|---|---|

| 09 42 | **fee** [fí:] | 名 ① 料金 ② (医者・弁護士などへの) 報酬 |
|---|---|---|

| 09 43 | **consider** [kənsídər] | 動 ① ~をよく考える、検討する ② ~だと見なす ▶「~することを検討する」の意味では後ろに動詞の ing 形がくる。 名 consideration 熟考 形 considerable かなりの |
|---|---|---|

| 09 44 | **strict** [stríkt] | 形 ① 〈人が〉 厳格な (≒stern) ② 〈規則・命令などが〉 厳しい 副 strictly 厳しく |
|---|---|---|

| 09 45 | **original** [ərídʒənl] | 形 ① 最初の、本来の ② (コピーなどの) 原文の ③ 独創的な (≒creative, inventive, unique) ▶ ①②はふつう名詞の前で使う。 副 originally 元々 名 originality 独創性 |
|---|---|---|

| 09 46 | **access** [ǽkses] ① ac- (~に) + cess (行く) | 名 ① 利用する権利、入手できること ② (場所などへの) 接近 動 〈情報〉 を入手する、〈ネットワーク〉 にアクセスする 形 accessible 利用できる、入手できる |
|---|---|---|

| 09 47 | **announce** [ənáʊns] ① an- (~に) + nounce (伝える) | 動 ~を発表する、公表する ▶ announce (that) ... で「…と発表する」という意味。 名 announcement 発表 |
|---|---|---|

| 09 48 | **department** [dɪpá:rtmənt] ① de- (分離) + part (分ける) + -ment 名 | 名 (会社などの) 部、(デパートなどの) 売り場 (≒division) |
|---|---|---|

| | |
|---|---|
| The world's **population** is growing rapidly. | 世界の人口は急激に増加している。 |
| The **current** prime minister is not very popular with the public. | 現在の首相は国民にあまり人気がない。 |
| The new TV show's reviews have been **mainly** positive. | その新しいテレビ番組の評価はおおむね好意的なものだった。 |
| He was **transferred** to the office in Singapore. | 彼はシンガポールのオフィスに転動になった。 |
| It took her a few minutes to **realize** what he was talking about. | 彼女は、彼が何の話をしているのかに気づくまで数分かかった。 |
| She signed up for a credit card with no annual **fee**. | 彼女は年会費無料のクレジットカードに申し込んだ。 |
| Have you **considered** telling your boss about the problem? | 問題を上司に伝えることは考えましたか。 |
| Wendy had **strict** teachers when she was a high school student. | ウェンディの高校時代は、厳しい教師がいた。 |
| The app they finally released looked much different from their **original** designs. | 彼らが最終的にリリースしたアプリは、当初のデザインとはかなり違っていた。 |
| Only managers have **access** to this part of the software. | 管理職だけがソフトのこの部分にアクセスすることができる。 |
| The mayor **announced that** the city will build three new parks. | 市長は、市が3つの新たな公園を建設すると発表した。 |
| She is the manager of the marketing **department**. | 彼女はマーケティング部の部長だ。 |

| | | |
|---|---|---|
| 09 49 | **downtown**<br>[dàʊntáʊn] | 副 中心街に、繁華街に<br>形 中心街の、繁華街の<br>▶「中心街、繁華街」という名詞の意味もある。「下町」という<br>意味ではないので注意。 |
| 09 50 | **land**<br>[lǽnd] | 動 着陸する、上陸する<br>名 ① 土地 ② 陸 |
| 09 51 | **law**<br>[lɔ́ː] | 名 法律 |
| 09 52 | **period**<br>[píəriəd]<br>① peri (周りに) + od (道) | 名 ① 期間 ② 時期<br>▶ 終止符 (ピリオド) もこの period。 |
| 09 53 | **challenge**<br>[tʃǽlɪndʒ] | 名 難題、課題<br>▶ 日本語の「チャレンジ」とは意味合いが違うので注意。<br>形 challenging (困難だが) やりがいのある |
| 09 54 | **ordinary**<br>[ɔ́ːrdənèri] | 形 普通の (≒common, usual, normal)<br>(⇔extraordinary)<br>副 ordinarily 普通に、通常 |
| 09 55 | **surprising**<br>[sərpráɪzɪŋ] | 形 驚くべき<br>副 surprisingly 驚くほど<br>動 名 surprise ～を驚かす；驚き |
| 09 56 | **afford**<br>[əfɔ́ːrd] | 動 ～の余裕がある<br>▶ afford to do で「～する余裕がある」という意味。<br>形 affordable 〈値段が〉手ごろな |
| 09 57 | **while**<br>[wáɪl] | 接 ① …する一方で ② …する間 |
| 09 58 | **result**<br>[rɪzʌ́lt]<br>① re- (元に) + sult (跳ね返る) | 名 結果 (≒outcome)<br>動 結果として生じる<br>▶ result in ～ の項目 (1598) も参照。 |
| 09 59 | **countryside**<br>[kʌ́ntrisàɪd] | 名 田舎 (≒country) |
| 09 60 | **normally**<br>[nɔ́ːrməli]<br>① norm (物差し) + -al 形 + -ly 副 | 副 通常は (≒usually)<br>形 normal 通常の、普通の |

| | |
|---|---|
| Let's go **downtown** this weekend. There's a restaurant I want to try. | 今週末繁華街に行こうよ。行ってみたいレストランがあるんだ。 |
| My plane is scheduled to **land** at 8:30 p.m. | 私の乗る飛行機は午後8時半に着陸する予定だ。 |
| The city passed a **law** against smoking in public areas. | 市は公共の場所での喫煙を禁じる法律を可決した。 |
| You must write the **period** of your intended stay on the visa application. | ビザの申請書には滞在予定期間を記入する必要がある。 |
| The company is facing financial **challenges**. | その会社は財政的問題に直面している。 |
| No **ordinary** person could survive on such low wages. | こんな低賃金では普通の人は生きていけないだろう。 |
| It is **surprising** that you've never been to this museum before. | あなたがこの博物館に行ったことがないとは驚きです。 |
| She is lucky that she can **afford to** attend graduate school. | 大学院に通う余裕があるなんて彼女は恵まれている。 |
| My sister loves reading, **while** I have trouble finishing a single book. | 姉は読書好きだが、私はたった1冊の本を読み終えるのにも苦労する。 |
| His test **results** were the highest in the class. | 彼のテストの結果はクラスで一番よかった。 |
| Marvin goes to the **countryside** every summer to stay with his grandmother. | 毎年の夏、マーヴィンは祖母の家に泊まりに田舎に行く。 |
| We do not **normally** have such high temperatures in the spring. | 通常、春にこんなに気温が高くなることはない。 |

| 09<br>61 | **resident**<br>[rézɪdənt] | 名 住民 (≒inhabitant)<br>名 residence 住宅<br>形 residential 住宅用の |
|---|---|---|
| 09<br>62 | **confident**<br>[kɑ́nfədənt]<br>① con- (完全に) +fid(e) (信頼する)<br>+-ent 形 | 形 ① 確信して ② 自信がある<br>► be confident that ... [of ...] で「…(ということ) を確信している」という意味。<br>名 confidence 信頼；自信 副 confidently 自信を持って |
| 09<br>63 | **cover**<br>[kʌ́vər] | 動 ① 〈費用など〉をまかなう、補う<br>② 〈話題・対象など〉を含む、扱う<br>► 「~を覆う；覆い」という基本の意味も重要。 |
| 09<br>64 | **major**<br>[méɪʤər] | 形 主要な、重大な (⇔minor)<br>名 専攻科目 [学生]<br>► major in ~ (1620) の項目も参照。 |
| 09<br>65 | **unusual**<br>[ʌnjúːʒuəl]<br>① un- (否定) +usual (普通の) | 形 ① 普通でない (⇔usual) ② 珍しい (≒rare) |
| 09<br>66 | **complicated**<br>[kɑ́mpləkèɪtɪd]<br>① com- (共に) +plicat (重ねる)<br>+-ate 動 +-d | 形 複雑な (≒complex)<br>動 complicate ~を複雑にする<br>名 complication 状況を複雑にする問題 |
| 09<br>67 | **communicate**<br>[kəmjúːnəkèɪt] | 動 連絡を取る、やり取りをする<br>名 communication コミュニケーション |
| 09<br>68 | **efficient**<br>[ɪfíʃənt] ▲ アクセント注意。<br>① ef- (外に) +fici (作る) +-ent 形 | 形 効率のよい (⇔inefficient)<br>名 efficiency 効率<br>副 efficiently 効率的に |
| 09<br>69 | **employ**<br>[ɪmplɔ́ɪ]<br>① em- (中に) +ploy (抱え込む) | 動 ~を雇う、雇っている<br>名 employment 雇用<br>名 employer 雇用者<br>名 employee 従業員 |
| 09<br>70 | **accept**<br>[əksépt]<br>① ac- (~に) +cept (受ける) | 動 ① ~を受け入れる (⇔refuse)<br>② 〈考えなど〉を正しいと見なす<br>③ 〈店などが〉〈カードなど〉を受けつける<br>形 acceptable 受け入れられる |
| 09<br>71 | **position**<br>[pəzíʃən]<br>① posit (置く) +-ion 名 | 名 ① 職 ② 位置、場所 |
| 09<br>72 | **properly**<br>[prɑ́ːpərli] | 副 きちんと、正しく (≒correctly)<br>形 proper 適切な |

| | |
|---|---|
| Local **residents** gathered together to help clean the park. | 地元の住民たちが集まって公園の掃除を手伝った。 |
| Harry **is confident that** he will pass his entrance exams. | ハリーは入学試験に合格できると確信している。 |
| I hope this will be enough money to **cover** the cost of the trip. | このお金で旅行の費用をまかなうに足りるといいなと思う。 |
| Traffic is a **major** problem in crowded cities. | 交通は混雑した都市では大きな問題だ。 |
| They alerted the station staff to an **unusual** bag on the train. | 彼らは、電車の中に変なバッグがあると駅員に知らせた。 |
| The political situation in the country is rather **complicated**. | その国の政治状況はかなり複雑だ。 |
| Before the invention of the telephone, people **communicated** by writing letters. | 電話が発明される前、人々は手紙を書いてやり取りをしていた。 |
| Entering data completely by hand is not very **efficient**. | データを完全に手入力するのはあまり効率的ではない。 |
| I'm currently **employed** as a car salesperson. | 私は今、車の販売員として雇われている。 |
| This university **accepts** students from all over the world. | この大学は世界中から学生を受け入れている。 |
| I would like to apply for the software engineer **position**. | 私はソフトウェアエンジニアの職に応募したい。 |
| The company's name was not spelled **properly**. | その会社の名前は正しくつづられていなかった。 |

| 09<br>73 | **similar**<br>[símələr]<br><br>① simil (似た) + -ar 形 | 形 同様の、似た<br>► 「〜に似た」と言うときには similar to 〜 の形になる。<br>副 similarly 同様に<br>名 similarity 類似（点） |
|---|---|---|
| 09<br>74 | **economic**<br>[èkəná:mık] | 形 経済の、経済に関する<br>名 economy 経済<br>名 economics 経済学<br>形 economical 経済的な、無駄のない |
| 09<br>75 | **apologize**<br>[əpá:lədʒàız]<br><br>① apo- (離れて) + log (言葉) + -ize 動 | 動 謝る<br>名 apology 謝罪 |
| 09<br>76 | **decision**<br>[dɪsíʒən]<br><br>① de- (分離) + cis (切る) + -ion 名 | 名 決定、決断<br>動 decide 〜を決める |
| 09<br>77 | **disease**<br>[dɪzí:z] | 名 病気 (≒illness) |
| 09<br>78 | **hire**<br>[háɪər] | 動 〜を雇う (≒employ) |
| 09<br>79 | **nearly**<br>[níərli] | 副 ほとんど、もう少しで (≒almost) |
| 09<br>80 | **grocery**<br>[gróʊsəri] | 名 ① [複数形で] 食料品、日用雑貨<br>② 食料品店、日用雑貨店 (≒supermarket) |
| 09<br>81 | **essay**<br>[éseɪ] | 名 作文、小論文 |
| 09<br>82 | **site**<br>[sáɪt] | 名 ① (事件などの) 現場、場所 ② 遺跡<br>③ (インターネット上の) サイト (≒website) |
| 09<br>83 | **concern**<br>[kənsə́:rn]<br><br>① con-(完全に) + cern (ふるいにかける) | 名 懸案事項、懸念<br>形 concerned 心配して<br>前 concerning 〜について |
| 09<br>84 | **shortage**<br>[ʃɔ́:rtɪdʒ]<br><br>① short (不足した) + -age 名 | 名 不足<br>形 short 不足した |

| | |
|---|---|
| The two phones have **similar** features, but one is much cheaper. | この2機種の電話は似たような機能を持っているが、片方がずっと安い。 |
| The war has caused major **economic** problems across the region. | 戦争はその地域全体に大きな経済的問題を引き起こした。 |
| She **apologized** for being late to the meeting. | 彼女は会議に遅れたことを謝罪した。 |
| Gail made the **decision** to move to France after graduating. | ゲイルは卒業後フランスに移住する決心をした。 |
| There are many human **diseases** that we still do not understand well. | 人間の病気には、まだよくわかっていないものがたくさんある。 |
| I finally have enough money to **hire** a personal assistant. | ついに個人アシスタントを雇うだけのお金ができた。 |
| She is **nearly** late for work every single day. | 彼女は毎日毎日遅刻しそうになっている。 |
| Pam only buys **groceries** once a week. | パムは週に1度しか食料品を買わない。 |
| I have to write an **essay** for my psychology class. | 私は心理学の授業用に小論文を書かなければならない。 |
| The **site** of the accident was closed to traffic for several hours. | 事故現場は数時間にわたって通行止めになった。 |
| Safety is a major **concern** at a factory like this. | このような工場では、安全性は大きな懸案事項だ。 |
| There is a worldwide medication **shortage** right now. | 今現在、世界中で薬不足となっている。 |

09 ▶ 84

| 09 85 | **average** [ǽvərɪʤ] | 形 ① 平均の<br>② 平均的な、標準的な (≒ordinary)<br>名 平均 |
|---|---|---|

| 09 86 | **warn** [wɔ́ːrn] | 動 〈人〉に警告する (≒alert)<br>► warn A of B で「B について A に警告する」、warn (~) that ... で「(~に) …だと警告する」という意味。<br>名 warning 警告 |
|---|---|---|

| 09 87 | **adopt** [ədɑ́ːpt]<br>① ad- (~に) + opt (選ぶ) | 動 ① 〈方針・計画など〉を採用する<br>② ~を養子にする<br>名 adoption 採用 |
|---|---|---|

| 09 88 | **match** [mǽtʃ] | 動 ① ~と調和する、似合う (≒go with ~)<br>② 〈情報などが〉~と一致する (≒fit)<br>名 試合 |
|---|---|---|

| 09 89 | **control** [kəntróʊl] | 動 ~を管理する、統制する<br>名 ① 制御 ② 支配 |
|---|---|---|

| 09 90 | **enter** [éntər] | 動 ① 〈競技など〉に参加する<br>② ~に入る (≒go into ~) |
|---|---|---|

| 09 91 | **pressure** [préʃər]<br>① press (押す) + -ure (動作、状態) | 名 ① 圧力 ② (精神的な) 圧迫、プレッシャー |
|---|---|---|

| 09 92 | **trail** [tréɪl] | 名 小道、(ハイキングなどの) コース |
|---|---|---|

| 09 93 | **relationship** [rɪléɪʃənʃɪp]<br>① re- (元に) + lat (運ぶ) + -ion 名 + -ship (状態) | 名 (人間同士などの) 関係、間柄 (≒relation) |
|---|---|---|

| 09 94 | **graduate** [grǽʤuèɪt]<br>① gradu (学位) + -ate (取る) | 動 卒業する<br>► graduate from ~ (~を卒業する) という表現も覚えておこう。<br>名 graduation 卒業 |
|---|---|---|

| 09 95 | **definitely** [défənətli]<br>① de- (下に) + fin (限界) + ite 形 + -ly 副 | 副 確かに、間違いなく (≒surely, certainly)<br>動 define ~を定義する；~を明確にする<br>形 definite 明確な |
|---|---|---|

| 09 96 | **overtime** [óʊvərtàɪm] | 副 時間外で、残業して<br>名 ① 残業時間 ② 残業代<br>► work overtime (残業する) の形で頻出。 |
|---|---|---|

| | |
|---|---|
| The **average** age of students in the graduate program is 28. | 大学院課程の学生の平均年齢は 28 歳だ。 |
| The guide **warned** the tourists **that** the waves could be dangerous. | ガイドは観光客に、波が危険になるかもしれないと警告した。 |
| The company **adopted** a new scheduling policy. | その会社は、新しいスケジューリングの方針を採用した。 |
| His accessories **match** his suit perfectly. | 彼のアクセサリーはスーツと完べきに合っている。 |
| The coast guard strictly **controls** access to the harbor. | 沿岸警備隊は、港への出入りを厳しく取り締まっている。 |
| Evelyn **entered** a singing contest when she was sixteen. | エヴリンは 16 歳のとき、歌のコンテストに出場した。 |
| Most metal vessels cannot handle the **pressure** of the deep sea. | ほとんどの金属船は深海の圧力に耐えられない。 |
| They decided to hike up the more difficult **trail**. | 彼らは、もっと難易度の高いコースをハイキングすることにした。 |
| Having good **relationships** is more important than making money. | 良好な人間関係を持つことのほうがお金を稼ぐより大切だ。 |
| Have you decided what you want to do after you **graduate**? | 卒業したら何をしたいか決めましたか。 |
| The town is **definitely** more expensive than the last time we were here. | この町は前回ここに来た時よりも確実に物価が上がっている。 |
| Riley is happy that he does not have to **work overtime** these days. | ライリーは、近ごろ残業をしなくてよいことを喜んでいる。 |

| 09 97 | **install** [ɪnstɔ́:l] ① in-（中に）+stall（置く） | 動 ① ~を取りつける ② 〈ソフトウェア〉をインストールする 名 installation 取りつけ、インストール |
|---|---|---|
| 09 98 | **indeed** [ɪndíːd] | 副 実のところ、実際 |
| 09 99 | **meet** [míːt] | 動 ① 〈条件など〉を満たす ② ~を出迎える ► meet-met-met と活用する。 |
| 10 00 | **conversation** [kɑ̀:nvərséɪʃən] | 名 会話 形 conversational 会話体の |
| 10 01 | **garbage** [gɑ́:rbɪʤ] | 名 ごみ（≒trash, rubbish） ► 主に生ごみを指す。 |
| 10 02 | **dislike** [dɪsláɪk] ① dis-（否定）+like（好む） | 動 ~を嫌う（⇔like） |
| 10 03 | **tour** [túər] | 名 ①（建物・都市などの）見学 ②（観光）旅行 名 tourism 観光事業 名 tourist 観光客 |
| 10 04 | **rather** [rǽðər] | 副 ① むしろ ② いくぶん、やや |
| 10 05 | **last** [lǽst] | 動 続く、長持ちする ►「最後の」の意味の last とは別の語。 |
| 10 06 | **scary** [skéəri] | 形 恐ろしい、怖い （≒terrifying, horrifying）（⇔comforting） 動 scare ~を怖がらせる 形 scared おびえた、びっくりした |
| 10 07 | **substance** [sʌ́bstəns] ① sub-（下に）+stance（立つもの） | 名 物質 |
| 10 08 | **crime** [kráɪm] | 名 犯罪 形 名 criminal 犯罪の；犯罪者 |

| | |
|---|---|
| They just had an air conditioner **installed** in their apartment. | 彼らはちょうどアパートにエアコンを設置してもらったところだ。 |
| This is a difficult situation **indeed**. | 実際、これは難しい状況だ。 |
| The factory is not currently able to **meet** demand. | 工場は現在需要を満たすことができていない。 |
| They had a long **conversation** about their favorite movies. | 二人は好きな映画について長い間話をした。 |
| Because of the storm, nobody could put out their **garbage** for collection. | 嵐のため、誰もごみを収集に出すことができなかった。 |
| Gwen has **disliked** tomatoes her whole life. | グウェンは生まれてからずっとトマトが嫌いだ。 |
| We took a **tour** of historic buildings in the town. | 私たちは町の歴史的な建造物を見学して回った。 |
| She was not angry. **Rather**, she was just tired. | 彼女は怒ってはいなかった。どちらかと言うと彼女は単に疲れていた。 |
| Your luck isn't going to **last** forever. | あなたの幸運はいつまでも続くわけではない。 |
| The little girl thought that the dog was **scary**. | その小さな女の子はその犬が怖いと思った。 |
| Many mushrooms contain poisonous **substances** that can hurt humans. | 多くのキノコは、人間に害を及ぼす可能性のある有毒物質を含んでいる。 |
| **Crime** rates in the country have been decreasing for a long time. | その国の犯罪率は長い間減少し続けている。 |

10
08 ►

| | | |
|---|---|---|
| **10 09** | **face**<br>[féɪs] | 動 〈困難など〉に直面する<br>名 顔<br>► face to face (向かい合って) という表現も覚えておこう。 |
| **10 10** | **attitude**<br>[ǽtət(j)ùːd] | 名 考え方、姿勢 |
| **10 11** | **diet**<br>[dáɪət] | 名 ① (日常の) 食事<br>② (減量・治療のための) ダイエット、食事制限<br>動 食事制限する<br>► be on a diet (ダイエット中だ) という表現も覚えておこう。 |
| **10 12** | **trend**<br>[trénd] | 名 ① 傾向、動向 (≒tendency) ② 流行、はやり |
| **10 13** | **edit**<br>[édət] | 動 ~を編集する<br>名 editor 編集者<br>名 edition (書籍などの) 版<br>形 editorial 編集の |
| **10 14** | **reply**<br>[rɪpláɪ]<br>① re- (元に) +ply (たたむ) | 動 返答する (≒respond)<br>名 返答 (≒response) |
| **10 15** | **park**<br>[páːrk] | 動 〈車など〉を駐車する<br>名 公園<br>► parking lot (駐車場) という表現も覚えておこう。 |
| **10 16** | **regular**<br>[régjələr]<br>① regul (物差し) +-ar 形 | 形 ① 普通の、並みの (≒normal)<br>② 通常の (≒usual)<br>③ 定期的な、規則正しい (⇔irregular)<br>副 regularly 規則的に |
| **10 17** | **view**<br>[vjúː] | 名 ① 眺め、風景 ② 意見、見解 (≒opinion)<br>► point of view (観点) という表現も覚えておこう。 |
| **10 18** | **case**<br>[kéɪs] | 名 ① 状況、場合 ② (病気の) 症例 ③ 犯罪事件 |
| **10 19** | **nervous**<br>[nɔ́ːrvəs]<br>① nerve (神経) +-ous 形 | 形 ① 緊張して、不安な<br>(≒anxious, worried) (⇔calm, relaxed)<br>② 神経質な<br>名 nerve 神経 副 nervously 神経質に |
| **10 20** | **official**<br>[əfíʃəl] | 形 公式の、正式の (⇔unofficial)<br>名 公務員、役人<br>副 officially 公式に |

| | |
|---|---|
| His new business **faced** many problems. | 彼の新しい事業は多くの問題に直面した。 |
| People's **attitudes** about the traditional family have changed a lot. | 伝統的な家族についての人々の考え方は大きく変わった。 |
| I am trying to make my **diet** healthier. | 私は食事をより健康的なものにするよう心がけている。 |
| Some **trends** on the Internet can cause actual harm. | インターネット上の動向の中には、実害をもたらすものもある。 |
| **Editing** a novel can take as long as writing it. | 小説を編集するのはそれを書くのと同じくらい時間がかかることがある。 |
| Meg forgot to **reply** to his email. | メグは彼のメールに返事するのを忘れた。 |
| He **parked** his car a few blocks away. | 彼は数ブロック先に車を停めた。 |
| She just wanted a **regular** hamburger, nothing special. | 彼女は普通のハンバーガーを食べたかっただけで、特別なものが欲しかったのではない。 |
| The **view** from the top of the tower is better at night. | そのタワーのてっぺんからの眺めは夜のほうがいい。 |
| In some **cases**, passengers may be asked to change seats. | 場合によっては、乗客は席を交代するよう求められる。 |
| I'm so **nervous** about my job interview. | 私は就職面接のことでとても緊張しています。 |
| This country has three **official** languages. | この国には3つの公用語がある。 |

| 10 21 | **pain** [péɪn] | 名 ① 苦痛、痛み ② 苦労<br>▶ take pains to *do* (苦労して~する) という表現も覚えておこう。<br>形 painful 痛い |
| --- | --- | --- |
| 10 22 | **aim** [éɪm] | 名 目的 (≒goal, purpose)<br>動 目指す<br>▶ aim at ~ (~を狙う)、aim to *do* (~することを目指す) という表現も覚えておこう。 |
| 10 23 | **process** [prάːses]<br>① pro- (前に) +cess (行く) | 名 (一連の) 手順、工程<br>動 ① 〈情報など〉を処理する<br>② 〈原料など〉を加工処理する |
| 10 24 | **suitable** [súːtəbl]<br>① suit (適する) +-able (できる) | 形 適した、ふさわしい (≒appropriate) |
| 10 25 | **trash** [trǽʃ] | 名 ごみ、くず (≒garbage, rubbish) |
| 10 26 | **walk** [wɔ́ːk] | 動 ① ~を散歩させる ② ~を (歩いて) 送る<br>名 散歩<br>▶ 「歩く」以外に上のような意味もあるので覚えておこう。 |
| 10 27 | **billion** [bíljən] | 形 10 億の<br>名 10 億<br>▶ trillion (1兆 (の)) という語も覚えておこう。 |
| 10 28 | **poorly** [púərli] | 副 ① 下手に、まずく (≒badly) (⇔well)<br>② 不十分に、貧しく |
| 10 29 | **book** [búk] | 動 ~を予約する (≒reserve)<br>名 booking 予約 |
| 10 30 | **childhood** [tʃáɪldhʊd] | 名 子ども時代 |
| 10 31 | **global** [glóʊbl] | 形 全世界の、世界的な<br>▶ global warming (地球温暖化) という表現も覚えておこう。<br>名 globe 地球 |
| 10 32 | **distance** [dístəns] | 名 距離<br>▶ at a distance (少し離れて)、in the distance (遠くに) という表現も覚えておこう。<br>形 distant 遠い |

| | |
|---|---|
| You'll have less **pain** if you take this medicine. | この薬を飲めば痛みが軽くなりますよ。 |
| The **aim** of the course is to teach students basic programming skills. | このコースの目的は、学生に基本的なプログラミングスキルを教えることだ。 |
| The **process** of adopting a child can take years. | 養子縁組の手続きは何年もかかることがある。 |
| This course is **suitable** for absolute beginners. | このコースはまったくの初心者向きだ。 |
| There are many rules for properly separating **trash**. | ごみの適切な分別にはたくさんのルールがある。 |
| Bonnie **walks** her two dogs before work every morning. | ボニーは毎朝出勤前に2匹の犬を散歩させる。 |
| The technology company has recorded over one **billion** dollars in sales. | そのテクノロジー企業は10億ドルを超える売上を記録した。 |
| Jack did **poorly** on his science test. | ジャックは理科のテストの成績が悪かった。 |
| Have you **booked** your flight yet? | 飛行機はもう予約しましたか。 |
| She had a very difficult **childhood**. | 彼女はとても大変な子ども時代を過ごした。 |
| **Global** trade is an important part of every country's economy. | 国際貿易はあらゆる国の経済の重要な一部だ。 |
| The hotel is a long **distance** from the nearest station. | そのホテルは最寄駅からかなりの距離がある。 |

| | | |
|---|---|---|
| 10 33 | **fit** [fít] | 動 ① (~に) 合う、適合する (≒suit) ② ~をはめる<br>形 ① 適した (≒suitable) ② 健康な<br>▶ fit-fit(ted)-fit(ted) と活用する。 |
| 10 34 | **request** [rɪkwést]<br>① re- (再び)＋quest (求める) | 動 ~を頼む、要請する<br>名 依頼、要請<br>▶ 動詞では続くthat 節中の動詞は (should+) 原形になる。 |
| 10 35 | **bill** [bíl] | 名 ① 請求書、請求金額 ② 紙幣 |
| 10 36 | **housework** [háʊswə̀ːrk] | 名 家事 |
| 10 37 | **additional** [ədíʃənl] | 形 追加の<br>副 additionally さらに、そのうえ<br>動 add ~を加える<br>名 addition 追加 |
| 10 38 | **hopefully** [hóʊpfəli] | 副 願わくば、うまくいけば |
| 10 39 | **sample** [sǽmpl] | 名 ① 見本、サンプル ② 試供品 |
| 10 40 | **shelf** [ʃélf] | 名 棚<br>▶ shelf life ((食品・薬品などの) 有効 [保存] 期間) という<br>表現も覚えておこう。 |
| 10 41 | **classic** [klǽsɪk] | 形 ① 第一級の、最高水準の<br> ② 典型的な、標準的な<br>▶ 「クラシック音楽」は classical music と言う。 |
| 10 42 | **unwanted** [ʌnwɑ́ntɪd] | 形 望まれない、不要な |
| 10 43 | **feed** [fíːd] | 動 ~に食べ物を与える<br>▶ feed on ~ (~をえさとする) という表現も覚えておこう。<br>feed-fed-fed と活用する。 |
| 10 44 | **solar** [sóʊlər] | 形 太陽の<br>▶ solar energy (太陽エネルギー)、solar power (太陽光発<br>電)、solar system (太陽系) などの形で登場する。 |

| | |
|---|---|
| She has lost weight, so none of her clothes **fit**. | 彼女はやせたので、どの服もサイズが合わない。 |
| He **requested** a window seat for the flight. | 彼は飛行機の窓側の席を希望した。 |
| Her **bills** are automatically withdrawn from her account every month. | 請求金額は毎月彼女の口座から自動的に引き落とされる。 |
| My grandmother is too old to cope with the **housework** by herself. | 祖母は一人で家事をこなすには年をとりすぎている。 |
| There is an **additional** fee for express shipping. | お急ぎ便には追加料金がかかる。 |
| **Hopefully** everyone was able to get out of the burning building safely. | 全員が無事に燃えているビルから脱出できたのだといいが。 |
| It will take about 48 hours to test the blood **sample**. | 血液サンプルの検査には 48 時間ほどかかる。 |
| There is no room on her **shelf** for more books. | 彼女の棚にはこれ以上本を置くスペースがない。 |
| *Star Wars* is a **classic** sci-fi movie. | 『スターウォーズ』は第一級の SF 映画だ。 |
| The organization takes in **unwanted** animals and keeps them safe. | その組織は、必要とされなくなった動物を引き取り、安全に保護している。 |
| Sometimes I **feed** the ducks in the park near my house. | 私は時々、家の近くの公園でアヒルにえさをやる。 |
| **Solar** energy is a great source of power in some regions. | 太陽エネルギーは、地域によっては素晴らしい電力源だ。 |

| 10 45 | **inexpensive**<br>[ìnɪkspénsɪv] | 形 安い、安価な (≒cheap) (⇔expensive) |
| 10 46 | **aspect**<br>[éspekt] ▲ アクセント注意。<br>① a- (～を) + spect (見る) | 名 側面、面 (≒side) |
| 10 47 | **version**<br>[vɚ́ːrʒən]<br>① vers (回転する) + -ion 名 | 名 版、バージョン (≒edition) |
| 10 48 | **worldwide**<br>[wɚ́ːrldwáɪd] | 副 世界的に、世界中で<br>形 世界的な、世界中の |
| 10 49 | **direction**<br>[dərékʃən]<br>① di- (分離) + rect (真っすぐな)<br>+ -ion 名 | 名 ① [複数形で] (使用法・道順などの) 説明<br>② 方向 |
| 10 50 | **agent**<br>[éɪʤənt] | 名 ① 代理業者、代理人 ② (政府の) 職員、捜査官<br>► 映画などでは「スパイ、諜報員」の意味で使われることもある。<br>名 agency 代理店 |
| 10 51 | **atmosphere**<br>[ǽtməsfɪər]<br>① atmo(s) (空気) + sphere (球) | 名 ① 大気 ② 雰囲気<br>形 atmospheric 大気 (中) の |
| 10 52 | **inconvenience**<br>[ìnkənvíːnjəns]<br>① in- (否定) + con- (共に) + veni (来<br>る) + -ence 名 | 名 不便、不自由<br>(≒annoyance, disturbance) (⇔convenience)<br>形 inconvenient 不便な |
| 10 53 | **positive**<br>[pάːzətɪv] | 形 ① 肯定的な、積極的な (⇔negative)<br>② よい、好ましい<br>副 positively 肯定的に、積極的に |
| 10 54 | **prefer**<br>[prɪfɚ́ːr]<br>① pre- (前に) + fer (運ぶ) | 動 ～のほうを好む<br>► prefer A to B で「B より A のほうが好きだ」という意味。<br>名 preference 好み<br>形 preferable 好ましい |
| 10 55 | **worth**<br>[wɚ́ːrθ] | 前 ～に値する、～の価値がある<br>► 後ろに動詞がくるときは ing 形になる。形容詞と見なすこと<br>もある。<br>形 worthy 価値のある |
| 10 56 | **success**<br>[səksés] | 名 成功 (⇔failure)<br>動 succeed 成功する<br>形 successful 成功した<br>副 successfully 成功裏に、首尾よく |

| | |
|---|---|
| Jewelry at this shop is quite **inexpensive** considering the quality. | この店のジュエリーは、品質を考えるとかなり安い。 |
| There are several **aspects** we must consider before signing the contract. | 契約書にサインする前に考慮しなければならない面がいくつかある。 |
| The film **version** was not as good as the book. | 映画版は本ほどよくなかった。 |
| Our store offers shipping of all products **worldwide**. | 当店では、すべての商品を世界中に発送しております。 |
| My sister is really bad at giving **directions**. | 姉は道順の説明をするのがとても下手だ。 |
| The Internet has taken away jobs from many travel **agents**. | インターネットは多くの旅行代理業者から仕事を奪った。 |
| The **atmosphere** of Mars is not capable of supporting human life. | 火星の大気は、人間の生命を維持できない。 |
| It's no **inconvenience** at all to stop at the store first. | 先にその店に寄るのはまったく不都合ではありません。 |
| He usually gives **positive** feedback to his coworkers. | 彼は普段から同僚に肯定的なフィードバックを与えている。 |
| Ben **prefers** tea **to** coffee because he finds coffee too bitter. | コーヒーは苦すぎると感じるので、ベンはコーヒーより紅茶のほうが好きだ。 |
| This cake is good, but it's not **worth** wait**ing** two hours for. | このケーキはおいしいけれど、2時間待つ価値はない。 |
| Fiona has found a lot of **success** in translating poetry. | フィオナは詩の翻訳で大きな成功を収めている。 |

| | | |
|---|---|---|
| **10 57** **effort** [éfərt] ① ef- (外に) +fort (力) | 名 努力 ▶「努力家」は hard worker と言う。 | |

| | |
|---|---|
| **10 58** **cash** [kǽʃ] | 名 現金 |

| | |
|---|---|
| **10 59** **bite** [báɪt] | 動 ① ~をかむ、~にかみつく ② 〈蚊などが〉 ~を刺す 名 軽食、食べ物 ▶ bite-bit-bitten と活用する。 |

| | |
|---|---|
| **10 60** **option** [á:pʃən] ① opt (選ぶ) + -ion 名 | 名 選択、選択肢 (≒choice) 動 opt 選ぶ 形 optional 任意の |

| | |
|---|---|
| **10 61** **security** [sɪkjúərəti] ① se- (離れて) +cur (心配) + -ity 名 | 名 安全、防犯 ▶ security camera は「防犯カメラ」のこと。 形 secure 安全な |

| | |
|---|---|
| **10 62** **session** [séʃən] ① sess (座る) + -ion 名 | 名 ① (ある活動を行う) 時間、期間 ② (ある活動のための) 集まり、会合 ③ 学期 |

| | |
|---|---|
| **10 63** **signal** [sígnl] ① sign (印をつける) + -al 名 | 名 ① 信号 ② 合図 (≒sign) |

| | |
|---|---|
| **10 64** **fake** [féɪk] | 形 偽の、偽造の (≒counterfeit)(⇔genuine) 名 偽物 (≒counterfeit) |

| | |
|---|---|
| **10 65** **shortly** [ʃɔ́ːrtli] | 副 すぐに、間もなく (≒soon) |

| | |
|---|---|
| **10 66** **species** [spíːʃiːz] | 名 (生物の) 種 ▶ 単数形も複数形も species。 |

| | |
|---|---|
| **10 67** **water** [wá:tər] | 動 〈植物・土地〉 に水をやる |

| | |
|---|---|
| **10 68** **bother** [bá:ðər] | 動 〈人〉 を悩ます、心配させる、いらいらさせる |

| | |
|---|---|
| Carly made an **effort** to finish all her assignments early. | カーリーはすべての課題を早く終わらせようと努力した。 |
| He never uses **cash** to buy things anymore. | 彼は、物を買うのにもう現金は使わない。 |
| The dog tried to **bite** her, but she got away. | その犬は彼女にかみつこうとしたが、彼女は逃げた。 |
| Electrical engineering is an attractive career **option** for many young people. | 電気工学は多くの若者にとって魅力的なキャリアの選択肢だ。 |
| Their establishment takes **security** very seriously. | 彼らの施設はセキュリティを非常に重視している。 |
| There will be a question-and-answer **session** after the presentation. | プレゼンのあとに質疑応答の時間があります。 |
| Armies used codes to send **signals** to their allies during the war. | 軍隊は戦時中、暗号を使って同盟国に信号を送った。 |
| Analysis revealed that the person in the video was **fake**. | 分析の結果、ビデオに映っている人物は偽者であることが判明した。 |
| Your meal will be ready to be served **shortly**. | 間もなくお食事の準備が整います。 |
| New **species** are still being discovered all the time. | 新しい種は今も絶えず発見されている。 |
| Lyle forgot to **water** his plants for a few days. | ライルは植物に水をやるのを数日間忘れた。 |
| Something she mentioned about my hair has been **bothering** me. | 彼女が私の髪について言っていたことがずっと気になっている。 |

| 10 69 | **casual** [kǽʒuəl] | 形 ① 〈服装などが〉形式ばらない、カジュアルな (≒relaxed, informal)(⇔formal) ② 〈雰囲気などが〉打ち解けた 副 casually 気軽に |
|---|---|---|
| 10 70 | **long-term** [lɔ́(:)ŋtə́:rm] | 形 長期の(⇔short-term) |
| 10 71 | **pollute** [pəlú:t] | 動 ~を汚染する 名 pollution 汚染 名 pollutant 汚染物質 |
| 10 72 | **overnight** [副 òʊvərnáɪt 形 óʊvərnàɪt] | 副 一晩中、夜通し 形 夜間の、翌日配達の |
| 10 73 | **homeless** [hóʊmləs] | 形 ① 家のない、路上生活の ② [the homeless で集合的に] 家のない人、ホームレス |
| 10 74 | **aisle** [áɪl] ▲ 発音注意。 | 名 通路 |
| 10 75 | **scan** [skǽn] | 動 ① 〈人体など〉をスキャンする ② 〈リスト・新聞など〉をざっと見る ③ ~を入念に調べる 名 スキャン 名 scanner スキャナー |
| 10 76 | **fear** [fíər] | 名 恐れ、恐怖 動 ~を恐れる ► for fear of ~ (~を恐れて)という表現も覚えておこう。 形 fearful 恐れて |
| 10 77 | **poisonous** [pɔ́ɪznəs] | 形 有毒な 名 poison 毒 |
| 10 78 | **unhealthy** [ʌnhélθi] | 形 ① 体に悪い、健康を害する(⇔healthy) ② 不健全な |
| 10 79 | **pump** [pʌ́mp] | 動 ~をポンプで送り込む 名 ポンプ |
| 10 80 | **amateur** [ǽmətʃÙər] ▲ アクセント注意。 | 形 アマチュアの(⇔professional) 名 アマチュア、素人 |

| | |
|---|---|
| Employees are allowed to wear **casual** clothes at our company. | わが社では、従業員はカジュアルな服装をすることが認められている。 |
| She did a **long-term** homestay in Turkey. | 彼女はトルコで長期のホームステイをした。 |
| There are places where the water is too **polluted** to drink. | 飲めないほど水が汚染されている場所がある。 |
| The students stayed in the city **overnight**. | 学生たちはその市に一晩泊まった。 |
| The government needs a new policy to help **homeless** people. | 政府は、ホームレスの人々を助ける新しい政策を必要としている。 |
| Please move your feet out of the **aisle**. | 通路に足を出さないでください。 |
| His body was **scanned** to make sure there were no internal injuries. | 彼の体は内部損傷がないことを確認するためにスキャンされた。 |
| Evelyn has a **fear** of flying. | エヴリンは飛行機恐怖症だ。 |
| The fruit of this tree is **poisonous**. | この木の実は有毒だ。 |
| Sitting all day and looking at a computer screen is **unhealthy**. | 一日中座りっぱなしでコンピュータの画面を見ているのは体に悪い。 |
| This machine **pumps** cool air into the factory. | この機械は冷たい空気を工場にポンプで送り込む。 |
| Wayne is an **amateur** wildlife photographer. | ウェインはアマチュアの野生動物写真家だ。 |

10
80 ▶

189

| 10 81 | **unlike**<br>[ʌnláık]<br>① un-(否定)+like(似ている) | 前 ~と違って |
|---|---|---|
| 10 82 | **note**<br>[nóʊt] | 名 ① 覚え書き、メモ ② 音符、記号<br>► 日本語の「ノート」は notebook。take note of ~(~に注意を払う) という表現も覚えておこう。 |
| 10 83 | **scientific**<br>[sàɪəntífɪk] | 形 科学の<br>名 science 科学<br>名 scientist 科学者<br>副 scientifically 科学的に |
| 10 84 | **army**<br>[ɑ́ːrmi]<br>① arm(武装した)+y(もの) | 名 軍、陸軍<br>► 「海軍」は navy、「空軍」は air force と言う。 |
| 10 85 | **sail**<br>[séɪl] | 動 ① (~を) 航海する ② 出航する<br>名 帆 |
| 10 86 | **standard**<br>[stǽndərd] | 名 基準、水準<br>形 標準的な<br>動 standardize ~を規格化する |
| 10 87 | **tiny**<br>[táɪni] | 形 ごく小さい (⇔huge) |
| 10 88 | **reasonable**<br>[ríːznəbl] | 形 ① 〈値段が〉手ごろな (≒affordable)<br>② 理性的な、合理的な (⇔unreasonable)<br>副 reasonably 手ごろに |
| 10 89 | **essential**<br>[ɪsénʃəl] | 形 不可欠の、極めて重要な<br>(≒critical, indispensable, vital)<br>名 essence 本質<br>副 essentially 本質的に |
| 10 90 | **leisure**<br>[líːʒər] ⚠ 発音注意。 | 名 ① 余暇、暇 (な時間) ② 娯楽 |
| 10 91 | **strengthen**<br>[stréŋkθn] ⚠ 発音注意。<br>① strength(強さ)+-en(~にする) | 動 ~を強化する、鍛える (≒fortify)<br>名 strength 強さ<br>形 strong 強い |
| 10 92 | **stressful**<br>[strésfl]<br>① stress(ストレス)+-ful(満ちた) | 形 ストレスの多い |

| | |
|---|---|
| **Unlike** you, she actually likes playing outside. | あなたと違って、実のところ彼女は外で遊ぶのが好きだ。 |
| She left a **note** saying she would be back in five minutes. | 彼女は5分したら戻るというメモを残した。 |
| They have not given us any **scientific** evidence that their claims are true. | 彼らは、自分たちの主張が正しいという科学的根拠をまだ私たちに示していない。 |
| He served in the **army** after high school. | 彼は高校を出たあと兵役に服した。 |
| My dream is to **sail** around the world someday. | 私の夢はいつか世界中を船で旅することだ。 |
| The **standard** of living in our town is very high. | 私たちの町の生活水準はとても高い。 |
| Even a **tiny** leak can be fatal in a submarine. | 潜水艦では、ごくわずかな漏水も致命的になりうる。 |
| They sell beautiful watches for very **reasonable** prices. | 彼らは、美しい時計を非常に手ごろな価格で売っている。 |
| Regular exercise is **essential** to live a healthy life. | 健康的な生活を送るには、定期的な運動が不可欠だ。 |
| I'm attaching the latest draft. Please read it at your **leisure**. | 最新の原稿を添付します。お時間のあるときにお読みください。 |
| Stephanie **strengthened** her writing skills by practicing every day. | ステファニーは、毎日練習することによって文章を書く力を鍛えた。 |
| Traveling during rush hour is very **stressful**. | ラッシュアワー時の移動はとてもストレスになる。 |

| | | |
|---|---|---|
| 10 93 | **closely** [klóʊsli] ⚠ 発音注意。 | 副 綿密に、注意深く (≒carefully) 形 close 綿密な、注意深い |
| 10 94 | **rebuild** [rìːbíld] ① re-(再び)+build (建てる) | 動 ～を再建する、建て直す ► rebuild-rebuilt-rebuilt と活用する。 |
| 10 95 | **endangered** [ɪndéɪndʒərd] ① en-(～にする)+danger (危機) +-ed | 形 (絶滅の) 危機に瀕した 動 endanger ～を危険にさらす |
| 10 96 | **regard** [rɪɡáːrd] | 動 ～を見なす、評価する ► regard *A* as *B* で「A を B と見なす」という意味。 前 regarding ～に関して、～について |
| 10 97 | **tribe** [tráɪb] | 名 部族 形 tribal 部族の |
| 10 98 | **satellite** [sǽtəlàɪt] | 名 ① 人工衛星 ② (天体の) 衛星 |
| 10 99 | **weapon** [wépən] ⚠ 発音注意。 | 名 武器、兵器 |
| 11 00 | **fossil** [fáːsl] | 名 化石 ► 「化石燃料」 は fossil fuel と言う。 |
| 11 01 | **lifetime** [láɪftàɪm] | 名 生涯、一生 |
| 11 02 | **senior** [síːnjər] | 形 ① (役職が) 上位の (⇔junior) ② 年長の (⇔junior) 名 高齢者 |
| 11 03 | **turn** [tə́ːrn] | 動 ① ～歳になる ② 曲がる 名 順番 ► 「曲がる」以外の意味も覚えておこう。 |
| 11 04 | **upgrade** [動 ʌ̀pɡréɪd 名 ʌ́pɡrèɪd] | 動 ① (〈座席など〉 の) 等級を上げる ② ～の性能 [品質] を上げる 名 ① アップグレード、格上げ ② 性能 [品質] の向上 |

| | |
|---|---|
| Everyone listened **closely** to the teacher's instructions. | 皆、先生の指示を注意深く聞いた。 |
| Most of the city was **rebuilt** after the fire. | その都市の大半は火事のあと再建された。 |
| The mountain gorilla is listed as an **endangered** species. | マウンテンゴリラは絶滅危惧種に指定されている。 |
| This poem is typically **regarded as** his best work. | この詩は通常、彼の最高傑作と見なされている。 |
| Tens of thousands of years ago, humans lived in small **tribes**. | 数万年前、人間は小さな部族ごとに暮らしていた。 |
| Thanks to **satellites**, we can use GPS. | 衛星のおかげで、私たちは GPS を使うことができる。 |
| His **weapon** of choice is a short sword. | 彼の好む武器は短剣だ。 |
| Construction workers found a new dinosaur **fossil**. | 建設作業員たちは新しい恐竜の化石を発見した。 |
| It may take your whole **lifetime** to perfect your art. | あなたが芸術を究めるには、一生かかるかもしれませんよ。 |
| He became a **senior** manager after only a few years in the company. | 彼は入社してたった数年で上級管理職になった。 |
| My brother **turned** 15 this year. | 私の弟は今年 15 歳になった。 |
| They **upgraded** their seats to business class using their miles. | 彼らはマイルを使って座席をビジネスクラスにアップグレードした。 |

11 ►
04 ►

| | | |
|---|---|---|
| 11 05 | **urban** [ə́:rbən] ① urb (都会) + -an 形 | 形 都市の、都会の (⇔rural) |
| 11 06 | **importantly** [ɪmpɔ́:rtəntli] | 副 重要なことに<br>形 important 重要な<br>名 importance 重要性 |
| 11 07 | **tourism** [túərìzm] | 名 観光事業<br>名 tour (観光) 旅行、見学<br>名 tourist 観光客 |
| 11 08 | **differently** [dífrəntli] ① dif- 〈分離〉 + fer (運ぶ) + -ent 形 + -ly 副 | 副 違って、異なって<br>形 different 違った、異なった、別の<br>名 difference 差異、相違 |
| 11 09 | **mental** [méntl] ① ment (心) + -al 形 | 形 精神の (⇔physical)<br>副 mentally 精神的に<br>名 mentality 心理 (状態) |
| 11 10 | **invest** [ɪnvést] ① in- (中に) + vest (服を着せる) | 動 (〜を) 投資する<br>名 investment 投資<br>名 investor 投資家 |
| 11 11 | **academic** [æ̀kədémɪk] | 形 学問の、教育に関する<br>名 学者、大学教授<br>名 academy 協会、アカデミー<br>副 academically 学問的に |
| 11 12 | **secondhand** [sékəndhæ̀nd] | 形 ① 中古の (≒used) ② 中古品を扱う |
| 11 13 | **thus** [ðʌ́s] | 副 したがって (≒therefore) |
| 11 14 | **compete** [kəmpí:t] ① com- (共に) + pete (求める) | 動 競争する<br>▸ 後ろに against や with を伴うことが多い。<br>名 competition 競争、競技<br>形 competitive 競争力のある |
| 11 15 | **cooperate** [kouá:pərèɪt] ① co- (共に) + oper (働く) + -ate 動 | 動 協力する (≒collaborate, coordinate)<br>名 cooperation 協力<br>形 cooperative 協力的な |
| 11 16 | **semester** [səméstər] ⚠ アクセント注意。 | 名 (2 学期制の) 学期 |

| | |
|---|---|
| Experts believe that **urban** areas will continue to grow. | 専門家たちは、市街地は広がり続けると考えている。 |
| **Importantly**, you should be handing in your assignments on time. | 重要なのは、遅れずに課題を提出しなければならないということだ。 |
| **Tourism** is a large part of the economy. | 観光事業は経済の大きな部分を占めている。 |
| Clarissa dances **differently** from the other girls. | クラリッサはほかの少女たちとは違う踊りをする。 |
| He is getting treated for a **mental** health condition. | 彼は精神疾患の治療を受けている。 |
| **Investing** in a single company is risky. | 1 社だけに投資するのは危険だ。 |
| This university has a world-class **academic** program. | この大学には世界有数の教育プログラムがある。 |
| **Secondhand** books are typically much cheaper than new ones. | 古本はふつう、新本よりずっと安い。 |
| The fabric is thin and dries fast, and is **thus** very comfortable. | その生地は薄くてすぐ乾くので、とても着心地がいい。 |
| We cannot **compete against** such a big company. | われわれはそんな大企業を相手に競争することはできない。 |
| This plan will not work unless everyone **cooperates**. | この計画は全員が協力しなければうまくいかないだろう。 |
| Every high school in this city is on a **semester** system. | この市ではすべての高校が 2 学期制だ。 |

| | | |
|---|---|---|
| 11<br>17 | **value**<br>[vǽljuː] | 名 価値、重要性<br>動 ~を評価する<br>形 valuable 貴重な、高価な |
| 11<br>18 | **express**<br>[iksprés]<br>① ex- (外に) + press (押し出す) | 動 〈考え・気持ちなど〉を表す<br>形 急行の<br>名 expression 表現 |
| 11<br>19 | **branch**<br>[brǽntʃ] | 名 ① 支社、支店 ② 枝 |
| 11<br>20 | **concerning**<br>[kənsə́ːrnɪŋ] | 前 ~について (≒regarding, in regard to ~,<br>with regard to ~)<br>動 concern ~に関係する |
| 11<br>21 | **lessen**<br>[lésn]<br>① less (より少ない) + -en (~にする) | 動 ① ~を少なくする、減らす (≒diminish, reduce)<br>② 減少する、減る (≒decrease)<br>形 less より少ない |
| 11<br>22 | **further**<br>[fə́ːrðər] | 副 ① さらに、それ以上に ② さらに遠くに<br>形 それ以上の、さらなる<br>▶ far の比較級。②の意味ではアメリカ英語では farther のほうがふつう。 |
| 11<br>23 | **hide**<br>[háɪd] | 動 ① 隠れる ② ~を隠す (≒conceal)<br>▶ hide-hid-hidden と活用する。 |
| 11<br>24 | **exist**<br>[ɪgzíst]<br>① ex- (外に) + ist (立たせる) | 動 存在する<br>形 existing 現在の<br>名 existence 存在 |
| 11<br>25 | **crash**<br>[krǽʃ] | 動 衝突する、墜落する<br>名 衝突、墜落 |
| 11<br>26 | **childcare**<br>[tʃáɪldkèər] | 名 育児、保育 |
| 11<br>27 | **issue**<br>[íʃuː] | 名 問題<br>動 〈声明など〉を出す、発する |
| 11<br>28 | **laundry**<br>[lɔ́ːndri] | 名 ① 洗濯 (すること)；洗濯物<br>② クリーニング店 |

| | |
|---|---|
| The **value** of exposure to different cultures cannot be denied. | さまざまな文化に触れることの重要性は否定できない。 |
| It is difficult to **express** complex ideas in a foreign language. | 複雑な考えを外国語で表現するのは難しい。 |
| Several **branches** of the bank were forced to close. | その銀行のいくつかの支店は閉店せざるを得なかった。 |
| We are contacting you **concerning** your unpaid rent. | 未払い家賃の件でご連絡させていただいております。 |
| The company is trying to **lessen** its environmental impact. | その企業は環境への影響を少なくしようと努力している。 |
| Please call me if you are interested in discussing this **further**. | このことについてさらに話し合いを希望される場合はお電話ください。 |
| The girl **hid** under her bed. | 少女はベッドの下に隠れた。 |
| Some people believe that life **exists** on Mars. | 火星には生命が存在すると信じている人もいる。 |
| The car **crashed** into a big tree. | その車は大木に衝突した。 |
| Affordable **childcare** is essential in encouraging couples to have children. | 夫婦が子どもを持つことを後押しするには、手ごろな料金の保育が不可欠である。 |
| Our organization is working to solve several environmental **issues**. | 当組織は、いくつかの環境問題を解決することに取り組んでいる。 |
| He likes to do his **laundry** in the evening. | 彼は夕方洗濯をするのが好きだ。 |

11
28

| 11 29 | **specific** | 形 特定の、一定の (≒particular) |
|---|---|---|
| | [spəsífɪk] | ► be specific to ~ (~に特有だ) という表現も覚えておこう。 |
| | ① speci (見る) +-fic (~にされた) | 副 specifically 特に |

| 11 30 | **split** | 形 割れた、分裂した |
|---|---|---|
| | [splít] | ► 動詞 split の過去分詞が形容詞化したもの。 |

| 11 31 | **surf** | 動 サーフィンをする |
|---|---|---|
| | [sə́:rf] | 名 surfing サーフィン |

| 11 32 | **farther** | 副 さらに遠くに |
|---|---|---|
| | [fá:rðər] | 形 さらに遠い |
| | | ► far の比較級。 |

| 11 33 | **region** | 名 地域、地方 (≒zone) |
|---|---|---|
| | [rí:dʒən] | 形 regional 地域の |
| | ① reg (統治する) +-ion 名 | ► area よりも広い地域を言う。 |

| 11 34 | **representative** | 形 代表的な |
|---|---|---|
| | [rèprɪzéntətɪv] | 名 ① 代表するもの [人];代表者 |
| | | ② (客に対応する) 販売員、担当者 |
| | | 動 represent ~を代表する;~を表す |

| 11 35 | **thread** | 名 糸、縫い糸 |
|---|---|---|
| | [θréd] | ► ネット上の掲示板で寄せられる一連のコメントも thread (スレッド) と言う。 |

| 11 36 | **farming** | 名 農業、農場経営 |
|---|---|---|
| | [fá:rmɪŋ] | 名 farmer 農家 |
| | | 名 farm 農場 |

| 11 37 | **status** | 名 地位、身分 |
|---|---|---|
| | [stǽtəs] | |
| | ① stat (立つ) +-us (状態) | |

| 11 38 | **unpack** | 動 〈包み・荷物〉を開ける (⇔pack) |
|---|---|---|
| | [ʌnpǽk] | |

| 11 39 | **besides** | 副 そのうえ (≒additionally, moreover) |
|---|---|---|
| | [bɪsáɪdz] | 前 ~に加えて |
| | | ► 前置詞の beside (~のそばに) と混同しないように注意。 |

| 11 40 | **rob** | 動 〈人・場所〉から奪う |
|---|---|---|
| | [rá:b] | ► rob A of B で「A から B を奪う」という意味。目的語が奪われるものにならない点に注意。 |
| | | 名 robber 強盗 (犯) 名 robbery 強盗 (事件) |

| | |
|---|---|
| Only **specific** types of cameras can be purchased here. | ここでは特定の種類のカメラしか購入できない。 |
| The town is **split** in two by a wide river. | その町は広い川で2つに分かれている。 |
| Emily goes **surfing** with her father every summer. | エミリーは毎年夏になると父親とサーフィンに行く。 |
| Bring water if you plan to walk **farther** than a few miles. | 数マイルよりさらに歩く予定があるなら、水を持参しなさい。 |
| The local government is working to revitalize the **region**. | その地方自治体は地域の活性化に取り組んでいる。 |
| This sculpture is **representative** of the Renaissance. | この彫刻はルネサンス期の代表的なものだ。 |
| There is a **thread** hanging from the sleeve of your jacket. | ジャケットのそでから糸が垂れているよ。 |
| **Farming** can be a very rewarding job. | 農業はとてもやりがいのある仕事になりうる。 |
| The politician lost his **status** in the party. | その政治家は党内での地位を失った。 |
| It took her a week to **unpack** her suitcase. | スーツケースの荷解きをするのに彼女は1週間かかった。 |
| The earrings are too expensive. **Besides**, I have a similar pair at home. | そのイヤリングは高すぎる。それに、私は家に似たようなものを持っている。 |
| A strange man **robbed** me **of** my purse. | 私は、見知らぬ男に財布を奪われた。 |

| | | |
|---|---|---|
| **11 41** | **spare** [spéər] | 形 予備の、スペアの (≒extra, reserve) 動 ~を取っておく、惜しんで使わない (≒hold back) |
| **11 42** | **unexpected** [ʌnɪkspéktɪd] | 形 予期しない、思いがけない (≒unforeseen) (⇔expected) 副 unexpectedly 予期せず |
| **11 43** | **aware** [əwéər] ① a- (~に) +ware (用心して) | 形 知っている、気づいている、認識している (⇔unaware) 名 awareness 自覚 |
| **11 44** | **sunrise** [sʌ́nràɪz] | 名 日の出 (≒dawn, daybreak) ▶「日没」は sunset。 |
| **11 45** | **rural** [rúərəl] | 形 田舎の (⇔urban) |
| **11 46** | **electronic** [ɪlèktrɑ́:nɪk] | 形 電子の 名 electronics 電子工学 |
| **11 47** | **genetic** [ʤənétɪk] ① genet (生み出す) + -ic 形 | 形 遺伝の、遺伝的な 名 gene 遺伝子 副 genetically 遺伝子的に |
| **11 48** | **bubble** [bʌ́bl] | 名 泡 ▶ bubble が集まったものが foam。 |
| **11 49** | **extinct** [ɪkstíŋkt] ① ex- (外に) +stinct (印をつける) | 形 絶滅した ▶ go extinct (絶滅する) という表現も覚えておこう。 名 extinction 絶滅 |
| **11 50** | **unnecessary** [ʌnnésəsèri] | 形 不要な (⇔necessary) |
| **11 51** | **council** [káʊnsl] ① coun- (共に) +cil (呼ぶ) | 名 ① (地方自治体の) 議会 ② (相談などのための) 会議 |
| **11 52** | **frame** [fréɪm] | 名 ① 枠、額縁 ② 骨組み、枠組み |

| | |
|---|---|
| Her grandmother keeps a **spare** key hidden near the door. | 彼女の祖母はドアの近くにスペアキーを隠している。 |
| There was an **unexpected** thunderstorm this afternoon. | 今日の午後、予想外の雷雨があった。 |
| Please be **aware** that our offices will be closed on Friday, June 3rd. | 当オフィスは6月3日金曜日は休業いたしますのでご注意ください。 |
| Many people climb Mount Fuji to see the **sunrise**. | 多くの人が日の出を見るために富士山に登る。 |
| She grew up in a **rural** Canadian town. | 彼女はカナダの田舎町で育った。 |
| His parents got him an **electronic** dictionary for his birthday. | 両親は、彼の誕生日に電子辞書を買ってあげた。 |
| **Genetic** diversity is essential to the survival of many species. | 遺伝的多様性は多くの種の生存に不可欠だ。 |
| The child complained that there were **bubbles** in his milk. | その子どもは牛乳に泡が入っていると文句を言った。 |
| Dinosaurs became **extinct** 66 million years ago. | 恐竜は6600万年前に絶滅した。 |
| It is **unnecessary** to change your shoes before entering the gym. | ジムに入る前に靴を履き替える必要はない。 |
| The city **council** approved the construction of a new stadium. | 市議会は新しいスタジアムの建設を承認した。 |
| I bought my grandmother a picture **frame** for her birthday. | 私は祖母の誕生日にフォトフレームを買った。 |

11
52 ▶

| 11 53 | **particular** [pərtíkjələr] ① particul (小さい部分) + -ar 形 | 形 ① 特定の (≒specific) ② 特有の、独特の 副 particularly 特に、とりわけ |
|---|---|---|
| 11 54 | **fund** [fʌnd] | 名 基金、資金 動 ~に資金を提供する |
| 11 55 | **update** [動 ʌpdéɪt 名 ʌpdèɪt] | 動 ~を改訂する、更新する、新しいものにする 名 最新情報 形 updated 更新した、最新の |
| 11 56 | **rush** [rʌʃ] | 動 急いで行く、急いでする (≒hurry) 名 混雑時間 ▶ rush to *do* (急いで~する) という表現も覚えておこう。 |
| 11 57 | **newsletter** [n(j)úːzlètər] ⚠ 発音注意。 | 名 会報、ニュースレター |
| 11 58 | **background** [bǽkgràund] | 名 ① 経歴、素性 ② (出来事などの) 背景 |
| 11 59 | **household** [háushòuld] ① house (家) + hold (中身) | 名 世帯、家族 形 家庭用の |
| 11 60 | **boring** [bɔ́ːrɪŋ] | 形 退屈させる、つまらない 形 bored 退屈した 動 bore ~を退屈させる 名 boredom 退屈 |
| 11 61 | **organic** [ɔːrgǽnɪk] | 形 有機栽培の、無農薬の |
| 11 62 | **wheel** [wíːl] | 名 車輪 ▶ 「(車の) ハンドル」という意味もあるので一緒に覚えておこう。 |
| 11 63 | **agency** [éɪʤənsi] | 名 代理店 名 agent 代理業者、代理人 |
| 11 64 | **lay** [léɪ] | 動 ① 〈卵〉を産む ② ~を置く、横たえる ▶ lay-laid-laid と活用する。lie (横たわる) の過去形と同じつづりなので要注意。 |

| | |
|---|---|
| Many doctors focus on one **particular** area of medicine. | 多くの医師は医学のある特定の領域に特化している。 |
| He is currently raising **funds** for his presidential campaign. | 彼は現在、大統領選挙の資金集めをしている。 |
| You should **update** your passwords every couple of years. | パスワードは2、3年ごとに更新すべきだ。 |
| Harriet watched the commuters **rush** to work. | ハリエットは、通勤客が急いで仕事に向かうのを眺めていた。 |
| Will writes a **newsletter** for his followers every month. | ウィルは毎月フォロワーに向けたニュースレターを書いている。 |
| He has an excellent academic **background**. | 彼は素晴らしい学歴の持ち主だ。 |
| After moving, we spent a lot of money buying **household** items. | 引っ越しのあと、私たちは家庭用品を買うのにかなりのお金を使った。 |
| All the students complain that the math teacher is very **boring**. | その数学の先生はとても退屈だと生徒たち全員が不満を言っている。 |
| Typically, **organic** vegetables are more expensive. | 概して有機野菜のほうが高価だ。 |
| One of his truck's **wheels** came off while driving. | 彼のトラックの車輪の1つが運転中に外れた。 |
| The couple bought their flights through a travel **agency**. | その夫婦は旅行代理店を通じて航空券を買った。 |
| Salmon **lay** their eggs in late autumn. | サケは晩秋に卵を産む。 |

| 11 65 | **sudden** [sʌ́dn] | 形 突然の |
| | | 副 suddenly 突然 |

| 11 66 | **workplace** [wə́ːrkplèɪs] | 名 職場 |

| 11 67 | **ship** [ʃíp] | 動 (飛行機・船などで) ~を出荷する、発送する |
| | | 名 船 |
| | | ► shipping industry (海運業) という表現も覚えておこう。 |
| | | 名 shipment 出荷 |

| 11 68 | **lock** [lάːk] | 動 ~にかぎをかける (⇔unlock) |
| | | 名 錠 |
| | | ► key (かぎ) の意味はないので注意。 |

| 11 69 | **demonstrate** [démənstrèɪt] ① de- (完全に) +monstr (見せる) +-ate 動 | 動 ~を (明らかに) 示す |
| | | 名 demonstration 証明 |

| 11 70 | **hug** [hʌ́g] | 動 ~を抱き締める (≒embrace) |

| 11 71 | **ugly** [ʌ́gli] | 形 醜い (⇔beautiful) |

| 11 72 | **vote** [vóʊt] | 名 投票 |
| | | 動 投票する |
| | | ► vote on ~ (~について採決する)、vote for ~ (~に賛成票を投じる) という表現も覚えておこう。 |

| 11 73 | **alternative** [ɔːltə́ːrnətɪv] ① alter(n) (ほかの) +-ative 形 | 名 代わり (となるもの) |
| | | 形 別の、代わりとなる |
| | | 副 alternatively 代わりに、代替手段として |

| 11 74 | **unsure** [ʌnʃʊ́ər] | 形 確信がない、不確かな (⇔sure) |

| 11 75 | **plus** [plʌ́s] | 接 そのうえ、さらに (≒furthermore, in addition) |
| | | 前 ~に加えて |

| 11 76 | **post** [póʊst] | 動 (インターネットに) ~を載せる、投稿する |
| | | 名 投稿 |

| | |
|---|---|
| Strong winds can cause a **sudden** drop in temperature. | 強い風は突然の気温の低下を引き起こすことがある。 |
| **Workplace** safety is our number one priority. | 職場の安全はわが社の最優先事項だ。 |
| She **shipped** her things to California by boat. | 彼女は荷物を船便でカリフォルニアに送った。 |
| Don't forget to **lock** the door when you leave the house. | 家を出るときはドアにかぎをかけるのを忘れないでください。 |
| The survey **demonstrated** that most kids now own cell phones. | その調査結果は、現在ほとんどの子どもが携帯電話を持っていることを示した。 |
| Janet **hugged** him tightly. | ジャネットは彼を強く抱き締めた。 |
| Her cat may be **ugly**, but he has a great personality. | 彼女のネコは不細工かもしれないが、性格はとてもいい。 |
| Let's have a **vote** to decide this issue. | この問題を決めるために決をとろう。 |
| Meat **alternatives** could help with the climate crisis. | 代替肉は、気候危機の助けになるかもしれない。 |
| She is **unsure** about how to feel about the movie. | その映画をどう捉えるべきか彼女は確信がもてない。 |
| The event is free. **Plus**, your favorite voice actor will be there. | そのイベントは無料です。そのうえ、あなたの大好きな声優が来ますよ。 |
| He **posted** an article on his website. | 彼は自分のウェブサイトに記事を載せた。 |

| 11<br>77 | **risk**<br>[rísk] | 名 危険 (性)<br>動 ～を危険にさらす<br>形 risky 危険な |
| --- | --- | --- |
| 11<br>78 | **fiber**<br>[fáɪbər] | 名 繊維 |
| 11<br>79 | **educate**<br>[édʒəkèɪt]<br>① e- (外に) + duc (導き出す) + -ate 動 | 動 ～を教育する<br>名 education 教育<br>形 educational 教育の |
| 11<br>80 | **totally**<br>[tóʊtəli] | 副 まったく、すっかり (≒completely, entirely)<br>形 total 全部の、全体の |
| 11<br>81 | **code**<br>[kóʊd] | 名 暗号、コード |
| 11<br>82 | **defeat**<br>[dɪfíːt] | 動 ～を負かす (≒beat)<br>名 敗北 (⇔victory) |
| 11<br>83 | **ease**<br>[íːz] | 動 〈苦痛など〉を和らげる、緩和する (≒relieve)<br>名 容易さ |
| 11<br>84 | **feather**<br>[féðər] | 名 羽、羽毛 |
| 11<br>85 | **handwriting**<br>[hǽndràɪtɪŋ] | 名 手書き (の字)、筆跡 |
| 11<br>86 | **basically**<br>[béɪsɪkli]<br>① bas (低い) + -ical 形 + -ly 副 | 副 基本的に<br>形 basic 基本的な<br>名 basics 基本 |
| 11<br>87 | **stain**<br>[stéɪn] | 名 しみ、汚れ<br>動 ～にしみをつける |
| 11<br>88 | **stylish**<br>[stáɪlɪʃ] | 形 おしゃれな、いきな (≒fashionable) |

| The **risk** of having a heart attack increases with age. | 心臓発作を起こすリスクは年齢と共に高くなる。 |
| Heather only buys clothes made of natural **fibers**. | ヘザーは天然繊維でできた服しか買わない。 |
| It is a teacher's job to **educate** their students. | 生徒を教育するのが教師の仕事だ。 |
| It is **totally** impossible for us to get to the theater in time. | 私たちが時間内に映画館に着くのはまったく不可能だ。 |
| Enter the security **code** sent to your email here. | あなたのメールに送られたセキュリティコードをここに入力してください。 |
| His lacrosse team **defeated** the world champions. | 彼のラクロスチームは世界チャンピオンを破った。 |
| Holding her mother's hand helped **ease** her fears. | 母親の手を握ることによって、彼女は恐怖心を和らげることができた。 |
| This coat is full of **feathers**. | このコートには羽毛がたくさん入っている。 |
| He cannot read his boss's **handwriting** at all. | 彼は、上司の書いた字がまったく読めない。 |
| There are **basically** three ways to register for the contest. | そのコンテストに登録するには基本的に３つの方法がある。 |
| It took her a long time to scrub out the **stain** on her shirt. | シャツについたしみを落とすのに彼女は長い時間がかかった。 |
| The young man's outfit is very **stylish**. | その青年の服装はとてもおしゃれだ。 |

| 11 89 | **disabled** | 形 (身体・精神に) 障害のある |
| | [dɪséɪbld] | 名 disability (身体・精神の) 障害 |

| 11 90 | **unclear** | 形 明らかでない、あいまいな |
| | [ʌnklíər] | (≒uncertain) (⇔clear) |

| 11 91 | **room** | 名 ① 空間、スペース (≒space) ② 余地 |
| | [rúːm] | |

| 11 92 | **talented** | 形 才能のある、有能な |
| | [tǽləntɪd] | 名 talent 才能 |

| 11 93 | **loss** | 名 ① 喪失 ② 損失 |
| | [lɔ́(ː)s] | 動 lose ～を失う |

| 11 94 | **reliable** | 形 ① 〈人・ものが〉信頼できる (≒dependable) |
| | [rɪláɪəbl] | ② 〈情報が〉確かな (≒trustworthy) |
| | ① re- (後ろに) +li (結びつける) +-able (できる) | 副 reliably 確実に、信頼できる筋から |
| | | 名 reliability 信頼性　名 reliance 信頼、依存 |

| 11 95 | **truly** | 副 ① 本当に、実に (≒sincerely) |
| | [trúːli] | ② 本当の意味で |
| | | 形 true 本当の |
| | | 名 truth 真実 |

| 11 96 | **deny** | 動 ① ～を否定する、否認する (⇔admit) |
| | [dɪnáɪ] | ② 〈要求など〉を拒む |
| | ① de- (完全に) +ny (否定する) | 名 denial 否定；拒絶 |

| 11 97 | **dive** | 動 ① 潜る、潜水する ② (頭から) 飛び込む |
| | [dáɪv] | ▶ 「潜水：飛び込み」という名詞の意味もある。アメリカ英語では過去形に dove も使う。 |

| 11 98 | **indicate** | 動 ～を示す (≒show) |
| | [índəkèɪt] | ▶ indicate (that) ... で「…ということを示す」という意味。 |
| | ① in- (中に) +dicate (指し示す) | 名 indication 指示、指標 |
| | | 形 indicative 示して、暗示して |

| 11 99 | **aggressive** | 形 ① 攻撃的な ② 〈人・態度などが〉積極的な |
| | [əgrésɪv] | 副 aggressively 積極的に |
| | ① ag- (～に) +gress (進む) +-ive 形 | 名 aggression 攻撃 |

| 12 00 | **emission** | 名 排出 (量) |
| | [ɪmíʃən] | 動 emit ～を排出する |
| | ① e- (外に) +miss (送る) +-ion 名 | |

Ensuring businesses are barrier-free for **disabled** people is very important.

企業が障害者にとってバリアフリーであるようにすることはとても重要だ。

It is **unclear** when exactly the woman disappeared.

その女性が正確にいついなくなったのか不明だ。

There is not enough **room** for another person in that little car.

その小さな車にはもう1人乗るための十分なスペースはない。

The town's most **talented** singer represented them at the contest.

その町で最も才能のある歌手が代表としてコンテストに出場した。

The woman suffered from memory **loss** after her car accident.

交通事故のあと、その女性は記憶喪失になった。

His father has always been very **reliable**.

彼の父親はこれまでずっと、とても信頼できる人だった。

It is **truly** an honor to finally meet you.

ついにお会いできて本当に光栄です。

The suspect **denied** being present at the scene of the crime.

容疑者は犯行現場にいたことを否認した。

The submarine can **dive** to a depth of around 300 meters.

その潜水艦は約300メートルの深さまで潜ることができる。

Studies **indicate that** too much screen time is bad for your eyes.

研究によると、画面の見過ぎは目に悪いことが示されている。

Some wild animals are more **aggressive** than others.

野生動物の中にはほかの動物より攻撃的なものもいる。

Airplanes produce a large amount of carbon **emissions**.

飛行機は大量の炭素を排出している。

| 12 01 | **rate** [réɪt] | 名 割合、率 動 ~を評価する ▶「相場、レート」という意味もある。 |
| 12 02 | **makeup** [méɪkʌ̀p] | 名 ① 化粧 ② 構造、構成 (≒structure) ▶「化粧する」は make *oneself* up という。 |
| 12 03 | **vocabulary** [voʊkǽbjəlèri] | 名 語彙 ▶ 言語や専門分野の語全体を指すので、数えられない名詞。 |
| 12 04 | **old-fashioned** [óʊldfǽʃənd] | 形 時代遅れの、古風な (≒dated) |
| 12 05 | **possibility** [pɑ̀:səbíləti] | 名 可能性 形 possible 可能な 副 possibly もしかしたら |
| 12 06 | **nowadays** [náʊədèɪz] | 副 近ごろでは、今日 (≒these days) ▶ ふつう現在 (進行) 形の文で使う。 |
| 12 07 | **typical** [típɪkl] ▲ ty の発音に注意。 | 形 典型的な、代表的な 名 type 典型 副 typically 概して |
| 12 08 | **fluent** [flú:ənt] ① flu (流れる) + -ent 形 | 形 (外国語などが) 流ちょうな 副 fluently 流ちょうに 名 fluency 流ちょうさ |
| 12 09 | **fare** [féər] | 名 乗車料金、運賃 |
| 12 10 | **settle** [sétl] | 動 ① 定住する ② ~に決着をつける (≒fix, set) 名 settlement 入植 (地);解決 |
| 12 11 | **delighted** [dɪláɪtɪd] | 形 喜んでいる 名 動 delight 喜び、歓喜;~を喜ばせる 形 delightful 愉快な、楽しい |
| 12 12 | **refresh** [rɪfréʃ] ① re- (再び) + fresh (新しい) | 動 ~を爽快な気分にする 形 refreshing 気分をスッキリさせる (ような) 形 refreshed 気分がスッキリした |

| | |
|---|---|
| There is a high **rate** of alcoholism in this area. | この地域ではアルコール依存症の割合が高い。 |
| She did not have time to do her **makeup** before work. | 彼女は仕事前に化粧をする時間がなかった。 |
| You should memorize this travel **vocabulary** before your trip. | 旅行に行く前にこの旅行関連の語彙を覚えたほうがいいよ。 |
| My grandmother's ideas about marriage are so **old-fashioned**. | 結婚についての祖母の考え方はとても古い。 |
| There is a **possibility** that the festival will be canceled. | 祭りが中止になる可能性がある。 |
| **Nowadays**, people do not need to use paper maps. | 近ごろでは、紙の地図を使う必要がない。 |
| A **typical** employee works Monday through Friday. | 典型的な会社員は月曜日から金曜日まで働く。 |
| She is a **fluent** speaker of French and Korean. | 彼女はフランス語と韓国語を流ちょうに話す。 |
| What's the **fare** for a first-class ticket? | ファーストクラスのチケットの料金はいくらですか。 |
| His family **settled** on this land over 100 years ago. | 彼の一族は 100 年以上前にこの土地に定住した。 |
| Becky was **delighted** to see her partner again. | ベッキーはパートナーとの再会を喜んだ。 |
| Oliver **refreshed** himself with a quick swim in the pool. | オリヴァーはプールでひと泳ぎしてリフレッシュした。 |

| 12 13 **hand** [hǽnd] | 動 ~を手渡す<br>名 手 |
|---|---|
| 12 14 **bomb** [bá:m] ⚠ 語尾の b は発音しない。 | 名 爆弾<br>名 bombing 爆撃 |
| 12 15 **purely** [pjúərli] | 副 ① 純粋に ② まったく、単に<br>形 pure 純粋な |
| 12 16 **widespread** [wáɪdspréd]<br>① wide (広範囲に)+spread (広がった) | 形 広範囲にわたる、普及している |
| 12 17 **halfway** [hǽfwéɪ] | 副 ① 半分 (だけ) ② 途中で<br>形 中途半端な |
| 12 18 **salty** [sɔ́(:)lti] | 形 塩の味がする、塩辛い<br>名 salt 塩 |
| 12 19 **brightness** [bráɪtnəs] | 名 明るさ<br>形 bright 明るい<br>副 brightly 明るく |
| 12 20 **dump** [dʌ́mp] | 動 〈ごみなど〉を捨てる<br>名 ごみの山、ごみ捨て場<br>名 dumping 投げ売り、ダンピング |
| 12 21 **leftover** [léftòuvər] | 名 ① (料理などの) 残り物、食べ残し<br>② (過去の) 名残、遺物<br>形 (料理などが) 残り物の |
| 12 22 **prescription** [prɪskrípʃən]<br>① pre- (前もって)+script (書く)<br>+-ion 名 | 名 ① 処方 (箋) ② 処方薬<br>動 prescribe ~を処方する |
| 12 23 **echo** [ékou] | 動 反響する、こだまする<br>名 反響、こだま |
| 12 24 **memorize** [méməràɪz]<br>① memor (覚えている)+-ize 動 | 動 ~を暗記する (≒learn ~ by heart)<br>名 memory 記憶 (力)<br>名 memorization 暗記 |

| | |
|---|---|
| The assistant **handed** the doctor her tools. | 助手は医師に道具を手渡した。 |
| The dog detected a **bomb** in the man's suitcase. | その犬は、男のスーツケースの中の爆弾を探知した。 |
| This is **purely** a matter of preference. | これは純粋に好みの問題だ。 |
| There is **widespread** fear of kidnappings even though they are not common. | 誘拐は一般的ではないのに、広く恐れられている。 |
| Brian is only **halfway** finished with his task for the day. | ブライアンは今日の分の仕事を半分しか終えていない。 |
| She likes her noodles made with a **salty** sauce. | 彼女は塩味のソースを使った麺が好きだ。 |
| You can adjust the screen **brightness** with this button. | このボタンで画面の明るさが調節できます。 |
| Many people illegally **dump** trash by the river. | 川辺にごみを不法投棄する人がたくさんいる。 |
| He took his **leftovers** home to eat the next day. | 彼は残り物を家に持ち帰り、次の日に食べた。 |
| This medication is only available if you have a **prescription**. | この薬は処方箋がなければ手に入らない。 |
| Her footsteps **echoed** as she walked through the tunnel. | トンネルの中を歩くと、彼女の足音が反響した。 |
| Miri **memorizes** 10 new vocabulary words every day. | ミリは毎日新しい単語を10個ずつ覚えている。 |

| 12<br>25 | **altitude**<br>[ǽltət(j)ùːd]<br>① alt (高い) + -itude 名 | 名 高さ、海抜 |
|---|---|---|

| 12<br>26 | **initial**<br>[ɪníʃəl]<br>① in- (中に) + it (行く) + -ial 形 | 形 最初の (≒first) (⇔final)<br>名 頭文字<br>副 initially 初めに　名 initiative 主導権<br>動 initiate ~を始める |
|---|---|---|

| 12<br>27 | **expire**<br>[ɪkspáɪər]<br>① ex- (外に) + pire (息をする) | 動 有効期限が切れる<br>名 expiration 終了、満期 |
|---|---|---|

| 12<br>28 | **script**<br>[skrípt] | 名 ① 脚本、台本　② 文字<br>動 ~の脚本を書く |
|---|---|---|

| 12<br>29 | **depression**<br>[dɪpréʃən]<br>① de- (下に) + press (押す) + -ion 名 | 名 ① 憂うつ、うつ病　② (長期の深刻な) 不況<br>形 depressed 気落ちした；不景気な |
|---|---|---|

| 12<br>30 | **digest**<br>[daɪdʒést]<br>① di- (分離) + gest (運ぶ) | 動 ~を消化する<br>▶「要約、ダイジェスト」という名詞の使い方もある。その場合、発音は [dáɪdʒest]。<br>名 digestion 消化　形 digestive 消化の |
|---|---|---|

| 12<br>31 | **gender**<br>[dʒéndər] | 名 (社会的・文化的) 性別、ジェンダー<br>▶ sex は「(生物学的) 性別」。 |
|---|---|---|

| 12<br>32 | **procedure**<br>[prəsíːdʒər]<br>① pro- (前方に) + ced (行く) + -ure 名 | 名 ① 手続き、方法　② 治療、医療行為<br>動 proceed 進む、進行する |
|---|---|---|

| 12<br>33 | **profile**<br>[próʊfaɪl] ▲ 発音・アクセント注意。<br>① pro- (前に) + file ((糸を) 紡ぐ) | 名 (人物・業績などの) 紹介、プロフィール |
|---|---|---|

| 12<br>34 | **rewrite**<br>[rìːráɪt]<br>① re- (再び) + write (書く) | 動 ~を書き直す<br>▶ rewrite-rewrote-rewritten と活用する。 |
|---|---|---|

| 12<br>35 | **sort**<br>[sɔ́ːrt] | 名 種類 (≒kind)<br>動 ~を分類する |
|---|---|---|

| 12<br>36 | **necessity**<br>[nəsésəti] | 名 ① 必要(性)　② 必需品<br>形 necessary 必要な |
|---|---|---|

| | |
|---|---|
| There is less oxygen available at higher **altitudes**. | 標高が高くなると、体に取り込める酸素が少なくなる。 |
| **Initial** sales for this product were quite high. | この製品の当初の売上額はかなり高かった。 |
| My gym membership **expired** a few days ago. | ジムの会員証が、数日前に期限切れになった。 |
| The famous actor always follows the **script** very closely. | その有名な俳優はいつもとても厳密に台本に従う。 |
| She went to the doctor to get treated for **depression**. | 彼女はうつ病の治療を受けるために医者に行った。 |
| Some foods take longer to **digest** than others. | 食べ物によってはほかのものより消化するのに時間がかかるものがある。 |
| The product appeals to people of varying **gender** identities. | この製品は、さまざまなジェンダー・アイデンティティを持つ人々にアピールする。 |
| The **procedure** to obtain citizenship is somewhat complicated. | 市民権を取得するための手続きは少々複雑だ。 |
| You can see the **profiles** of all our staff on our website. | 当社のウェブサイトでは、スタッフ全員のプロフィールを見ることができます。 |
| Mandy had to **rewrite** about half of her novel. | マンディは小説のほぼ半分を書き直さなければならなかった。 |
| I'm not good at this **sort** of thing. | 私はこの種のことは得意ではない。 |
| He takes several medications a day out of **necessity**. | 彼は必要に迫られて一日に数種類の薬を飲んでいる。 |

12
36

### 12 37 spin
[spín]

動 (くるくる) 回転する
► spin-spun-spun と活用する。

### 12 38 partnership
[páːrtnərʃìp]

名 提携 (関係)

### 12 39 starve
[stáːrv]

動 飢える、餓死する
名 starvation 飢え、餓死

### 12 40 automobile
[ɔ́ːtəmoʊbìːl]

名 自動車 (≒car)

① auto (自ら) +mobile (動く)

### 12 41 path
[pǽθ]

名 進路、通り道

### 12 42 fertile
[fɔ́ːrtl]

形 肥沃な (≒rich, productive) (⇔infertile)
名 fertility 肥沃
名 fertilizer 肥料

### 12 43 discourage
[dɪskɔ́ːrɪʤ]

① dis- (分離) +courage (勇気)

動 ① ~を妨げる、思いとどまらせる (⇔encourage)
　 ② 〈人〉を失望させる (⇔encourage)
► discourage A from doing で「Aに~することを思いとど
まらせる」という意味。

### 12 44 nation
[néɪʃən]

名 国、国家
形 national 国家の
名 nationality 国籍

### 12 45 precious
[préʃəs]

① preci (価値) +-ous (満ちた)

形 貴重な、重要な (≒valuable)

### 12 46 smooth
[smúːð]

形 ① (物事が) 順調な
　 ② (表面が) 滑らかな (⇔rough)
副 smoothly 順調に; 滑らかに

### 12 47 board
[bɔ́ːrd]

動 (~に) 乗り込む、搭乗する
名 委員会
► on board (〈船・飛行機など〉に乗って) という表現も覚え
ておこう。

### 12 48 lift
[líft]

動 ~を持ち上げる (≒raise)
名 リフト

| | |
|---|---|
| After the car was hit, it started **spinning** in circles. | 衝突されたあと、その車はくるくるとスピンし始めた。 |
| The two companies entered a **partnership** to make a new perfume. | その2つの会社は新しい香水を作るために提携関係を結んだ。 |
| Without plants, many animals would **starve** to death. | 植物がなければ、多くの動物は餓死してしまうだろう。 |
| The **automobile** industry made public transportation less popular across the country. | 自動車産業は全国的に公共交通機関の人気を低下させた。 |
| The typhoon's **path** suddenly changed. | 台風の進路が突然変わった。 |
| Nothing will grow if the soil is not **fertile**. | 土壌が肥沃でなければ何も育たない。 |
| We tried to **discourage** her **from** getting a divorce. | 私たちは彼女に離婚を思いとどまらせようとした。 |
| It used to be one of the poorest **nations** in the world. | そこはかつて世界で最も貧しい国の一つだった。 |
| She only gets to spend a few **precious** hours with her children per day. | 彼女が子どもたちと過ごせる貴重な時間は1日に数時間しかない。 |
| Updating my license was a **smooth** and quick process. | 免許証の更新は、スムーズですぐに終わる手続きだった。 |
| Elena accidentally **boarded** the wrong bus. | エレナはうっかり違うバスに乗ってしまった。 |
| We need to **lift** the refrigerator into the truck. | 私たちは冷蔵庫を持ち上げてトラックに載せなければならない。 |

12 48

| 12<br>49 **artwork**<br>[á:rtwə̀:rk] | 名 芸術品、工芸品 |
|---|---|

| 12<br>50 **up-to-date**<br>[ʌ́ptədéɪt] | 形 最新の (⇔ out-of-date, outdated)<br>▶ 名詞を修飾しないときは up to date。 |
|---|---|

| 12<br>51 **personal**<br>[pə́:rsənəl]<br>① person (人) + -al 形 | 形 個人的な<br>副 personally 個人的に、直接 |
|---|---|

| 12<br>52 **suffer**<br>[sʌ́fər]<br>① suf- (下で) + fer (耐える) | 動 〈嫌なこと〉を経験する<br>▶ suffer from ~ の項目 (1596) も参照。 |
|---|---|

| 12<br>53 **royal**<br>[rɔ́ɪəl] | 形 王の、王室の<br>▶ loyal (忠実な) と混同しないように注意。<br>名 royalty 王族 |
|---|---|

| 12<br>54 **accommodation**<br>[əkà:mədéɪʃən]<br>① ac- (~に) + com- (共に) + mod (測<br>定する) + -ation 名 | 名 宿泊施設、宿泊設備<br>動 accommodate ~を収容できる |
|---|---|

| 12<br>55 **authority**<br>[əθɔ́:rəti]<br>① author (作り出す) + -ity 名 | 名 ① [複数形で] 官庁、当局<br>② 権威 (者)、専門家 ③ 権限<br>動 authorize ~を認可する<br>名 authorization 許可、認可 |
|---|---|

| 12<br>56 **raw**<br>[rɔ́:] | 形 加工していない、原料のままの |
|---|---|

| 12<br>57 **weigh**<br>[wéɪ] | 動 ~の重さがある<br>名 weight 重さ |
|---|---|

| 12<br>58 **false**<br>[fɔ́:ls] | 形 正しくない、誤った<br>(≒wrong) (⇔true, right, correct) |
|---|---|

| 12<br>59 **breed**<br>[brí:d] | 名 品種<br>動 ① ~を繁殖させる、飼育する<br>② 繁殖する<br>▶ breed-bred-bred と活用する。 |
|---|---|

| 12<br>60 **uncomfortable**<br>[ʌnkʌ́mftəbl]<br>① un- (否定) + comfortable (快適な) | 形 不快に感じさせる、心地よくない<br>(⇔comfortable) |
|---|---|

| You can buy **artwork** from local artists at the fair. | そのフェアでは地元のアーティストの芸術作品を買うことができます。 |
| Some dental clinics do not follow **up-to-date** methods of treatment. | 歯科医院によっては最新の治療法を取り入れていないところもある。 |
| Ryerson gave several **personal** reasons for why he could not attend the wedding. | ライアソンは、結婚式に出席できない個人的な理由をいくつか挙げた。 |
| We **suffered** a lot of hardships after my father lost his job. | 父が職を失ったあと、私たちは多くの苦難を経験した。 |
| Only people from the **royal** family can enter this building. | この建物には王室の人間しか入れない。 |
| She was lucky enough to find cheap **accommodations** in the city center. | 彼女は幸運にも市の中心部に安い宿を見つけることができた。 |
| **Authorities** are currently searching for the criminal. | 当局は現在犯人を捜索中だ。 |
| Every year, the country imports more **raw** materials. | その国の原材料の輸入は年々増えている。 |
| She **weighed** about seven pounds when she was born. | 出生時の彼女の体重は約7ポンドだった。 |
| The information in this pamphlet is **false**. | このパンフレットの情報は間違っている。 |
| This **breed** of dog is too big to live in an apartment. | この犬種はアパートで暮らすには大きすぎる。 |
| The seats were **uncomfortable**, but the service was great. | 座席の座り心地はよくなかったが、サービスは素晴らしかった。 |

12
60

　本文の語源欄には多くの接頭辞と接尾辞（＝接辞）が登場しますが、ここでは汎用性が高く、覚えておくと役に立つ接辞を取り上げます。一見知らない単語でも接辞と残りの部分に分解してみると簡単に意味が推測できる単語もあります。♀で取り上げた易しい単語を手がかりに、接辞のイメージをつかんでください。

### 接頭辞

■ **de- / di(s)-** … 「分離・除去」を表す

♀ discover（～を発見する）は dis-（分離）＋ cover（覆い）からできた語。「覆いを取る」→「発見する」となった。

| | |
|---|---|
| de**part** 出発する | **di**stant 遠い |
| **di**vide ～を分ける | **dis**courage ～を思いとどまらせる |

■ **e- / ex-** … 「外に」（⇔ in- / im- 「内に」）

♀ export（～を輸出する）は ex-（外に）＋ port（運ぶ）ということ。

| | |
|---|---|
| **e**lect〈選挙で〉～を選ぶ | **ex**pose ～をさらす |
| **ex**hibit〈作品など〉を展示する | **ex**press〈考え・気持ちなど〉を表す |

■ **pre-** … 「（時間的に）前に」

♀ predict（～を予測する）は pre-（前に）＋ dict（言う）ということ。pro- は「（空間的に）前方に」。

| | |
|---|---|
| **pre**vious 前の、以前の | **pre**pare ～を準備する、作成する |
| **pre**vent ～を防ぐ、防止する | **pre**judice 偏見、先入観 |

■ **trans-** … 「越える」

♀ translate（～を翻訳する）は trans（越えて）＋ late（運ぶ）という意味で、「ほかに移す」が原義。

| | |
|---|---|
| **trans**form ～を変える | **trans**port（～を）輸送する、運ぶ |
| **trans**fer ～を転勤［異動］させる | **trans**plant ～を移植する |

### 接尾辞

■ **-able / -ible** … 「～できる」

♀ portable（持ち運びできる）のように、-able で終わる形容詞は「～できる」という意味を表す。

| | |
|---|---|
| vis**ible** 目に見える | flex**ible** 柔軟な |
| en**able** ～できるようにする | |

■ **-ful** … 「～に満ちた」

♀ ful は full の短くなった形。colorful（色彩豊かな）は「color（色）に満ちた」という意味。

| | |
|---|---|
| use**ful** 有用な | power**ful** 力強い |
| harm**ful** 有害な | success**ful** 成功した |

# Part 2

## 熟語

熟語は、以下の優先順位を基に配列されています。

① 筆記大問1で正解になった熟語の頻度
② 筆記大問1で誤答になった熟語の頻度
③ 筆記大問1の選択肢以外（主に長文読解問題やリスニング問題）で出題された熟語の頻度

筆記大問1の選択肢として出題された熟語が長文などで登場するケースも、数多くあります。

試験まで時間がない場合は、出題確率の高いUnit 18の熟語まで目を通しましょう。

| 12 61 **do away with ~** | ① 〈規則など〉を廃止する（≒abolish）<br>② 〈不要なもの〉を捨てる（≒get rid of ~） |
|---|---|
| The school plans to **do away with** its music program. | 学校は音楽会の廃止を計画している。 |

| 12 62 **in vain** | 無駄に |
|---|---|
| He tried to fix the flat tire, but his efforts were all **in vain**. | 彼はパンクを修理しようとしたが、努力はすべて無駄に終わった。 |

| 12 63 **work out** | ① 〈物事が〉うまくいく<br>② 〈問題など〉を解決する<br>③ （ジムなどで）運動する |
|---|---|
| Their plan to buy the company did not **work out**. | その会社を買収するという彼らの計画はうまくいかなかった。 |

| 12 64 **think over** | ~をじっくり考える、熟考する（≒consider） |
|---|---|
| Please take this week to **think over** our proposal. | この1週間で、私たちの提案についてよく考えてください。 |

| 12 65 **take after ~** | 〈親など〉に似ている（≒resemble） |
|---|---|
| He **takes after** his mother in looks. | 彼は見た目は母親似だ。 |

| 12 66 **be in charge of ~** | ~を担当している、任されている |
|---|---|
| She **is in charge of** overseas sales. | 彼女は海外営業を担当している。 |

| 12 67 **cope with ~** | ~をうまく処理する、~に対処する（≒manage） |
|---|---|
| She could not **cope with** the stress of studying and working at the same time. | 彼女は、勉強と仕事を両立させるストレスに対処できなかった。 |

| **1268** insist on ~ | ~を言い張る<br>▶ 後ろに動詞がくるときは ing 形になる。 |

He **insisted on** driving the entire way. | 彼は全行程を運転すると言い張った。

| **1269** in the meantime | その間に (≒meanwhile) |

The repairs will take a week. **In the meantime**, you'll need to rent a car. | 修理には1週間かかります。その間車を借りていただかなければなりません。

| **1270** turn down | ① 〈提案・応募者など〉を断る、却下する<br>② 〈音量・火力など〉を小さくする、弱める<br>(⇔turn up) |

He **turned down** my suggestion without even listening to it. | 彼は話を聞きもせずに私の提案を却下した。

| **1271** refrain from ~ | ~を差し控える、慎む<br>▶ 後ろに動詞がくるときは ing 形になる。 |

Please **refrain from** talking during the movie. | 映画の上映中は話をするのを控えてください。

| **1272** by way of ~ | ① ~を通過して、~経由で (≒via)<br>② ~として、~代わりに<br>(≒in the way of ~) |

He traveled to Europe **by way of** Dubai. | 彼はドバイ経由でヨーロッパに行った。

| **1273** be accustomed to ~ | ~に慣れている<br>▶ 後ろに動詞がくるときは ing 形になる。 |

Tom **is accustomed to** being ignored at company meetings. | トムは会社の会議で無視されることに慣れている。

| **1274** a wide range of ~ | 広範囲の~、幅広い~ |

We tasted **a wide range of** dishes. | 私たちは幅広い料理を味見した。

| 12 75 | **end up** *doing* | 結局~することになる ► end up dead（死ぬことになる）、end up in the trash（最後はごみになる）のように ing 形が続かない使い方もある。 |
| | She **ended up** tak**ing** the job offer. | 彼女は結局その仕事のオファーを受けることになった。 |

| 12 76 | **so as to** *do* | ~するために（≒in order to *do*） |
| | Chris leaves for work early every day **so as to** avoid the crowds. | クリスは混雑を避けるため、毎日早めに出勤する。 |

| 12 77 | **break into** ~ | 〈建物〉に押し入る、侵入する |
| | Thieves **broke into** the luxury watch store this morning. | 今朝、その高級時計店に泥棒が押し入った。 |

| 12 78 | **even if** ... | たとえ…だとしても（≒no matter whether ...） |
| | You should still try your best **even if** you cannot win. | たとえ勝てなくても、やはり最善を尽くすべきだ。 |

| 12 79 | **amount to** ~ | 総計で~に達する（≒add up to ~） |
| | The bill for the repairs **amounted to** $38. | 修理代は合計で 38 ドルになった。 |

| 12 80 | **in person** | 自分で、（本人が）直接 |
| | They emailed each other for a whole year before meeting **in person**. | 彼らは直接会うまで、まる1年メールでやり取りした。 |

| 12 81 | **There is no** *doing*. | ~することはできない |
| | **There's no** know**ing** what the future will be like. | 未来がどのようになるかを知ることはできない。 |

## 12 82 no less than ~

~もの、~ほど多くの (≒as many as ~)

She drinks **no less than** three liters of water per day.

彼女は1日に3リットルも水を飲む。

## 12 83 find it ~ that ...

…するのは~だと思う

His mother **found it** strange **that** he was suddenly so cheerful.

母親は彼が突然陽気になったことを不思議に思った。

## 12 84 for nothing

① 無料で (≒for free, free of charge)
② 無益に、見返りなしに

He got a box of peaches **for nothing** from his friend.

彼は友人から無料で桃を1箱もらった。

12 88 ▶■

## 12 85 a great deal of ~

非常に多くの~ (≒a lot of ~)

They still had **a great deal of** money left after their trip.

旅行のあと、彼らにはまだ多額のお金が残っていた。

## 12 86 pick out

~を選ぶ、選び出す (≒choose, select)
► 「ピックアップ」は和製英語。

Mary finally **picked out** a dress for her date.

メアリーはようやくデートに着ていくワンピースを選んだ。

## 12 87 as if ...

まるで…かのように (≒as though ...)

He talked **as if** he had been to Africa before.

彼はまるでアフリカに行ったことがあるかのように話した。

## 12 88 do harm

危害を加える、害になる
► harm に a lot of などの修飾語がつくこともある。

Overall, the medicine **did** more **harm** than good.

全体的に見て、その薬は役に立つよりもむしろ害になった。

| **come to an end** | 終わる（≒finish） |
| --- | --- |
| She was sad when her trip finally **came to an end**. | 彼女はついに旅行が終わってしまい悲しかった。 |

| **no more than ~** | わずか～、～しか（≒only） |
| --- | --- |
| I try to eat **no more than** 2,000 kilocalories each day. | 私は1日に2,000キロカロリーしか食べないようにしている。 |

| **drop off** | （乗り物から）～を降ろす |
| --- | --- |
| Jane's mother **drops** her **off** at school every morning before work. | 母親は毎朝出勤前にジェーンを学校に車で送っていく。 |

| **stare at ~** | ～を見つめる |
| --- | --- |
| His mother told him not to **stare at** people. | 母親は彼に人をじろじろ見ないように言った。 |

| **be in demand** | 需要がある、必要とされている |
| --- | --- |
| The game consoles **are in** high **demand** because everyone is stuck at home. | 誰もが家に閉じこもっているので、ゲーム機はとても需要がある。 |

| **It's time …** | …するべき時間だ<br>▶ …に入る動詞は過去形になる。 |
| --- | --- |
| **It's time** you started thinking about your future. | そろそろ将来のことを考え始める時期だ。 |

| **look up to ~** | ～を尊敬する<br>（≒respect）（⇔look down on ~） |
| --- | --- |
| She **looks up to** the author for all that he has accomplished. | 彼女は、成し遂げたことすべてに対してその著者を尊敬している。 |

## 1296 for the benefit of ~

~のために
► for A's benefit の形でも使われる。

Hank wears a mask in public **for the benefit of** other people.

ハンクは人前ではほかの人のためにマスクをつけている。

## 1297 hand down

(子ども・後世の人に) ~を伝える、残す
(≒ pass down)

This ring has been **handed down** in our family for generations.

この指輪は私たちの家族に代々受け継がれてきたものだ。

## 1298 charge A with B

① B で A を告発する (≒ accuse A of B)
② A に B を担当させる

Lori was **charged with** fraud for lying to her insurance provider.

ローリは保険業者にうそをついたとして詐欺で告発された。

13
02 ►

## 1299 in terms of ~

~の観点から

Tokyo is sometimes considered the largest city in the world **in terms of** population.

東京は、人口の点では世界最大の都市と見なされることがある。

## 1300 come to do

~するようになる
►「~するのをやめる」は stop doing と言う。

He hated the city at first, but he **came to** like it after a few months.

彼は最初、その街が嫌いだったが、数か月するとそこが好きになった。

## 1301 be independent of ~

~から独立している、無関係でいる
圖 independently 独立して

She is looking forward to **being independent of** her parents.

彼女は両親から独立するのを楽しみにしている。

## 1302 take it for granted that …

…ということを当然のことと考える
► take A for granted (A を当然のことと考える) の形も使われる。

Many people **take it for granted that** they have easy access to clean drinking water.

多くの人は、清潔な飲料水を簡単に手に入れられることを当然だと思っている。

| 13 03 | **Little did *A* know that ...** | A は…とは思いもよらなかった<br>► little が文頭に置かれ、強調されている。did *A* know は倒置形。 |
|---|---|---|
| | **Little did** they **know that** train service for the day was canceled. | 彼らは、その日の列車が運休になるとは思いもよらなかった。 |

| 13 04 | **urge *A* to *do*** | A を~するように説得する |
|---|---|---|
| | The article **urged** readers **to** stop eating meat. | その記事は読者に肉を食べるのをやめるよう説いていた。 |

| 13 05 | **rely on ~** | ~に頼る、~を当てにする (≒depend on ~)<br>► rely on *A* for *B* で「B を求めて A を頼る」という意味。 |
|---|---|---|
| | She **relies on** her friends **for** emotional support when she is feeling down. | 気分が落ち込んでいるとき、彼女は友人を精神的な支えとして頼りにしている。 |

| 13 06 | **take over** | ① (~を) 引き継ぐ<br>② ~を占領する、乗っ取る |
|---|---|---|
| | He plans on **taking over** the family construction business when his mother retires. | 彼は母親が引退したら家業の建設業を継ぐつもりだ。 |

| 13 07 | **in advance** | 前もって、事前に (≒ahead of time) |
|---|---|---|
| | Please prepare the materials **in advance**. | 事前に資料を用意してください。 |

| 13 08 | **be capable of ~** | ~ができる (⇔be incapable of ~)<br>► 〈名詞＋capable of *do*ing〉(~できる…) と後ろから名詞を修飾する形も出題されている。 |
|---|---|---|
| | The translator **is capable of** translating three books per year. | その翻訳家は年に 3 冊の本を翻訳することができる。 |

| 13 09 | **refer to ~** | ① ~に言及する、触れる (≒mention)<br>② ~を参照する |
|---|---|---|
| | He **referred to** his time in college during his speech. | 彼はスピーチの中で大学時代のことに触れた。 |

## 13 10 use up

~を使い果たす

He **used up** all his savings traveling around Europe.

彼はヨーロッパを旅行して回って貯金を全部使い果たした。

## 13 11 bring out

① 〈本・商品など〉を新しく出す
② ~を持ち出す、取り出す

Their company is **bringing out** a new fashion line this summer.

彼らの会社はこの夏、新しいファッションシリーズを出す予定だ。

## 13 12 by means of ~

~によって、~を使って
► means は「手段」を意味する名詞。

He got the job **by means of** his connections.

彼はコネを使ってその仕事に就いた。

## 13 13 call off

〈計画など〉を中止する、とりやめる
(≒cancel)

The fireworks were **called off** because of the incoming typhoon.

台風が接近しているため、花火は中止になった。

## 13 14 by no means

決して…でない

Their argument is **by no means** over just because they have stopped yelling.

どなるのをやめたからといって、彼らの言い争いは決して終わったわけではない。

## 13 15 for fear of ~

~を恐れて

She does not dare complain about overtime **for fear of** losing her job.

職を失うことを恐れて、彼女は残業について文句を言おうとしない。

## 13 16 to some extent

ある程度

It is possible to imagine how other people feel **to some extent**.

他人の気持ちをある程度想像することはできる。

| 13 17 **go by** | 〈時が〉過ぎる;〈ものが〉通り過ぎる (≒ pass) |
| | ► as time goes by (時がたつにつれ) という表現も覚えておこう。 |
| The years seem to **go by** faster as you get older. | 年を取るにつれて、年月が経つのが速く感じられる。 |

| 13 18 **account for ~** | ① ~の所在 [安否] を確認する |
| | ② ~ (の割合) を占める (≒ make up) |
| | ③ ~ (の理由) を説明する |
| Over $1 million is still not **accounted for**. | いまだに 100 万ドル以上の所在が明らかになっていない。 |

| 13 19 **at heart** | (うわべと異なり) 本当のところは |
| Although she is a strict teacher, she is a kind person **at heart**. | 彼女は厳しい先生だが、根は優しい人だ。 |

| 13 20 **keep off ~** | ① 〈食べ物など〉 に手を出さない |
| | ② 〈話題など〉 を避ける (≒ avoid) |
| | ► keep off (~を近づけない) という使い方もある。 |
| The doctor told me to **keep off** salty foods. | 医師は私に塩分の多い食べ物を控えるように言った。 |

| 13 21 **even though …** | ① …だけれども |
| | ② たとえ…だとしても (≒ even if …) |
| **Even though** we do not have much money, we are still very happy. | お金はあまりないけれども、それでも私たちはとても幸せだ。 |

| 13 22 **get along** | ① 仲よくやっていく |
| | ② (仕事などで) 順調に進む、うまくいく |
| | ► get along with ~ で「~と仲よくやっていく」。 |
| He does not **get along with** his sister. | 彼は妹とうまくいっていない。 |

| 13 23 **pay attention** | 注意を払う、集中する |
| | ► pay attention to ~ (~に注意を払う) という表現も覚えておこう。 |
| Peter has never been able to **pay attention** in history class. | ピーターは歴史の授業で集中できたことがない。 |

## 13 24 up to ~

① (最大 [最高] で) ~まで  ② ~次第で
► It's up to you. (それはあなた次第だ) という
表現も覚えておこう。

Blue whales can be **up to** 30 meters long.

シロナガスクジラは体長 30m にまでなることも
ある。

## 13 25 tend to *do*

~しがちである

People **tend to** think that old people are usually wise.

老人は普通賢明だと考えられがちだ。

## 13 26 stick to ~

① ~にこだわる、固執する、~を続ける
② ~にくっつく

She **stuck to** her studies and got good grades.

彼女は勉強を続けて、好成績をとった。

## 13 27 try out

(正しく機能するか)〈方法・装置など〉をテストする
る

She **tried out** several different phone models before picking this one.

彼女はこの携帯の機種を選ぶ前に、別の機種を
いくつか試してみた。

## 13 28 make up for ~

~の埋め合わせをする、
~をつぐなう (≒ compensate for ~)

I bought her some flowers to **make up for** breaking my promise.

約束を破った埋め合わせをするため、私は彼女
に花を買った。

## 13 29 make a difference

影響する、違いを生む

Regular exercise can really **make a difference** in your overall health.

定期的な運動は、心身全体の健康に実際に変化
をもたらしうる。

## 13 30 by far

はるかに、断然
► 比較級や最上級を強める。

This is **by far** the best album they have ever released.

これは、彼らがこれまでリリースした中で間違い
なく最高のアルバムだ。

筆記大問1で一回正解になったか複数回誤答になった熟語

| | |
|---|---|
| **13 31** □□□ **at present** | 現在は (≒now) |
| **At present**, there are still 15 people missing due to the landslides. | 現在、土砂崩れによる行方不明者がまだ15人いる。 |
| **13 32** □□□ **on the contrary** | それどころか、むしろ |
| The movie was not boring. **On the contrary**, it was quite entertaining. | その映画は退屈ではなかった。それどころかとても面白かった。 |
| **13 33** □□□ **for sure** | 確かに、確実に (≒for certain) |
| Experts do not know **for sure** if this was an accident or not. | これが事故だったのかどうか専門家にも確かなことはわかっていない。 |
| **13 34** □□□ **count on ~** | ~を当てにする |
| You should not **count on** having his support in the next election. | 次の選挙で彼の支持を得ることを当てにしてはいけない。 |
| **13 35** □□□ **give off ~** | 〈におい・気体・熱など〉を発する、出す |
| Even a small fire can **give off** enough heat to keep you warm. | 小さなたき火でも、体を温めるのに十分な熱を発することができる。 |
| **13 36** □□□ **carry on** | (~を) 続行する (≒continue)<br>▶ 後ろに動詞がくるときは ing 形になる。 |
| We will need more funding to **carry on** our research. | 調査を続けるにはもう少し資金が必要だ。 |
| **13 37** □□□ **from time to time** | たまに、時々 (≒occasionally, once in a while, on occasion) |
| You should call your grandparents to chat **from time to time**. | たまにはおじいさんとおばあさんに電話しておしゃべりするといいですよ。 |

| **1338** **stand out** | 目立つ、際立つ |
|---|---|
| At over 180 centimeters tall, he **stands out** among his classmates. | 身長180センチを超える彼は、同級生の中で際立っている。 |

| **1339** **live on ~** | ① 〈一定の金額〉で暮らしを立てる<br>② ~を常食とする |
|---|---|
| I do not have enough money to **live on**. | 私は生活していくのに十分なお金がない。 |

| **1340** **shut off** | 〈電気・ガス・水道など〉を止める、〈機械など〉を止める |
|---|---|
| Their power was **shut off** because they forgot to pay the bill. | 請求書の支払いを忘れたので、彼らは電気を止められた。 |

| **1341** **find out** | ~を知る、調べる |
|---|---|
| How do I **find out** if I've won the prize? | 私が受賞したか、どうすればわかりますか。 |

| **1342** **be particular about ~** | ~についてこだわりがある、うるさい |
|---|---|
| She **is** very **particular about** the texture of certain foods. | 彼女は、特定の食べ物の食感に非常にうるさい。 |

| **1343** **at *one's* best** | 最高の状態で、最盛期で<br>► at best（せいぜい、うまくいっても）という表現も覚えておこう。 |
|---|---|
| Gail has not been **at her best** since her knee surgery. | ゲイルは膝の手術以来ずっと、ベストな状態ではない。 |

| **1344** **be ashamed of ~** | ~を恥じている |
|---|---|
| There is no reason to **be ashamed of** your language ability. | 自分の語学力を恥じることはない。 |

233

| 13 45 | **on the go** | 忙しく動き回って |
|---|---|---|
| | Sam never sees his family because he is always **on the go**. | サムはいつも忙しくしているので、全然家族と顔を合わせることがない。 |

| 13 46 | **out of date** | ① 時代遅れの、旧式の (≒outdated) (⇔up to date) ② 期限切れの、失効した ▶ 名詞を修飾するときは out-of-date の形。 |
|---|---|---|
| | The company's file management system is very **out of date**. | 会社のファイル管理システムは非常に旧式だ。 |

| 13 47 | **by degrees** | 徐々に、少しずつ (≒gradually) |
|---|---|---|
| | Her piano skills have been improving **by degrees**. | 彼女のピアノの腕前は少しずつ上達している。 |

| 13 48 | **on the spot** | ① 即座に (≒immediately) ② (何かが起こった) 現場で |
|---|---|---|
| | They hired her **on the spot** when they saw her app design. | 彼らは、彼女のアプリのデザインを見て即座に彼女を採用した。 |

| 13 49 | **behind *A's* back** | A のいないところで、A に無断で |
|---|---|---|
| | He has been applying for new jobs **behind** his company's **back**. | 彼は会社に隠れて新しい仕事に応募している。 |

| 13 50 | **on account of ~** | ~のために、~が原因で (≒because of ~) |
|---|---|---|
| | Arthur is running late **on account of** the poor weather. | アーサーは悪天候のため遅れている。 |

| 13 51 | **by heart** | 暗記して、そらで |
|---|---|---|
| | Gunther has never been good at memorizing information **by heart**. | ガンサーはずっと情報をそらで覚えるのが苦手だ。 |

| 13 52 | **be obliged to** *do* | ~するよう義務づけられている、<br>~する必要がある |
|---|---|---|
| | You **are** not **obliged to** do anything for him just because he was nice to you. | 彼が親切にしてくれたからといって、何かしてあげなければならないわけではない。 |

| 13 53 | **make sure of** ~ | ~を確かめる、確認する |
|---|---|---|
| | Please **make sure of** the time of your recital tomorrow before going to bed. | 寝る前に、明日のリサイタルの時間を確認してください。 |

| 13 54 | **head for** ~ | ~に向かう<br>► be headed for ~ とも言う。 |
|---|---|---|
| | Excuse me, is this train **heading for** London? | すみません、この列車はロンドン行きですか。 |

13
58 ►

| 13 55 | **put up with** ~ | 〈不快な状況など〉に耐える、~を我慢する<br>(≒bear) |
|---|---|---|
| | I could never **put up with** such a rude boss. | 私ならそんな失礼な上司には我慢できない。 |

| 13 56 | **back and forth** | 行ったり来たり、往復して<br>► back は「後ろに」、forth は「前に」という意味の語。 |
|---|---|---|
| | He travels **back and forth** between Osaka and Tokyo for his work. | 彼は仕事で大阪と東京の間を行ったり来たりしている。 |

| 13 57 | **by nature** | 生まれつき、生来 |
|---|---|---|
| | She tries to be outgoing, but she is actually quite shy **by nature**. | 彼女は社交的になろうとしているが、実のところ生まれつきとても内気だ。 |

| 13 58 | **if only** ... | ただ…でさえあれば |
|---|---|---|
| | **If only** I'd studied more, I might have passed the test. | もう少し勉強してさえいたら、試験に合格したかもしれないのに。 |

## 13 59 run away (from ~ )

① (〈問題・困難〉から) 逃げる
② (〈場所〉から) 逃げる

**Running away from** your problems is not a real solution.

問題から逃げることは真の解決にはならない。

## 13 60 at all costs

ぜひとも (≒at any cost)
► 直訳すれば 「どんな犠牲を払ってでも」 という意味。

She was determined to go to Paris **at all costs**.

彼女は何があってもパリに行くと決めていた。

## 13 61 run over

~を (車で) ひく

My dog almost got **run over** by a car this morning.

うちの犬はけさ、危うく車にひかれそうになった。

## 13 62 of no use

役に立たない (≒useless)

▲ use は [ju:s] と発音する。

This information is **of no use** to us.

この情報は私たちには役に立たない。

## 13 63 for the time being

さしあたり、当面

I will need a new PC eventually, but this one is fine **for the time being**.

いずれは新しいパソコンが必要だが、さしあたってはこれで構わない。

## 13 64 for good

永遠に、ずっと (≒forever)
► for good and all とも言う。

I bought a house because I'm planning to stay in this town **for good**.

私はずっとこの町にいるつもりなので、家を買った。

## 13 65 at a distance

少し離れて、距離を置いて

The pyramid looked small **at a distance**, but it was actually quite large.

そのピラミッドは遠くから見ると小さかったが、実際にはかなり大きかった。

## 13 66 on the move

発展中で、活発で

Business was slow at first, but we are **on the move**.

われわれの事業は初めのうちは低調だったが、今は伸びている。

## 13 67 lay off

(不況などで)〈人〉を解雇する
► layoff (解雇) という語も覚えておこう。

The company decided to **lay off** more than half of its workforce.

その会社は従業員の半分以上を解雇することにした。

## 13 68 at times

時折、たまに (≒sometimes)

13 72 ►

I love this job, but **at times** I wish the hours were shorter.

私はこの仕事が好きだが、時々もう少し勤務時間が短ければいいなと思う。

## 13 69 bound for ~

~行きの

We got on a train **bound for** Kamakura.

私たちは鎌倉行きの電車に乗った。

## 13 70 at large

〈犯人・動物などが〉逃亡中で

The bank robbers are still **at large**.

銀行強盗たちはまだ逃走中だ。

## 13 71 keep *one's* word

約束を守る ► be as good as *one's* word (約束を守る)、man of *one's* word (約束を守る人) という表現も出題されている。

She was disappointed that he did not **keep** his **word**.

彼女は、彼が約束を守らなかったことにがっかりした。

## 13 72 as for ~

~は (どうか) と言うと、~に関しては

**As for** him, he will probably spend the rest of his life in prison.

彼に関して言えば、おそらく残りの人生を刑務所で過ごすことになるだろう。

| 13 73 | **hang on** | ① ちょっと待つ<br>② 電話を切らないでおく<br>③ [hang on ~ で] ~次第である |
|---|---|---|
| | Just **hang on** for a few more minutes. | あと数分待ってください。 |

| 13 74 | **have trouble** *do*ing | ~するのに苦労する<br>► have trouble with ~ (~で苦労する) という<br>　表現も覚えておこう。 |
|---|---|---|
| | Nancy is **having trouble** concentrat**ing** on reading lately. | ナンシーは最近、読書に集中できなくて困っている。 |

| 13 75 | **in particular** | 特に |
|---|---|---|
| | She bought a new car for no reason **in particular**. | 彼女は特に理由もなく新しい車を買った。 |

| 13 76 | **point out** | ① ~を指摘する　② ~を指し示す |
|---|---|---|
| | She **pointed out** several errors in the data to her boss. | 彼女は上司にデータの誤りをいくつか指摘した。 |

| 13 77 | *A* **rather than** *B* | B よりも (むしろ)A |
|---|---|---|
| | I would prefer to go to Madrid **rather than** Barcelona. | 私はバルセロナよりもマドリードに行きたい。 |

| 13 78 | **what is more** | さらに、そのうえ<br>(≒moreover, in addition) |
|---|---|---|
| | The movie theater is expensive. **What is more**, it is far from our house. | 映画館はお金がかかる。しかも、私たちの家から遠い。 |

| 13 79 | **in turn** | ① 次には、今度は<br>② その結果 (≒as a result)<br>③ 順番に |
|---|---|---|
| | Aaron's father taught him to hunt, and **in turn**, he will teach his son. | アーロンの父親が彼に狩猟を教え、今度は彼が息子に教えるだろう。 |

## 1380 provided (that) …

…するなら、…という条件で

You can go to the party, **provided that** you finish your homework.

宿題が終わるのなら、パーティーに行ってもいいですよ。

## 1381 stay up

起きている、寝ないでいる
► しばしば late や all night などを伴う。

In high school, she used to **stay up all night** playing video games.

高校時代、彼女はよく徹夜してテレビゲームをしていた。

## 1382 put together

① 〈考えなど〉をまとめる
② ～を組み立てる

The students **put together** a plan for a fundraiser for the tsunami victims.

生徒たちは、津波被害者のための募金活動計画をまとめた。

## 1383 in other words

言い換えれば

I have work on Tuesday. **In other words**, I can't go.

火曜日は仕事なんだ。つまり、行けないんだよ。

## 1384 as far as …

…する範囲では、…する限りでは
► as far as I'm concerned (私に関して言えば) という表現も出題されている。

**As far as** I know, they arrived in San Diego last night.

私が知る限り、彼らは昨夜サンディエゴに到着した。

## 1385 run into ~

~に (偶然) 出会う (≒come across ~)

I **ran into** an old friend while traveling through Germany.

ドイツを旅行していて偶然古い友人に出会った。

## 1386 name A after B

B にちなんで A を名づける
► name A B after C で「C にちなんで A を B と名づける」という意味。

They **named** their daughter Scarlett **after** a character in a novel.

彼らは娘を小説の登場人物にちなんでスカーレットと名づけた。

| 13 87 | **die out** | 絶滅する、消滅する |
|---|---|---|
| | It is estimated that over 20 languages **die out** every year. | 毎年 20 を超える言語が消滅していると推定されている。 |

| 13 88 | **in spite of ~** | ~にもかかわらず（≒despite） |
|---|---|---|
| | The soccer game continued **in spite of** the rain. | 雨にもかかわらず、サッカーの試合は続行された。 |

| 13 89 | **manage to *do*** | 何とか~する |
|---|---|---|
| | It took five years, but I finally **managed to** graduate from the university. | 5 年かかったが、ついに私は何とかその大学を卒業した。 |

| 13 90 | **make use of ~** <br> ⚠ use は [ju:s] と発音する。 | ~を利用する |
|---|---|---|
| | The Inuit traditionally **make use of** all parts of the animals they hunt. | イヌイットは伝統的に、狩った動物のすべての部位を利用する。 |

| 13 91 | **play a role in ~** | ~で役割を果たす |
|---|---|---|
| | His parents' political position **played a role in** his ability to get into that school. | 彼があの学校に入学できたのは、両親の政治的な立場が関与している。 |

| 13 92 | **if *A* were to *do*** | A が仮に~するとしたら |
|---|---|---|
| | If you **were to** move to Brazil, what would you do for work there? | 仮にブラジルに引っ越すとしたら、向こうではどんな仕事をしますか。 |

| 13 93 | **There is no point in *do*ing.** | ~しても意味がない、無駄だ |
|---|---|---|
| | What's done is done. **There's no point in** worrying about it now. | もう済んだことだ。今さら思い悩んでも無駄だよ。 |

## 13 94 nothing but ~

~だけ、~に過ぎない

We've had **nothing but** problems since we arrived here.

私たちはここに到着してから困ったことばかりだ。

## 13 95 get through ~

① 〈困難な仕事など〉を終える、やり遂げる
② 〈困難な時期・状態〉を乗り切る
▶ 文字どおり「~を通り抜ける」という意味もある。

It took her four hours to **get through** the data.

彼女がデータを処理し終えるのに4時間かかった。

## 13 96 as a whole

全体として

**As a whole**, the movie was quite good, but a bit confusing.

全体としてその映画はかなりよかったが、少しわかりにくかった。

## 13 97 come close to ~

① もう少しで~しそうになる
② ~に近づく
▶ ~に動詞が入るときは ing 形になる。

▲ close は [klous] と発音する。

Austin **came close to** winning the local speech contest.

オースティンは地元のスピーチコンテストで優勝まであと一歩だった。

## 13 98 make sense

① 〈説明などが〉意味が明瞭である、わかりやすい
② 道理にかなう、つじつまが合う

Nothing about your explanation **makes sense to** me.

あなたの説明は、私にはまったく意味がわかりません。

## 13 99 show up

現れる、来る (≒appear)

She **showed up** for the book signing before anyone else.

彼女は誰よりも早く本のサイン会に現れた。

## 14 00 at a time

① 一度に (≒at once)
② 一気に、ぶっ通しで ▶ one at a time (1人ずつ、1つずつ) という表現も覚えておこう。

The entertainer can play several instruments **at a time**.

そのエンターテイナーは一度に複数の楽器を演奏できる。

## 14 01 look out for ~

~に気をつける、注意する
(≒watch out for ~)

Look out for snakes when walking in the meadow.

草むらを歩くときはヘビに気をつけなさい。

## 14 02 go out of business

倒産する、廃業する
▶ going-out-of-business sale（閉店セール）という表現も覚えておこう。

Sales are simply too low; we are going out of business.

売上が悪過ぎる。倒産しそうだ。

## 14 03 remind A of B

A に B を思い出させる

Mike's eyes remind me of his mother.

マイクの目を見ると彼の母親を思い出す。

## 14 04 go through ~

〈苦難など〉を経る、経験する
(≒experience)
▶ 文字どおり「~を通り抜ける」という意味もある。

All of our pilots go through years of training.

わが社のパイロット全員が何年ものトレーニングを受ける。

## 14 05 decide on ~

（選択肢から）~に決定する、~を選ぶ

It was easy for Vicky to decide on which university to attend.

ヴィッキーにとって、進学する大学を決めるのは簡単だった。

## 14 06 on a ~ basis

~ベースで、~方式で

He volunteers at the animal shelter on a weekly basis.

彼は週1回ベースで動物保護施設でボランティアをしている。

## 14 07 happen to do

たまたま~する

Do you happen to know where I can buy cheap cheese?

もしかして安いチーズがどこで買えるかご存じですか。

## 14 08 no matter what …

何が [何を]…しようとも (≒whatever)

Everyone seems to believe him **no matter what** he says.

彼が何を言おうが、皆彼のことを信じているようだ。

## 14 09 go wrong with ~

~に不具合が生じる、異常が発生する

Something always **goes wrong with** his car when he needs it the most.

一番必要な時に限って、彼の車はいつも調子が悪くなる。

## 14 10 no less ~ than A

Aに劣らず~だ

Her mother's cooking is **no less** delicious **than** food from a restaurant.

彼女の母親の料理は、レストランの食事に劣らずおいしい。

## 14 11 come by ~

① (偶然・運よく) ~を手に入れる (≒obtain)
② ~に立ち寄る

Signed copies of that comic are hard to **come by**, so they are very expensive.

あの漫画のサイン本は手に入りにくいので、とても高価だ。

## 14 12 look into ~

~について調べる、調査する (≒examine, investigate)

OK, I'll **look into** this problem right away.

わかりました。すぐにこの問題について調べましょう。

## 14 13 what is worse

さらに悪いことに
▶ 過去の文では what was worse となる。

She is late for work, and **what is worse**, she forgot her lunch too.

彼女は仕事に遅刻し、さらに悪いことに弁当も忘れた。

## 14 14 put A into practice

Aを実行する、実践する

It's time to **put** everything you learned at school **into practice**.

学校で学んだすべてを実践する時が来た。

| | |
|---|---|
| **bring up** | ① 〈子ども・ペットなど〉を**育てる**（≒raise）<br>② 〈話題など〉を**持ち出す、提起する** |
| Carol was **brought up** in a rural farming village. | キャロルは田舎の農村で育った。 |

| | |
|---|---|
| **get bored with ~** | ~に**飽きる**<br>► become bored with ~ でも同じ意味。 |
| The girl quickly **got bored with** the toy. | 少女はすぐにそのおもちゃに飽きてしまった。 |

| | |
|---|---|
| **put an end to ~** | ~を**終わらせる** |
| We need to **put an end to** fighting among team members. | 私たちはチームメンバー間のけんかを終わらせなければならない。 |

| | |
|---|---|
| **show off** | ~を**見せびらかす、誇示する** |
| The little girl wanted to **show off** her doll collection. | その小さな女の子は人形のコレクションを見せびらかしたかった。 |

| | |
|---|---|
| **get over ~** | ~を**乗り越える、~から立ち直る**<br>（≒overcome） |
| She still has not **gotten over** the loss of her husband. | 彼女は夫を亡くしたことからまだ立ち直れずにいる。 |

| | |
|---|---|
| **ahead of schedule** | **予定より早く** ► on schedule（予定通りに）、behind schedule（予定より遅れて）という表現も出題されている。 |
| He finished the report two weeks **ahead of schedule**. | 彼は予定より2週間早くレポートを仕上げた。 |

| | |
|---|---|
| **enable *A* to *do*** | A が~することを**可能にする** |
| This system **enables** us to communicate more effectively. | このシステムは私たちがより効率的に意思疎通することを可能にしている。 |

## 14 22 set aside

① (ある目的のために) ~をとっておく、
蓄えておく (≒ save)
② (ほかのことをするために) ~を脇に置く

She **sets aside** money every month in case of emergencies.

彼女は緊急時に備えて毎月お金を蓄えている。

## 14 23 at the mercy of ~

~のなすがままで、~に左右されて
► at *A's* mercy の形でも使われる。

The campers were **at the mercy of** the bad weather.

キャンパーたちは悪天候に翻弄された。

## 14 24 cannot help *doing*

~せざるを得ない、~せずにはいられない
► cannot help but *do* とも言う。I can't help it. で「(ほかに) どうしようもない」という意味。

He **could not help** eating the whole cake.

彼はケーキを丸ごと食べずにはいられなかった。

## 14 25 go on the air

〈番組などが〉放送される

The TV show first **went on the air** in 1997.

そのテレビ番組は 1997 年に初めて放送された。

## 14 26 make a fool of ~

(ほかの人がいる前で) ~をばかにする、
笑いものにする

It is not wise to **make a fool of** your boss in front of other people.

ほかの人々の前で上司をばかにするのは賢明ではない。

## 14 27 but for ~

~がなければ (≒ without)

**But for** her cousin's help, she would not have graduated from high school.

彼女はいとこの助けがなければ高校を卒業できなかっただろう。

## 14 28 follow through with ~

〈計画など〉を実行する、
〈始めたこと〉を最後までやり抜く

They **followed through with** their plan to go diving despite the poor weather.

悪天候にもかかわらず、彼らはダイビングに行く計画を実行した。

| 14 29 | **tear off** | ~を破り取る、引きちぎる |
|---|---|---|

He **tore off** the corner of the paper to write a note on it.

彼は紙の隅をちぎってメモを書いた。

| 14 30 | **be to blame for ~** | ~に対する責任がある、~の原因である |
|---|---|---|

The restaurant claims rising food prices **are to blame for** the decreased portion sizes.

そのレストランは、食品価格の高騰が分量の減少の原因だと主張している。

| 14 31 | **persist in ~** | ~に固執する、~を続ける |
|---|---|---|
| | | ► ~に動詞が入る場合は ing 形になる。|

If you **persist in** miss**ing** class, you are not going to be able to graduate.

授業を欠席し続けると、卒業できなくなりますよ。

| 14 32 | **all the more** | いっそう、なおさら |
|---|---|---|

She has been studying **all the more** since her parents promised to buy her a new phone if she passes.

合格したら新しい携帯電話を買ってくれるという両親の約束以来、彼女はいっそう勉強している。

| 14 33 | **be sufficient for ~** | ~に十分である |
|---|---|---|

About 80,000 yen should **be sufficient for** a short trip to Taiwan.

台湾への小旅行は 8 万円もあれば十分だろう。

| 14 34 | **get sick of ~** | ~に飽き飽きする、うんざりする |
|---|---|---|

She **got sick of** dealing with customer complaints every day.

彼女は毎日顧客のクレームに対応するのにうんざりした。

| 14 35 | **talk *A* into *do*ing** | A を説得して~させる |
|---|---|---|
| | | ► 「A を説得して~するのをやめさせる」なら talk *A* out of *do*ing と言う。|

She **talked** her father **into letting** her go to the concert alone.

彼女は父親を説得して、一人でコンサートに行かせてもらった。

| | | | |
|---|---|---|---|
| **14 36** | **to say nothing of ~** | ~は言うまでもなく<br>(≒not to mention ~) | 🔊 Track 118 |

He is an amazing bird photographer, **to say nothing of** his research of endangered species.

絶滅危惧種の研究については言うまでもないが、彼は素晴らしい野鳥写真家だ。

---

| | | |
|---|---|---|
| **14 37** | **at first sight** | 一目で、すぐに (≒at first glance) |

She fell in love with the man **at first sight**.

彼女はその男性に一目惚れした。

---

| | | |
|---|---|---|
| **14 38** | **at any moment** | いつ何時、今すぐにでも |

There could be a huge earthquake **at any moment**.

いつ巨大地震が起きてもおかしくない。

---

| | | |
|---|---|---|
| **14 39** | **be said to _do_** | ~だと言われている |

Athens **is said to** be the birthplace of modern democracy.

アテネは近代民主主義発祥の地と言われている。

---

| | | |
|---|---|---|
| **14 40** | **now and then** | 時々<br>► every now and then とも言う。 |

She usually has wine, but she does drink beer **every now and then**.

彼女は普段ワインを飲むが、時々はビールも飲む。

---

| | | |
|---|---|---|
| **14 41** | **out of order** | ① (機械が) 故障して、調子が悪くて<br>② 順序が狂って、バラバラになって<br>(⇔in order) |

The escalator in the station has been **out of order** for a week.

駅のエスカレーターは1週間前から故障している。

---

| | | |
|---|---|---|
| **14 42** | **for lack of ~** | ~の不足のために |

It was not **for lack of** effort that Pam could not pass her math exam.

パムが数学の試験に合格できなかったのは努力不足のせいではなかった。

## 14 43 take down

① ~を書き留める (≒write down)
② ~を取り壊す、解体する

The journalist **took down** notes on her phone while at the event.

そのジャーナリストは、イベントの間、携帯電話にメモを取った。

## 14 44 *A* is to *B* what *C* is to *D*

A の B に対する関係は C の D に対する関係と同じだ

Some people say bread **is to** the French **what** rice **is to** the Japanese.

フランス人にとってのパンは、日本人にとってのご飯と同じだと言う人もいる。

## 14 45 as follows

次の通りで

Please submit your report **as follows**: by email as a PDF.

レポートは以下の通りに提出してください：メールにて PDF ファイルとして。

## 14 46 be anxious about ~

~について心配している
► be anxious for ~（~のことを心配している）という似た表現も覚えておこう。

Alexis **is anxious about** making new friends after she moves.

アレクスは、引っ越したあとに新しい友だちができるか心配している。

## 14 47 become acquainted with ~

① 〈人〉と知り合いになる
② ~に精通する ► be acquainted with ~ なら「〈人〉と知り合いである；~に精通している」。

Have you had a chance to **become acquainted with** all of your new coworkers?

新しい同僚全員と面識を得る機会はありましたか。

## 14 48 be entitled to ~

~を得る資格がある、~の権利がある

Anyone who gains this certification will **be entitled to** an automatic pay raise.

この資格を取得すれば、誰でも自動的に昇給する権利を得る。

## 14 49 get *A* over with

A を終わらせる (≒finish)
► A には不快な仕事などを表す語句が入る。with が入らない場合もある。

I want to **get** this paper **over with** and go to bed.

このレポートを終わらせて寝たい。

## 14 50 out of focus

焦点が外れて、ぼやけて (⇔in focus)

She sees everything **out of focus** if she does not wear her glasses.

眼鏡をかけないと、彼女はすべてがぼやけて見える。

## 14 51 answer for ~

〈過失・行為〉の責任を取る

As team captain, I have to **answer for** the mistakes of my teammates.

チームキャプテンとして、私はチームメイトのミスに責任を持たなければならない。

## 14 52 lose face

面目を失う、恥をかく
▶「面目を保つ」は save face と言う。

He lied to protect his parents from **losing face**.

両親が恥をかかないよう彼はうそをついた。

## 14 53 call it a day

(仕事などを) 切り上げる、終わりにする

It's getting late, so why don't we **call it a day**?

遅くなってきたから、終わりにしませんか？

## 14 54 have second thoughts

考え直す、考えを変える
▶ on second thought(s) (よく考えてみると) という表現も覚えておこう。

She is starting to **have second thoughts** about becoming a graphic designer.

彼女はグラフィックデザイナーになることを考え直し始めている。

## 14 55 well off

裕福な (≒rich) (⇔badly off)
▶ 名詞の前では well-off の形。

Judging from the size of their house, they seem to be very **well off**.

家の大きさから判断して、彼らはとても裕福なようだ。

## 14 56 keep A to oneself

Aを秘密にしておく、口外しない

Ty has never been able to **keep** secrets **to himself**.

タイは、秘密を守ることができたためしがない。

| 14 57 | as many as ~ | (後に数詞を伴って) ~もの、~ほど多くの (≒no less than ~) ► 数が多いことを強調する表現。 |
| | As many as 600,000 people went to the festival last weekend. | 60万人もの人が先週末その祭りに行った。 |

| 14 58 | make it in time | 間に合う |
| | If you run, you may be able to make it in time. | 走れば間に合うかもしれません。 |

| 14 59 | be dying to *do* | ~したくてたまらない |
| | She is dying to visit Paris someday. | 彼女はいつかパリを訪れることを切望している。 |

| 14 60 | catch *one's* breath | ① (運動などの後で) 息が正常に戻る ② (恐怖・驚きなどで) 息をのむ |
| | It took her a few minutes to catch her breath after the run. | 走り終えて息を整えるのに彼女は数分かかった。 |

| 14 61 | in practice | 実際は、実際上は (≒in reality) (⇔in theory) |
| | Smartphones are not allowed in the office, but in practice, everyone uses them anyway. | オフィスではスマートフォンの使用が禁止されているが、実際は皆、結局使っている。 |

| 14 62 | speak well of ~ | ~のことをよく言う、~をほめる (≒praise) (⇔speak ill of) |
| | All her teachers spoke well of her to her parents. | 教師たちは皆、両親に彼女のことをほめた。 |

| 14 63 | beyond *A's* reach | Aの手の届く範囲を超えて ► beyond the reach of Aの形でも使われる。 |
| | Having their wedding abroad is financially beyond the couple's reach. | 海外での挙式は、経済的にそのカップルには手が届かない。 |

## 1464 as a matter of course

当然のこととして

All customers must show their ID **as a matter of course**.

当然のことながら、すべてのお客さまは身分証明書の提示が必要となります。

## 1465 in effect

① 〈法律などが〉有効で、施行されて
② 事実上は (≒effectively)

Evacuation orders are currently **in effect** across the whole town.

現在、町全体に避難命令が発令されている。

## 1466 in part

ある程度は、一部は
(≒partly, partially, to some extent)

She paid for university **in part** with money she earned at her summer job.

彼女は夏休みのバイトで稼いだお金で大学の学費の一部を払った。

## 1467 out of use

使われていない (⇔in use)

⚠ use は [juːs] と発音する。

That trail has been **out of use** for years because of an accident.

あの道は事故のため何年も使われていない。

## 1468 speaking of ～

～について言えば

**Speaking of** movies, do you want to go see one with me tomorrow?

映画と言えば、明日一緒に見に行かない?

## 1469 come into being

生じる、出現する

Nobody really knows how his current nickname **came into being**.

彼の今のニックネームがどのようにして生まれたのか、本当のところは誰も知らない。

## 1470 under way

進行中で (≒in progress)

▶ underway ともつづる。

Construction has been **under way** for a few weeks now.

建設は数週間前から進行中だ。

| 14 71 | **on the basis of ~** | ~に基づいて |
|---|---|---|
| | Wesley was promoted **on the basis of** his dedication to doing a good job. | ウェズリーは、よい仕事をすることに対する献身ぶりを認められて昇進した。 |

| 14 72 | **have a word with ~** | （相談などのために）〈人〉と少し話をする |
|---|---|---|
| | Deanna **had a word with** the doctor about her son's fear of needles. | ディアナは息子の注射恐怖症について医師と話をした。 |

| 14 73 | **The bottom line is that …** | 要するに…ということだ |
|---|---|---|
| | **The bottom line is that** the plan will not work without more funding. | 要するに、更なる資金がなければ計画は失敗するということだ。 |

| 14 74 | **be inferior to ~** | ~よりも劣っている（⇔ be superior to ~） |
|---|---|---|
| | This paper **is inferior to** your usual work. | この論文はあなたがいつも書くものより出来が悪い。 |

| 14 75 | **except that …** | …ということを除いて<br>► except for ~（~を除いては）という表現も覚えておこう。 |
|---|---|---|
| | I cannot remember anything about that day, **except that** it was raining. | 私は雨が降っていたということを除いて、その日のことを何も思い出せない。 |

| 14 76 | **make a face** | ① 顔をしかめる<br>② （笑わせようと）変な顔をする |
|---|---|---|
| | The baby **made a face** because the kiwi was sour. | キウイが酸っぱかったので、赤ちゃんは顔をしかめた。 |

| 14 77 | **prior to ~** | ~より前に |
|---|---|---|
| | Where did you work **prior to** joining our company? | 当社に入社する前はどこで働いていていましたか。 |

| 14 78 | **cross out** | ~を (線を引いて) 消す |

The teacher **crossed out** the students' mistakes.

教師は生徒たちの誤りを線を引いて消した。

---

| 14 79 | **in any event** | いずれにしても、とにかく<br>▸ at all events とも言う。 |

**In any event**, the company will have to fire some employees.

いずれにしても、会社は何人かの従業員を解雇しなければならないだろう。

---

| 14 80 | **in the course of ~** | ~の過程で、~の間に |

**In the course of** only a few months, he learned basic Chinese.

ほんの数か月の間に、彼は中国語の基礎を学んだ。

---

| 14 81 | **inside out** | (服の着方などが) 裏返しに、表裏逆に<br>▸「上下逆さまに」は upside down と言う。 |

One of your socks is **inside out**.

靴下が片方裏返しだよ。

---

| 14 82 | **be spared from *do*ing** | ~しないで済む |

They ran out of time, so she **was spared from** giving a speech.

時間切れになったので、彼女はスピーチをしなくて済んだ。

---

| 14 83 | **expect much of ~** | ~に大いに期待する |

Donna does not **expect much of** her daughter.

ドナは娘にあまり期待していない。

---

| 14 84 | **get on *A's* nerves** | 〈人〉の神経に障る、〈人〉をいらいらさせる<br>(≒annoy) |

The noisy dog next door really **gets on** her **nerves**.

隣の犬がうるさくて、彼女はいらいらしている。

## 1485 permit A to *do*

〈人〉に~することを許可する

---

Her parents would not **permit** her **to** study philosophy.

両親は彼女が哲学を学ぶことを認めようとしなかった。

## 1486 be packed with ~

〈建物・部屋などが〉~でいっぱいだ、混んでいる ► pack には「〈場所〉に〈人を〉詰め込む」という意味がある。

---

As always, the soccer stadium **is packed with** fans.

いつものように、サッカースタジアムはファンで埋め尽くされている。

## 1487 for all I know

知ったことではないが

---

**For all I know**, he still lives there.

知ったことではないが、彼はまだそこに住んでいるのかもしれない。

## 1488 go too far

度を超す、行き過ぎる

---

You **went too far** with that joke. I think you hurt her feelings.

あの冗談は行き過ぎでしたよ。彼女は傷ついたと思います。

## 1489 at the cost of ~

~を犠牲にして

---

He became rich and famous but **at the cost of** his friends and family.

彼は金持ちで有名になったが、それは友人と家族を犠牲にしてのことだった。

## 1490 close at hand

すぐ近くに（≒near at hand）
► close も at hand も共に「近くに」という意味。

⚠ close は [klóus] と発音する。

---

It is a good idea to always have something to write with **close at hand**.

手近に書くものを常備しておくのはいい考えだ。

## 1491 have yet to *do*

いまだに~していない

---

He **has yet to** visit India even though he has always wanted to go.

ずっと行きたいと思っているのに、彼はまだインドを訪れたことがない。

## 14 92 come of age

成年に達する

He will receive the money once
he **comes of age**.

彼は成人したらそのお金を受け取る。

## 14 93 have a great deal to do with ~

~と深い関係がある ▶ have something
[nothing] to do with ~ （~と関係がある [な
い]）という表現も覚えておこう。

The fact that she never gave up
**has a great deal to do with** her
success.

決してあきらめなかったことが彼女の成功に大き
くつながっている。

## 14 94 take the trouble of *do*ing

わざわざ~する

They even **took the trouble of**
writ**ing** me a letter of apology.

彼らは私にわざわざ謝罪の手紙まで書いてきた。

## 14 95 fade out

徐々に消える、見えなくなる
（⇔fade in）

The radio signal **faded out** as we
drove deeper into the forest.

車で森の奥深く入っていくと、電波は徐々に届か
なくなった。

## 14 96 all of a sudden

突然、不意に（≒suddenly）

**All of a sudden** it started
raining.

突然雨が降り出した。

## 14 97 be ignorant of ~

~に無知である、~を知らない

She **is ignorant of** what others
think of her.

彼女はほかの人たちにどう思われているか知ら
ない。

## 14 98 leave nothing to be desired

申し分ない
▶ 直訳すると「望むべきものを何も残さない」とい
うこと。

The hotel's service **left nothing
to be desired**.

そのホテルのサービスは申し分なかった。

| 14 99 | **cover up** | ① 〈事実・失敗・本心など〉を隠す<br>② 身を包む、服を着る |
|---|---|---|
| | She tried to **cover up** the mistake. | 彼女はミスを隠そうとした。 |

| 15 00 | **let down** | 〈人〉を失望させる、〈人〉の期待を裏切る |
|---|---|---|
| | He felt that he had **let down** the team by missing the shot. | 彼はシュートを外してチームをがっかりさせたと感じた。 |

| 15 01 | **make room for ～** | ～のための場所を空ける |
|---|---|---|
| | Let's throw this sofa away to **make room for** the new one. | 新しいソファの場所を作るためにこのソファを捨てよう。 |

| 15 02 | **be in command of ～** | ～を指揮している |
|---|---|---|
| | He **is in command of** the troops south of the border. | 彼は国境南部の部隊を指揮している。 |

| 15 03 | **burst into laughter** | 爆笑する、吹き出す<br>▶ burst into tears（突然泣き出す）という表現も覚えておこう。 |
|---|---|---|
| | She could not contain herself any longer and **burst into laughter**. | 彼女はこらえきれなくなって吹き出した。 |

| 15 04 | **on *do*ing** | ～するとすぐに |
|---|---|---|
| | **On** arriving in the country, the actor was met by excited fans. | その国に着くとすぐに、その俳優は興奮したファンに迎えられた。 |

| 15 05 | **sit up** | ① 寝ずに起きている、夜ふかしをする<br>② 体を起こす、起き上がる |
|---|---|---|
| | She **sat up** all night knitting a sweater. | 彼女は一晩徹夜してセーターを編んだ。 |

| 15 06 | all the same | それでもやはり (≒nevertheless) |
|---|---|---|
| | It was clear they would lose, but they kept playing **all the same**. | 負けるのは明らかだったが、それでも彼らはプレーし続けた。 |

| 15 07 | go on *doing* | ~し続ける (≒continue *doing*) |
|---|---|---|
| | You two just **go on** talking; I'll be right back. | 二人は話を続けて。すぐに戻ってくるから。 |

| 15 08 | in the sun | 日なたで |
|---|---|---|
| | Try to avoid staying out **in the sun** too long. | あまり長時間日なたにいないようにしなさい。 |

| 15 09 | mean to *do* | ~するつもりである、~しようと思う |
|---|---|---|
| | He did not **mean to** hurt his friend's feelings with what he said. | 彼は自分の発言で友人の気持ちを傷つけるつもりはなかった。 |

| 15 10 | have *one's* own way | わがままを通す、好き勝手なことをする |
|---|---|---|
| | It is good to let your kids **have** their **own way** from time to time. | 時には子どもたちの好きにさせるのも悪いことではない。 |

| 15 11 | pass down | 〈知識など〉を伝える (≒hand down) |
|---|---|---|
| | This tradition has been **passed down** for hundreds of years. | この伝統は何百年にもわたって受け継がれてきた。 |

| 15 12 | take *A* into account | Aを考慮に入れる |
|---|---|---|
| | You must also **take** travel costs **into account**. | 交通費も考慮に入れなければならない。 |

| 15 13 | **be tempted to** *do* | ~する誘惑にかられる |
|---|---|---|
| | I **was tempted to** give her a call. | 私は彼女に電話をかける誘惑に駆られた。 |

| 15 14 | **by instinct** | 本能で、本能的に |
|---|---|---|
| | These birds fly south every winter **by instinct**. | これらの鳥は毎年冬になると本能に従って南に向かって飛ぶ。 |

| 15 15 | **not so much as** *do* | ~しさえしない |
|---|---|---|
| | His manager did **not so much as** say hello to him. | 部長は彼にあいさつさえしなかった。 |

| 15 16 | **be certain to** *do* | きっと~する ► 話し手の確信を表す。 |
|---|---|---|
| | She's **certain to** answer the phone if you call her now. | 今電話すれば、彼女はきっと電話に出ますよ。 |

| 15 17 | **only to** *do* | 結局~するだけだ |
|---|---|---|
| | He walked two hours, **only to** find that he had forgotten his wallet. | 彼は2時間歩いたあげく、財布を忘れていた。 |

| 15 18 | **at your earliest convenience** | 都合がつき次第 |
|---|---|---|
| | Please come pick up your new passport **at your earliest convenience**. | 都合がつき次第、新しいパスポートを受け取りに来てください。 |

| 15 19 | **safe and sound** | 無事に 副 safely 無事に 名 safety 無事、安全 |
|---|---|---|
| | We all made it home **safe and sound**. | 私たちは皆無事に家に帰りついた。 |

## 15 20 with regard to ～

~に関して（≒regarding）

We are contacting you **with regard to** a contract you signed a while ago.

あなたが少し前に署名した契約に関してご連絡しています。

## 15 21 as is often the case with ～

~にはよくあることだが

Our room was quite small, **as is often the case with** hotels in Tokyo.

東京のホテルにはよくあることだが、私たちの部屋はかなり狭かった。

## 15 22 as often as A times

A 回も
► 回数が多いことを強調する表現。

She goes to the public bath **as often as** three **times** per week.

彼女は週に 3 回も銭湯に通っている。

## 15 23 in private

こっそりと、内々で（⇔in public）

Would it be possible to talk to you **in private** about this?

この件について内々でお話しすることはできるでしょうか。

## 15 24 run through ～

① ～のリハーサルをする
② 〈本・提案など〉にざっと目を通す

He **ran through** his presentation just before the meeting.

彼は会議の直前にプレゼンのリハーサルをした。

## 15 25 go with ～

~と調和する、~に似合う（≒match）

Do these shoes **go with** this dress?

この靴はこのワンピースに合いますか。

## 15 26 make time

時間を作る、時間をとる

It is important that you **make time** to take breaks and relax.

休憩をとってくつろぐ時間を作ることは大切だ。

| 15 27 | **No wonder …** | …は不思議ではない、当然だ |
|---|---|---|

You haven't eaten dinner? **No wonder** you're so hungry.

夕食を食べてないの？ それじゃあお腹がぺこぺこでも無理はないね。

| 15 28 | **take *A's* place** | Aの代わりをする<br>▶ take the place of A の形でも使われる。take place は「行われる」。 |
|---|---|---|

Can you **take** my **place** at the meeting this Friday?

今度の金曜日の会議、私の代わりに出てもらえますか。

| 15 29 | **bring about** | ~をもたらす、引き起こす (≒cause) |
|---|---|---|

Many hope that the new President will **bring about** positive change.

多くの人々が、新しい大統領が前向きな変化をもたらすことを期待している。

| 15 30 | **get in *A's* way** | Aの行く手を阻む、Aの邪魔をする<br>▶ get in the way of A の形でも使われる。 |
|---|---|---|

His kids always **get in** his **way** when he is trying to work.

彼が仕事をしようとすると、いつも子どもが邪魔をする。

| 15 31 | **make up *one's* mind** | 決心する、決める (≒decide) |
|---|---|---|

Both options have good points. I cannot **make up** my **mind**.

どちらの選択肢にもいい点があって、決心がつかない。

| 15 32 | **nothing less than ~** | ~にほかならない、まさに~ |
|---|---|---|

This is **nothing less than** a miracle.

これはまさに奇跡だ。

| 15 33 | **in depth** | 徹底的に、詳細に<br>▶ depth (深さ) は deep (深い) の名詞形。 |
|---|---|---|

The students discussed the novel **in depth**.

生徒たちはその小説について徹底的に話し合った。

| 15 34 | in honor of *A* | *A* に敬意を表して、*A* を記念 [追悼] して |
|---|---|---|
| | | ► in *A's* honor の形でも使われる。 |
| | They held a ceremony **in honor of** the firemen that gave their lives. | 彼らは命を落とした消防士たちを追悼する式典を開いた。 |

| 15 35 | pass away | 死去する、亡くなる (≒die) |
|---|---|---|
| | Her uncle **passed away** last month. | 彼女のおじは先月亡くなった。 |

| 15 36 | show *A* to *B* | *A* を *B* に案内する |
|---|---|---|
| | I'll **show** you **to** your seat. Please follow me. | お席へご案内します。どうぞこちらへ。 |

| 15 37 | such that … | …するほど |
|---|---|---|
| | The boy's excitement was **such that** he could not sit still. | 少年はじっと座っていられないほど興奮していた。 |

| 15 38 | pay a visit to ~ | ~を訪問する |
|---|---|---|
| | You should **pay a visit to** the ruins while you are in Pompeii. | ポンペイにいる間にその遺跡を訪れるべきだ。 |

| 15 39 | when it comes to ~ | ~のことになると、~に関しては |
|---|---|---|
| | **When it comes to** cooking, you can rely on me completely. | 料理に関しては、私に完全に頼っていいですよ。 |

| 15 40 | a piece of cake | ごく簡単なこと、朝飯前のこと |
|---|---|---|
| | Putting together the bookshelf was **a piece of cake**. | その本棚を組み立てるのはとても簡単だった。 |

| 15 41 | **to *A's* regret** | A にとって残念なことに |
|---|---|---|
| | | ► to the regret of *A* の形でも使われる。 |

| | To our **regret**, the museum was closed that day. | 残念ながら、その日は美術館は閉まっていた。 |
|---|---|---|

| 15 42 | **stand by** | ① 待機する |
|---|---|---|
| | | ② 傍観する、何もせずに見ている |
| | | ③ [stand by ~で]〈人〉の味方をする |

| | An ambulance was **standing by** just outside the stadium. | スタジアムのすぐ外には救急車が待機していた。 |
|---|---|---|

| 15 43 | **for instance** | 例えば |
|---|---|---|
| | | ► for example もほとんど同じ意味。 |

| | Living here is inconvenient. **For instance**, there are no banks nearby. | ここの生活は不便だ。例えば、近くに銀行がない。 |
|---|---|---|

| 15 44 | **by accident** | 偶然に |
|---|---|---|
| | | ► accidentally もほとんど同じ意味。 |

| | Columbus found the Americas **by accident** while trying to reach Asia. | コロンブスはアジアに到達しようとしていて偶然アメリカ大陸を発見した。 |
|---|---|---|

| 15 45 | **in detail** | 詳細に、細かい点まで |
|---|---|---|

| | The composer explained his artistic process **in detail** to the interviewer. | その作曲家はインタビュアーに自分の創作過程を詳細に説明した。 |
|---|---|---|

| 15 46 | **in place of *A*** | A の代わりに (≒instead of ~) |
|---|---|---|
| | | ► in *A's* place の形でも使われる。 |

| | You can also use oil **in place of** butter. | バターの代わりに油を使うこともできます。 |
|---|---|---|

| 15 47 | **on duty** | 勤務時間中で、当番で |
|---|---|---|
| | | ► 特に警察官やガードマンに使う表現。 |

| | I cannot have any alcohol. I'm **on duty** right now. | アルコールは一切飲めません。私は今、勤務中です。 |
|---|---|---|

## 15 48 by chance

偶然に

We met **by chance** while volunteering abroad.

私たちは海外でボランティアをしているときに偶然出会った。

## 15 49 put away

~を片づける

Jason, **put away** these toys right now.

ジェイソン、今すぐにこのおもちゃを片づけなさい。

## 15 50 in case (that) …

① …するといけないので、
　…の場合に備えて
② 万一…の場合は

She has an emergency bag ready **in case** there is an earthquake.

彼女は地震が起きた場合に備えて非常用持ち出し袋を用意している。

## 15 51 on behalf of ~

① 〈人〉を代表して、〈人〉の代わりに
② ~のために、~を助けるために
► on A's behalf の形でも使われる。

As a lawyer, he files visa renewals **on behalf of** his clients.

彼は弁護士として、クライアントに代わってビザの更新手続きを行っている。

## 15 52 turn over

① ~を熟考する、じっくり考える
② ~をひっくり返す、裏返す

Quinn **turned over** the idea in his mind for a while before agreeing.

同意する前に、クインはその案についてしばらく頭の中で熟考した。

## 15 53 on the whole

全体として

**On the whole**, the project was a success.

全体としてはプロジェクトは成功だった。

## 15 54 come across ~

~に（偶然）出くわす、~をふと見つける

Walking through Kyoto, she **came across** a beautiful little temple.

京都を歩いていて、彼女は美しい小さな寺院に行きあたった。

| 15<br>55 | **keep up** | ① (周りに) 遅れずについていく<br>② 〈物事〉をやり続ける、頑張り続ける<br>▶ ①では keep up with ~ (~についていく) の形も重要。 |
|---|---|---|
| | My son is struggling to **keep up** at school. | 息子は学校で遅れないようについていくのに苦労している。 |

| 15<br>56 | **in place** | あるべき場所に (⇔ out of place) |
|---|---|---|
| | Let's get the tables **in place** for the party. | パーティーのためにテーブルを所定の場所に移動しよう。 |

| 15<br>57 | **spread out** | 〈人・動物などが〉 散らばる、分散する |
|---|---|---|
| | The birds **spread out** when the child ran towards them. | 子どもが駆け寄ると、鳥たちは散らばった。 |

| 15<br>58 | **now that ...** | (今や) …なので |
|---|---|---|
| | **Now that** I have a full-time job, I have less free time. | フルタイムの仕事に就いたので、自由な時間が減った。 |

| 15<br>59 | **be familiar with ~** | ~をよく知っている、~に詳しい<br>▶ be familiar to ~ (~に知られている、親しまれている) という表現も覚えておこう。 |
|---|---|---|
| | I'm not very **familiar with** this area of town. | 私は町のこの近辺はあまり詳しくない。 |

| 15<br>60 | **look over** | ~にざっと目を通す |
|---|---|---|
| | Will you **look over** my presentation notes for me? | 私のプレゼンのメモにざっと目を通してもらえますか。 |

| 15<br>61 | **at most** | せいぜい、多くても (⇔ at least)<br>▶ at the most の形でも使われる。 |
|---|---|---|
| | This tattoo will cost **at most** $200. | このタトゥーの費用は多くても 200 ドルだろう。 |

| | | |
|---|---|---|

**15 62 bring back**

① ～を思い出させる、呼び戻す
② 〈制度・方法など〉を復活させる
③ 〈もの〉を持って帰る、〈人〉を連れて帰る

Track 127

Seeing his old friends **brought back** a lot of memories.

昔の友人に会って彼は多くのことを思い出した。

**15 63 ever since**

① その後ずっと
② …してからずっと

The restaurant was featured in a film, and it has been popular **ever since**.

そのレストランは映画に登場し、それ以来人気を博している。

15▶68

**15 64 dig up**

～を掘り出す、発掘する

They **dug up** the time capsule they buried when they were children.

彼らは子どものころに埋めたタイムカプセルを掘り起こした。

**15 65 calm down**

静まる；～を静める

If you don't **calm down**, we won't be able to perform the surgery.

落ち着いていただかないと、手術ができません。

**15 66 all the way**

① ずっと、最初から最後まで（≒the whole way）
② はるばる

She walks **all the way** to work and back every day.

彼女は毎日仕事場までずっと歩いて往復している。

**15 67 come down**

下がる、低下する

The price of gas has **come down** a lot recently.

近ごろガソリンの値段が大幅に下がっている。

**15 68 on top of ～**

① ～に加えて（≒in addition to ～）
② ～の上に

It will cost $10 **on top of** the original $50 fee.

元の会費50ドルに加えて10ドルかかります。

265

| 15<br>69 | **in danger of ~** | ~の危機にある<br>► of のつかない in danger の形でもよく出題され<br>ている。 |
|---|---|---|
| ☐☐☐ | We are **in danger of** losing this client. | 私たちはこの顧客を失う危機にある。 |

| 15<br>70 | **leave out** | ~を除外する (⇔ include) |
|---|---|---|
| ☐☐☐ | The movie version **left out** a lot of the story. | 映画版は話の多くの部分を省略していた。 |

| 15<br>71 | **make up** | ① ~を構成する (≒ constitute)<br>② 〈話・言い訳など〉をでっち上げる<br>► be made up of ~ で「~で構成されている」。 |
|---|---|---|
| ☐☐☐ | Their team **is made up of** 10 different programmers. | 彼らのチームは 10 人のさまざまなプログラマー<br>で構成されている。 |

| 15<br>72 | **on purpose** | わざと (≒ deliberately, intentionally)<br>(⇔ by mistake) |
|---|---|---|
| ☐☐☐ | He dropped the mug **on purpose**. | 彼はわざとマグカップを落とした。 |

| 15<br>73 | **for fun** | 楽しみのために |
|---|---|---|
| ☐☐☐ | He likes to paint landscapes **for fun**. | 彼は楽しみのために風景画を描くのが好きだ。 |

| 15<br>74 | **rule out** | 〈可能性など〉を排除 [除外] する<br>(≒ exclude) |
|---|---|---|
| ☐☐☐ | We cannot **rule out** the possibility that the fire was started intentionally. | 意図的に火災が引き起こされた可能性は排除で<br>きない。 |

| 15<br>75 | **dispose of ~** | ① 〈不要物など〉を処分する、処理する<br>(≒ get rid of ~)<br>② 〈問題など〉を解決する |
|---|---|---|
| ☐☐☐ | You must pay the city to **dispose of** large furniture. | 大型家具を処分するには、市にお金を支払わな<br>ければならない。 |

## 1576 for a change

気分転換に

I think I will ride my bike to work **for a change**.

気分転換に自転車で通勤してみようかと思う。

## 1577 read through

~を読み通す、通読する

She **read through** the contract carefully before signing it.

彼女は契約書にサインする前に注意深く目を通した。

## 1578 act on ~

~に基づいて行動する

Think carefully and don't **act on** your emotions.

慎重に考え、感情で行動しないことだ。

## 1579 wear out

① ~をすり減らす；~を使い古す
② 〈人〉をくたくたに疲れさせる
　（≒exhaust）

She **wore out** her running shoes.

彼女はランニングシューズを履きつぶした。

## 1580 at the sight of ~

~を見て

He feels sick **at the sight of** blood.

彼は血を見ると気分が悪くなる。

## 1581 put off

~を延期する、先延ばしにする
（≒postpone）

Let's **put off** the meeting with the sales team until next week.

販売チームとの打合せを来週まで延期しよう。

## 1582 out of place

① 所定の位置でない（⇔in place）
② 場違いな、不適切な

Everything in the shop was **out of place** after the robbery.

強盗が入ったあと、店内のあらゆるものがめちゃくちゃになっていた。

| 15 83 | tell *A* from *B* | AとBを見分ける、AとBの区別ができる |
|---|---|---|
| | I cannot **tell** Spanish **from** Portuguese. | 私はスペイン語とポルトガル語の区別がつかない。 |

| 15 84 | change *one's* mind | 気が変わる |
|---|---|---|
| | I've **changed** my **mind**. I'd like the chicken, not the fish. | 気が変わりました。魚でなくチキンをお願いします。 |

| 15 85 | be engaged to ~ | ~と婚約している |
|---|---|---|
| | Apparently, that woman **is engaged to** the company president. | その女性は社長と婚約しているらしい。 |

| 15 86 | to the point | 適切な、要領を得た |
|---|---|---|
| | His feedback on the design was thoughtful and **to the point**. | デザインに対する彼のフィードバックはよく考えられて的を射ていた。 |

| 15 87 | in the air | (気配・雰囲気などが) 漂って |
|---|---|---|
| | There was a feeling of tension **in the air**. | 緊張感が漂っていた。 |

| 15 88 | switch off | ~のスイッチを切る、(電気など) を消す (≒turn off) (⇔switch on) |
|---|---|---|
| | Don't forget to **switch off** the light before you go to bed. | 寝る前に電気を消すのを忘れないでください。 |

| 15 89 | drop by (~) | (~に) ちょっと立ち寄る |
|---|---|---|
| | Why don't we **drop by** your grandmother's before going shopping? | 買い物に行く前に、あなたのおばあさんのところに寄らない? |

## 1590 in trouble

困って、困難な状況で

We will be **in trouble** if we cannot fix our website quickly.

ウェブサイトをすぐに修正できないと、私たちは困ったことになる。

## 1591 turn away

① (満員などの理由で)〈人〉を中に入れない；〈人〉を追い払う
② 〈人〉の目を背けさせる

I was **turned away** because I could not find my ticket.

私はチケットが見つからなかったので入場を拒否された。

## 1592 fold up

~をたたむ

He **folded up** the beach chair and put it into his car.

彼はビーチチェアをたたむと、それを車に積み込んだ。

## 1593 make sure (that) ...

① …であることを確かめる ② 必ず…するように気をつける ► make sure to *do* (必ず~する) という表現も覚えておこう。

**Make sure that** you have your passport before going to the airport.

空港に行く前にパスポートを持っているか確認してください。

## 1594 carry out

① 〈(体系的な) 研究・調査など〉を行う (≒conduct) ② 〈計画・約束など〉を実行する、果たす (≒execute)

Unfortunately, the plan was never **carried out**.

残念ながら、その計画は実行されなかった。

## 1595 on the other hand

他方では、これに対して

He is really social. His brother, **on the other hand**, is very quiet.

彼はとても社交的だ。一方彼の弟はとてもおとなしい。

## 1596 suffer from ~

〈病気など〉にかかる、苦しむ

The area has been **suffering from** a serious drought.

その地域はずっと深刻な干ばつに苦しんでいる。

| 15 97 | **over time** | 時と共に、徐々に |
|---|---|---|
| | He learned to like the food **over time**. | 時がたつにつれて彼はその食べ物が好きになった。 |

| 15 98 | **result in ~** | （結果として）~に終わる（≒lead to ~）<br>► result from ~（~から結果として生じる）という表現も覚えておこう。 |
|---|---|---|
| | They are hoping that this new campaign will **result in** more sales. | 彼らはこの新しいキャンペーンが売上の増加をもたらすことを期待している。 |

| 15 99 | **based on ~** | ~に基づいて<br>► be based on ~（~に基づいている）という表現も覚えておこう。 |
|---|---|---|
| | **Based on** these numbers, the company will go out of business. | これらの数字に基づくと、その会社は倒産するだろう。 |

| 16 00 | **deal with ~** | ① 〈人が〉~を処理する、~に対応する<br>（≒handle）<br>② 〈会社・人〉と取り引きする |
|---|---|---|
| | We have a manual for **dealing with** angry customers. | 私たちには怒った客に応対する際のマニュアルがある。 |

| 16 01 | **depend on ~** | ① ~次第だ、~に左右される<br>② ~に依存する、頼る（≒rely on ~）<br>► depending on ~ で「~に従って、応じて」。 |
|---|---|---|
| | The price of the ticket **depends on** where you would like to sit. | チケットの値段は希望される座席によります。 |

| 16 02 | **due to ~** | ~のために、~が原因で<br>（≒because of ~, owing to ~） |
|---|---|---|
| | **Due to** poor weather conditions, the flight was canceled. | 悪天候のため、その便は欠航になった。 |

| 16 03 | **fill out** | ~に記入する（≒fill in, complete） |
|---|---|---|
| | Please **fill out** this form while you wait. | 待っている間にこの用紙に記入してください。 |

| 16 04 | **get used to ~** | ~に慣れる |
|---|---|---|
| | | ▶ 「~することに慣れる」なら get used to *do*ing、また be used to ~ は「~に慣れている」。 |
| | It took her a while to **get used to** living in a large city. | 彼女が大都会での生活に慣れるのに時間がかかった。 |

| 16 05 | **even when …** | …するときでさえ |
|---|---|---|
| | He says he's busy **even when** he has nothing to do. | 彼は何もすることがないときでさえ、忙しいと言っている。 |

| 16 06 | **on average** | 平均して |
|---|---|---|
| | **On average**, we make about $500 per day in art sales. | 当店の美術品の売上は、平均して1日約500ドルだ。 |

| 16 07 | **sign up for ~** | ~に登録する、申し込む |
|---|---|---|
| | I **signed up for** a yoga class next weekend. | 私は来週末のヨガ教室に登録した。 |

| 16 08 | **give out** | ① ~を配る、配布する<br>② 〈装置・体の一部などが〉動かなくなる、故障する |
|---|---|---|
| | They are **giving out** free chocolate outside the station. | 駅の外で無料のチョコレートを配っている。 |

| 16 09 | **along with ~** | ① ~と一緒に（≒together with ~）<br>② ~に加えて（≒in addition to ~） |
|---|---|---|
| | Please bring the item you'd like to return **along with** your receipt. | レシートと一緒に返品を希望される商品をお持ちください。 |

| 16 10 | **break up** | ① ばらばらになる；〈集会などが〉解散する<br>② ~を分解する<br>③ 〈カップルが〉別れる |
|---|---|---|
| | The satellite will **break up** as it passes through the Earth's atmosphere. | その衛星は地球の大気圏を通過するときにばらばらになる。 |

| 16 11 | **consist of ~** | ~から成る、~で構成されている (≒be made up of ~) |
|---|---|---|
| | This game **consists of** three separate parts. | このゲームは3部構成になっている。 |

| 16 12 | **go ahead** | ① (ほかの人より) 先に行く (≒go on ahead) ② (予定通り) ことを進める ③ 〈行事などが〉行われる (≒proceed) |
|---|---|---|
| | **Go ahead** to the meeting room, and we'll catch up later. | 会議室に先に行ってください。後で追いつきます。 |

| 16 13 | **anything but ~** | 少しも~ない、~には程遠い (≒far from ~, not ~ at all) |
|---|---|---|
| | This legal trial will be **anything but** easy. | この裁判は少しも簡単なものではないだろう。 |

| 16 14 | **be related to ~** | ~に関連している |
|---|---|---|
| | Her poor school performance may **be related to** problems at home. | 彼女の学校の成績の悪さには、家庭内の問題が関係しているかもしれない。 |

| 16 15 | **together with ~** | ① ~と共に ② ~を含めて |
|---|---|---|
| | **Together with** a friend, he started practicing aikido. | 友だちと一緒に彼は合気道の稽古を始めた。 |

| 16 16 | **believe in ~** | ① ~の存在を信じる ② 〈人〉に信頼をおく |
|---|---|---|
| | A surprisingly large percentage of people **believe in** ghosts. | 驚くほど多くの人が幽霊の存在を信じている。 |

| 16 17 | **be aware of ~** | ~に気づいている、~を知っている |
|---|---|---|
| | You have to **be aware of** your surroundings when driving. | 運転中は周囲に気を配らなければならない。 |

## 16 18 take advantage of ~

〈機会など〉を利用する、生かす
(≒make good use of ~)

They **took advantage of** the great weather and had a picnic.

彼らは素晴らしい天気を利用してピクニックをした。

---

## 16 19 in return

お返しに、お礼に
► in return for ~ で「~のお返しに」という意味。

**In return for** all his help, she baked him a cake.

いろいろ手伝ってもらったお礼に、彼女は彼にケーキを焼いた。

---

## 16 20 major in ~

~を専攻する

He **majored in** chemistry for his undergraduate degree.

彼は学部で化学を専攻した。

---

## 16 21 before long

間もなく (≒soon)

It is already past nine. They should arrive **before long**.

もう9時過ぎだ。彼らは間もなく到着するはずだ。

---

## 16 22 back up

① 〈主張・考えなど〉を裏づける
② ~を支持する、支援する

His theory is **backed up** by solid research.

彼の理論はしっかりした調査に裏づけられている。

---

## 16 23 in the hope of *do*ing

~することを期待して

She took the course **in the hope of** learning how to program.

プログラミングの仕方を学べることを期待して、彼女はそのコースを取った。

---

## 16 24 run out

〈時間・金・忍耐などが〉尽きる、なくなる
► run out of ~ (1709) の項目も参照。

His savings **ran out** while he was still looking for a job.

まだ仕事を探している間に彼の貯金は底をついた。

## in time for ~

~に間に合って

He barely arrived **in time for** his son's guitar solo.

彼はかろうじて息子のギターソロに間に合った。

## look through ~

~にざっと目を通す

Can you **look through** these documents for me?

この書類にざっと目を通してもらえますか。

## go on

① 続く ② 〈事が〉起こる
③ 〈電灯などが〉つく；
〈機械などが〉動きだす (⇔ go off)

This morning's lecture felt like it **went on** forever.

今朝の講義は永遠に続くように感じられた。

## look up

(辞書・コンピュータなどで) ~を調べる

He **looked up** the information on the Internet.

彼はその情報をインターネットで調べた。

## dry out

乾燥する；~を乾燥させる

If you wash your hair too often, it **dries out**.

頻繁に洗いすぎると、髪は乾燥してしまう。

## save up

〈金など〉をためる、蓄える

She **saved up** money for months to buy a new computer.

彼女は新しいコンピュータを買うために何か月も
お金をためた。

## above all

とりわけ、何よりもまず
► above all else とも言う。

**Above all**, we have to make sure that nobody gets hurt.

何よりもまず、必ず誰もけがをしないようにしな
ければならない。

## 16 32 check in

（宿泊・搭乗の）手続きをする、
チェックインする（⇔ check out）

I'm sorry, but guests cannot **check in** until after 2 p.m.

申し訳ございませんが、お客さまは午後 2 時過ぎまではチェックインできません。

## 16 33 speak up

もっと大きな声で話す

We won't be able to hear you if you don't **speak up**.

もっと大きな声で話さないと、言っていることが聞こえません。

## 16 34 in short

要するに

**In short**, we had to cancel the trip.

要するに、私たちは旅行をキャンセルせざるを得なかった。

## 16 35 for long

長い間

I have not known her **for long**. We met last year.

私は彼女のことを長い間知っているわけではない。私たちは去年出会ったのだ。

## 16 36 give in

① （要求などに）屈する、折れる（≒ yield）
② ～を提出する、渡す（≒ hand in）

We've been fighting for weeks, but the enemy will not **give in**.

私たちは何週間も戦っているが、敵は負けを認めようとしない。

## 16 37 catch up with ～

～に追いつく
▶ catch up（追いつく）という表現も覚えておこう。

Even after falling, the runner **caught up with** the leaders.

転倒しても、そのランナーはトップ集団に追いついた。

## 16 38 in fashion

流行して

Crop tops are **in fashion** right now.

今、クロップトップが流行っている。

## 16 39 at random

無作為に、でたらめに（≒randomly）

The winner's name will be chosen **at random**.

当選者の名前は無作為に選ばれる。

## 16 40 in the long run

長い目で見れば（⇔in the short run）

These struggles will be good for her **in the long run**.

今回の悪戦苦闘は、長い目で見れば彼女のためになるだろう。

## 16 41 for short

略して

Her name is Samantha, or Sam **for short**.

彼女の名前はサマンサ、あるいは略してサムです。

## 16 42 lie down

横たわる、横になる

If you're feeling sick, you should **lie down** for a while.

気分が悪いならしばらく横になったほうがいいよ。

## 16 43 drop out

（大学・レースなどから）中退する、脱落する
▶ drop out of ~（~を中退する）という表現も覚えておこう。

Her younger brother **dropped out of** high school.

彼女の弟は高校を中退した。

## 16 44 break out

〈火事・戦争・伝染病などが〉急に始まる、勃発する

A civil war **broke out** unexpectedly in the country.

その国で突然、内戦が勃発した。

## 16 45 make fun of ~

~をからかう

She was **made fun of** for wearing glasses as a child.

彼女は子どものころ、眼鏡をかけていることをからかわれた。

## 16 46 be engaged in ~

~に従事している

The police arrested him because he **was engaged in** illegal activities.

警察は、違法行為に関わっているとして彼を逮捕した。

## 16 47 be worthy of ~

~に値する、~の価値がある (≒deserve)

Her suggestion **is worthy of** consideration.

彼女の提案は検討に値する。

## 16 48 be known to ~

~に知られている
► be known for ~ (~で有名だ) と言う表現も覚えておこう。

He **was known to** the people as a fair king.

彼は公明正大な王として国民に知られていた。

## 16 49 shake hands

握手をする

She always **shakes hands** with people she is meeting for the first time.

彼女はいつも初対面の人と握手をする。

## 16 50 drop in

ちょっと立ち寄る

Please **drop in** if you're ever in the neighborhood.

近くにお越しの際は、ぜひお立ち寄りください。

## 16 51 on demand

要求に応じて

Technical support is available **on demand** 24 hours per day.

テクニカルサポートは、24 時間いつでも必要に応じてご利用いただけます。

## 16 52 in a row

連続して、立て続けに
(≒consecutively, in succession)
►「1 列に」という意味もある。

She went to the art gallery three days **in a row**.

彼女は 3 日連続でそのアートギャラリーに行った。

| | |
|---|---|
| 16 53 | |
| **be typical of ～** | ～に典型的である |
| This behavior **is typical of** someone grieving a lost loved one. | この行動は、愛する人を失って嘆き悲しんでいる人によくある行動だ。 |

| | |
|---|---|
| 16 54 | |
| **hang up** | 受話器を置く、電話を切る<br>► the phone を目的語にする使い方もある。 |
| She said goodbye and **hung up**. | 彼女はさよならと言って電話を切った。 |

| | |
|---|---|
| 16 55 | |
| **stop A from doing** | A が～するのをやめさせる |
| You have to **stop** the dog **from** sleep**ing** on the sofa. | その犬がソファの上で寝るのをやめさせなければならない。 |

| | |
|---|---|
| 16 56 | |
| **come to light** | 〈情報が〉明るみに出る、発覚する |
| Some new facts have **come to light**. | いくつかの新しい事実が明るみに出た。 |

| | |
|---|---|
| 16 57 | |
| **owing to ～** | ～のために、～のおかげで<br>(≒because of ～, due to ～) |
| **Owing to** high operating costs, the convention was canceled this year. | 運営費が高額のため、その大会は今年中止となった。 |

| | |
|---|---|
| 16 58 | |
| **for certain** | 確かに、確実に (≒for sure) |
| We cannot really know anything **for certain**. | 実際のところ、私たちには確かなことは何もわからない。 |

| | |
|---|---|
| 16 59 | |
| **long for ～** | ～を切望する (≒yearn for ～) |
| She **longed for** the day she could see her husband again. | 彼女は夫に再会できる日を心待ちにしていた。 |

| 16<br>60 | **make *one's* way** | ① 進む、前進する<br>② (仕事などで) 成功する、出世する |
|---|---|---|
| | The soldiers **made** their **way** through the thick jungle. | その兵士たちは深いジャングルの中を進んだ。 |

| 16<br>61 | **pull off** | ① (車を道路脇に) 停める、寄せる<br>② 〈困難なこと〉を苦労して成し遂げる |
|---|---|---|
| | The engine sounds funny; you should **pull off** to the side. | エンジンから変な音がする。車を道路脇に停めたほうがいいよ。 |

| 16<br>62 | **allow *A* to *do*** | A が～するのを可能にする、許可する<br>► be allowed to *do* (～することが許されている)<br>の形でもよく出題されている。 |
|---|---|---|
| | This medicine will **allow** patients **to** live more comfortably. | この薬のおかげで、患者たちはより快適に過ごすことができるようになるだろう。 |

| 16<br>63 | **used to *do*** | かつては～した (が、今はそうではない) |
|---|---|---|
| | She **used to** play the piano professionally before she injured her hands. | 手を怪我する前は、彼女はプロとしてピアノを弾いていた。 |

| 16<br>64 | **in order to *do*** | ～するために (≒so as to *do*)<br>► 否定形 in order not to *do* (～しないように)<br>も出題されている。 |
|---|---|---|
| | He called the doctor's office **in order to** make an appointment. | 予約を取るために、彼は診療所に電話した。 |

| 16<br>65 | **come up with ～** | 〈考え・解決策など〉を出す、思いつく<br>(≒think of ～) |
|---|---|---|
| | Rosa **came up with** a new way to organize patient files. | ローザは、患者のカルテを整理する新しい方法を思いついた。 |

| 16<br>66 | **not only *A*, but (also) *B*** | A ばかりでなく B もまた |
|---|---|---|
| | This model is **not only** cheaper, **but also** smaller. | このモデルのほうが安いだけでなく、サイズも小さい。 |

| 16 67 | **be likely to _do_** | ~しそうである |
|---|---|---|
| | This plan **is likely to** fail. | この計画は失敗しそうだ。 |

| 16 68 | **lead to ~** | ~につながる、~を引き起こす<br>(≒ result in ~) |
|---|---|---|
| | Lying will only **lead to** more problems. | うそをついてもより多くの問題を引き起こすだけだ。 |

| 16 69 | **bring down** | ① ~を意気消沈させる<br>② 〈値段〉を下げる；<br>〈水準・率など〉を低くする |
|---|---|---|
| | This sad music is **bringing** me **down**. | この悲しい音楽を聴くと気分が沈む。 |

| 16 70 | **no longer** | もはや~ない (≒ not ~ anymore) |
|---|---|---|
| | That equipment is **no longer** in use. | その設備はもう使われていない。 |

| 16 71 | **let _A do_** | A に~させる、させてやる |
|---|---|---|
| | Her parents would not **let** her go to the concert. | 彼女の両親は彼女をコンサートに行かせなかった。 |

| 16 72 | **prepare for ~** | ~の (ための) 準備をする<br>► prepare との違いに注意。prepare a document は「書類を準備する」。 |
|---|---|---|
| | I cannot go to the party. I need to **prepare for** my presentation. | パーティーには行けません。プレゼンの準備をする必要があるんです。 |

| 16 73 | **help _A do_** | A が~するのに役立つ、手助けをする<br>► help A to do とも言う。 |
|---|---|---|
| | Please **help** your sister do her homework. | 妹の宿題を手伝ってやりなさい。 |

| **16 74** in addition | そのうえ、さらに<br>(≒ moreover, additionally) |
| --- | --- |
| That restaurant is cheap. **In addition**, the food is great. | そのレストランは安い。おまけに料理がおいしい。 |

| **16 75** a number of ~ | いくつかの~、いくつもの~<br>▸ a large [small] number of ~ (多数 [少数] の~) という表現も覚えておこう。 |
| --- | --- |
| There are **a number of** reasons why the rocket launch failed. | ロケットの打ち上げが失敗した理由はいくつかある。 |

| **16 76** prevent A from doing | A が~するのを妨げる、阻止する |
| --- | --- |
| You cannot **prevent** them **from** seeing one another. | 彼らが交際するのをやめさせることはできない。 |

| **16 77** so far | 今までのところ |
| --- | --- |
| The good weather is holding **so far**. | 今までのところ好天が続いている。 |

| **16 78** instead of ~ | ~の代わりに、~ではなくて<br>▸ of の後ろに動詞がくる場合は doing の形になる。 |
| --- | --- |
| **Instead of** burgers, why don't we eat noodles? | ハンバーガーはやめて麺類にしない? |

| **16 79** be sure to do | 必ず~する |
| --- | --- |
| **Be sure to** wash your hair properly tomorrow. | 明日は必ずきちんと髪を洗いなさい。 |

| **16 80** turn A into B | A を B にする、変える |
| --- | --- |
| She **turned** the paper **into** a beautiful origami dragon. | 彼女はその紙を美しい折り紙の龍に変えた。 |

## 1681 be supposed to *do*

~することになっている

Junior **was supposed to** meet me here two hours ago.

ジュニアは2時間前にここで私と会うことになっていた。

## 1682 *A* as well as *B*

B だけでなく A もまた

This treatment can save the lives of animals **as well as** humans.

この治療法は人間ばかりでなく動物たちの命も救うことができる。

## 1683 a variety of ~

さまざまな~（≒various）

There is **a variety of** good restaurants in the downtown area.

繁華街にはさまざまないいレストランがある。

## 1684 get rid of ~

① 〈不要・不快なもの〉を取り除く、処分する（≒dispose of ~）
② 〈人〉を追い出す、追い払う

Angie **got rid of** her stamp collection because it took up too much space.

アンジーは、切手のコレクションが場所を取りすぎるので処分した。

## 1685 find it ~ to *do*

…するのは~だと思う

He **found it** hard **to** pay attention because he was so tired.

彼はとても疲れていて注意を払うのが難しかった。

## 1686 as ~ as possible

できるだけ~
► as ~ as *A* can（A ができるだけ~）という表現も覚えておこう。

Submit your application **as** soon **as possible**.

できるだけ早く願書を提出しなさい。

## 1687 seem to *do*

~するように思われる
► It seems that ...（…するように思われる）という表現も覚えておこう。

He **seems to** make loud noises at night on purpose.

彼は故意に夜中に大きな音を立てているようだ。

| **16 88** be concerned about ~ | ~について心配している（≒be worried about ~） ▶ be concerned that ...（…ということを心配している）という表現も覚えておこう。 |
|---|---|
| Troy **is concerned about** his daughter's performance at school. | トロイは娘の学校での成績を心配している。 |

| **16 89** provide A with B | AにBを与える、提供する ▶ provide B for [to] A としても同じ意味。 |
|---|---|
| The organization **provides** fire victims **with** new clothes. | その組織は火災の被害者に新しい衣服を提供している。 |

| **16 90** take a look at ~ | ~を（ちょっと）見る ▶ have a look at ~ とも言う。 |
|---|---|
| **Take a look at** this cool beetle, would you? | このすごいカブトムシをちょっと見てごらん。 |

| **16 91** give away | ① ~を無料で与える ② 〈秘密など〉をもらす、暴露する（≒reveal） |
|---|---|
| We are **giving away** a trip to Cuba to two lucky winners. | 幸運にも当選された2名の方にキューバ旅行がプレゼントされます。 |

| **16 92** break down | ① 〈機械などが〉故障する ② 〈物質などが〉分解する |
|---|---|
| My car **broke down** in the middle of the desert. | 私の車は砂漠の真ん中で故障した。 |

| **16 93** have difficulty doing | ~するのに苦労する、困難を感じる |
|---|---|
| We **had** a little bit of **difficulty** finding the place. | 私たちはその場所を見つけるのに少し苦労した。 |

| **16 94** set up | ① ~を建設する、設置する、組み立てる ② 〈会合など〉を準備する、手配する（≒arrange） |
|---|---|
| They **set up** the tent in preparation for the ceremony. | 彼らは式の準備のためにテントを設営した。 |

| 1695 | take place | 〈行事などが〉行われる |
|---|---|---|
| | Their wedding will **take place** at a local church. | 彼らの結婚式は地元の教会で行われる。 |

| 1696 | take up | ① 〈時間・場所〉を占める、使う<br>② 〈仕事・地位など〉を始める |
|---|---|---|
| | This bed **takes up** too much space. | このベッドは場所を取り過ぎる。 |

| 1697 | That is why ... | そのようなわけで… |
|---|---|---|
| | They always made him work overtime. **That is why** he quit. | 彼らはいつも彼に残業させていた。それで彼は辞めてしまった。 |

| 1698 | every time ... | …するたびに |
|---|---|---|
| | It seems like **every time** I call her she's at the hair salon. | 彼女はいつ電話しても美容室にいるように思える。 |

| 1699 | as long as ... | …する限り、…でありさえすれば<br>(≒only if ...)<br>▸ so long as ... とも言う。 |
|---|---|---|
| | You can borrow my tools **as long as** you are careful with them. | 気をつけて使うのなら、私の道具を貸してあげるよ。 |

| 1700 | turn in | 〈書類など〉を提出する (≒hand in) |
|---|---|---|
| | Don't forget to **turn in** your assignment at the end of class. | 授業の終わりに課題を提出するのを忘れないようにしてください。 |

| 1701 | plenty of ~ | 十分な~、たくさんの~ |
|---|---|---|
| | There are **plenty of** seats left near the stage. | ステージ近くの席はたくさん残っている。 |

| **17 02** sell out | ① ～を売り切る、売り尽くす<br>② 売り切れる |
|---|---|
| I'm sorry, but Friday's game is already **sold out**. | すみませんが、金曜日の試合はすでに売り切れです。 |

| **17 03** It looks like … | …のようだ |
|---|---|
| **It looks like** we will have to stay home today. | きょう私たちは家にいなければならないようだ。 |

| **17 04** in response to ～ | ～に応えて |
|---|---|
| She wrote a letter to the newspaper **in response to** its article. | 彼女は、新聞記事に反応してその新聞社に手紙を書いた。 |

| **17 05** in the end | 結局、最後には |
|---|---|
| There were not enough shirts for all the volunteers **in the end**. | 結局、ボランティア全員に渡すにはシャツが足りなかった。 |

| **17 06** ～ as well | ～もまた、同様に |
|---|---|
| You work in this office **as well**? | あなたもこのオフィスで働いているのですか。 |

| **17 07** in reality | (ところが) 実際は (≒in fact, in truth) |
|---|---|
| **In reality**, it is really difficult to enter creative industries. | 実際のところ、クリエイティブな業界に入るのは本当に難しい。 |

| **17 08** on *one's* own | ① 独力で、自分だけで<br>② 一人で (≒alone) |
|---|---|
| She has been living **on her own** since she graduated from high school. | 彼女は、高校を卒業して以来、一人暮らしをしている。 |

## 1709 run out of ~

~を使い果たす
► run out (1624) の項目も参照。

She **ran out of** toilet paper. | 彼女はトイレットペーパーを切らした。

## 1710 hand out

~を配る、渡す（≒distribute）

The staff **handed out** questionnaires before the show. | スタッフは番組の前にアンケート用紙を配った。

## 1711 figure out

（考えた末に）~とわかる、~を理解する

I've finally **figured out** why our experiments keep failing. | なぜわれわれの実験が失敗し続けているのかがようやくわかった。

## 1712 not to mention ~

~は言うまでもなく
（≒to say nothing of ~）

The factory is damaging the nearby lake, **not to mention** the wildlife. | その工場は、野生動物は言うまでもなく、付近の湖にもダメージを与えている。

## 1713 hand in

~を提出する、手渡す（≒turn in）

He **handed in** his report to the professor early. | 彼は早めに教授にレポートを提出した。

## 1714 be involved in ~

~に関わっている、参加している

His mother found out that he **was involved in** a fight at school. | 母親は、彼が学校でけんかに関わっていたことを知った。

## 1715 in addition to ~

~に加えて、~のほかに
（≒along with ~, on top of ~）

**In addition to** a change of clothes, please bring some money for food. | 着替えのほかに、食べ物を買うお金も持ってきてください。

## 17 16　come out

① 〈本や映画が〉売り出される、公開される
② 姿を現す、現れる（≒appear）

A new translation of the novel will **come out** soon.

その小説の新訳が間もなく出る。

## 17 17　make it to ~

~にたどり着く、~に間に合う

He ran as fast as he could, and luckily he **made it to** work on time.

彼は全力で走り、幸い何とか定時に職場に着いた。

## 17 18　cut down on ~

~の量を減らす、~を切り詰める
► cut down とも言う。

I'm trying to **cut down on** fatty foods.

私は脂肪の多い食べ物を減らそうとしている。

## 17 19　send out

① ~を送る、送信する
② ~を派遣する

Have you **sent out** your wedding invitations yet?

結婚式の招待状はもう送ったのですか。

## 17 20　check out

① ~を見る、調べる
② 〈本など〉を借りる
③ （ホテルを）チェックアウトする

Let's go **check out** that new café today.

きょうは、あの新しいカフェをチェックしに行こうよ。

## 17 21　be willing to *do*

~しても構わない、快く~する

Daniel **is willing to** lend you his calculator.

ダニエルは快く電卓を貸してくれますよ。

## 17 22　live up to ~

〈期待など〉に応える、添う

She does not care if she **lives up to** her parents' expectations.

彼女は、両親の期待に添えるかどうかは気にしない。

## 17 23 take away

① ～を取り上げる、奪う
② ～を取り除く（≒ remove）

His parents **took away** his video games.

両親は彼のテレビゲームを取り上げた。

## 17 24 look down on ~

〈人〉を見下す（⇔ look up to ～）

It is wrong to **look down on** someone just because they are poor.

単に貧しいからという理由で人を見下すのは間違っている。

## 17 25 make do with ~

～で間に合わせる、済ます

We will have to **make do with** a limited amount of staff until next year.

来年までは限られたスタッフでやりくりするしかない。

## 17 26 have A in common

共通の A を持つ

Those two people **have** a lot **in common** with each other.

あの二人には共通点がたくさんある。

## 17 27 after all

結局（は）

There was no reason to come to the event early **after all**.

結局のところ、早く会場に来る理由はなかった。

## 17 28 put out

① 〈火など〉を消す（≒ extinguish）
② ～を発表する、公開する
③ 〈ごみ・洗濯物など〉を外に出す（≒ take out）

The firefighters safely **put out** the fire.

消防士たちはその火事を無事に消し止めた。

## 17 29 settle down

① 〈人・気持ちなどが〉落ち着く
② 身を落ち着ける、身を固める

It took a few weeks for things to **settle down** after the news broke out.

そのニュースが突然流れてから事態が落ち着くまで数週間かかった。

## 17 30 from now on

今後は、今からは
► この on は「ずっと」というニュアンスの言葉。

**From now on**, ties will not be required in the workplace.

今後、職場でのネクタイ着用は義務ではなくなります。

## 17 31 go over ~

① ~を検討する、詳しく調べる
② ~を復習する、見直す

He **went over** the engine, looking for any problems.

彼は何か問題がないかエンジンを詳しく調べた。

## 17 32 bring in

① 〈客など〉を引き込む、呼び込む
② 〈収入・利益など〉をもたらす、稼ぐ

This promotion is **bringing in** a lot of new customers.

このプロモーションは多くの新規客を呼び込んでいる。

## 17 33 be responsible for ~

~に対して責任がある
► for の後ろに動詞がくる場合は *do*ing の形になる。

You **are responsible for** making sure your brother is safe.

あなたには弟の安全を確保する責任がある。

## 17 34 go into ~

① ~を（詳しく）調査する
② 〈職業など〉に就く

We will **go into** the details in a later phase of the experiment.

詳細については後半の実験で調べます。

## 17 35 in public

人前で、公然と（⇔in private）

You must always wear clothes when **in public**.

人前に出るときは必ず服を着なければならない。

## 17 36 and so on

~など

You can see fish, seals, **and so on** at the aquarium.

その水族館では魚やアザラシなどを見ることができる。

| 17 37 | **in search of ~** | ~を求めて、探して |
|---|---|---|
| | We are **in search of** a new senior analyst. | 当社では新しいシニアアナリストを募集しています。 |

| 17 38 | **what is called ~** | いわゆる~ |
|---|---|---|
| | She is **what is called** a bookworm. | 彼女はいわゆる本の虫だ。 |

| 17 39 | **be concerned with ~** | ① ~に関心がある、~を気にする<br>② ~と関わりがある |
|---|---|---|
| | Mr. Lowe **is concerned with** the satisfaction of his customers. | ロウ氏は顧客の満足を重視している。 |

| 17 40 | **watch out for ~** | ~に気をつける、~を警戒する<br>(≒look out for ~) |
|---|---|---|
| | **Watch out for** large waves when near the water. | 水辺にいるときは、大きな波に気をつけなさい。 |

| 17 41 | **go along with ~** | 〈人・計画・決定など〉に賛成する (≒agree) |
|---|---|---|
| | She decided to **go along with** her friend's plan to go shopping. | 彼女は、買い物に行くという友人の計画に付き合うことにした。 |

| 17 42 | **a bunch of ~** | 一束の~、一団の~ |
|---|---|---|
| | There are **a bunch of** birds in that tree over there. | あそこの木に鳥の群れがいる。 |

| 17 43 | **in the first place** | ① そもそも<br>② まず第一に (≒firstly, first of all) |
|---|---|---|
| | There was no reason for you to be angry **in the first place**. | そもそも、あなたが怒る理由はなかった。 |

| 17 44 | **be sick of ~** | ~にうんざりしている |
|---|---|---|
| | I'm **sick of** listening to her complain all the time. | 私は始終彼女の愚痴を聞かされるのにうんざりしている。 |

| 17 45 | **come about** | 〈事が〉生じる、発生する（≒happen） |
|---|---|---|
| | Our meeting just **came about** by chance. | 私たちの出会いはまったく偶然に起きた。 |

| 17 46 | **in exchange for ~** | ~と引き換えに<br>► in exchange（引き換えに）の形でも選択肢として出題されている。 |
|---|---|---|
| | Bob bought her lunch **in exchange for** her help with his report. | ボブはレポートを手伝ってもらうのと引き換えに彼女に昼ごはんをごちそうした。 |

| 17 47 | **by the time …** | …するときまでに、…するころには |
|---|---|---|
| | She had fallen asleep **by the time** the TV program was over. | そのテレビ番組が終わるころには、彼女は寝入っていた。 |

| 17 48 | **in general** | 一般的に（≒generally, usually） |
|---|---|---|
| | **In general**, housing prices are higher in urban areas. | 一般的に、住宅価格は都市部のほうが高い。 |

| 17 49 | **not _A_ but _B_** | AではなくB |
|---|---|---|
| | I work **not** to be rich **but** to support my family. | 私は金持ちになるためにではなく、家族を養うために働いている。 |

| 17 50 | **sit back** | ゆったり座る、くつろぐ |
|---|---|---|
| | He **sat back** and tried to fall asleep, but he was not tired. | 彼はゆったり腰を下ろして眠ろうとしたが、疲れていなかった。 |

　ここではいくつかの代表的な語根を取り上げ、それを構成要素とするさまざまな単語の具体例をご紹介します。♀で取り上げた易しい単語を手がかりに、語根のイメージをつかんでください。

- ■ bat / beat … 「打つ」
- ♀ 野球の bat (バット) は「打つためのもの」が原義。battery (電池) は「砲台」から派生した。
  - **beat** 〜を (何度も) 打つ
  - de**bate** (〜を) 議論する
  - **battle** 戦闘

- ■ bi … 「2」
- ♀ bicycle (自転車) は「cycle (車輪) が 2 つあるもの」→「2 輪車」から。
  - **bi**lingual 二言語話者
  - com**bine** 〜を組み合わせる、結合させる

- ■ cap(t) / cat / ceive / cept / cup … 「つかむ、受ける」
- ♀ 一番おなじみなのは catch (〜をつかまえる)。
  - **cap**acity 能力
  - oc**cup**y 〜を占める
  - re**ceive** 〜を受け取る
  - **cap**ture 〜を捕まえる、捕獲する
  - ac**cept** 〜を受け入れる

- ■ ceed / cess / cest … 「行く」
- ♀ access (接近、近づく方法) は、ac- (〜に)+cess (行く) からできた語。
  - pro**ceed** 前進する
  - ex**cess**ive 過度の、極端な
  - pro**cess** (一連の) 手順、工程
  - an**cest**or 祖先、先祖

- ■ cent … 「100」
- ♀ 貨幣の cent (セント) は「100 分の 1 ドル」。
  - **cent**imeter 1 センチ (= 100 分の 1 メートル)
  - **cent**ury 1 世紀、100 年
  - per**cent** パーセント、100 分の 1

- ■ circ / circum … 「円、輪」
- ♀ circle はずばり「円」。circus (サーカス) も同語源語。
  - **circ**uit 回路
  - **circum**stance 状況、環境
  - **circ**ulate 循環する

- ■ clud / clos … 「閉じる」
- ♀ 一番おなじみなのは close (〜を閉じる)。さまざまな接辞がついていろいろな意味を表す。
  - con**clud**e …だと結論を下す
  - ex**clud**e 〜を除外する
  - in**clud**e 〜を含む
  - en**clos**e 〜を同封する

# Part 3

## 会話表現

ここでは2級の筆記大問1やリスニング第1部で出題された会話表現を取り上げています。音声に合わせて繰り返し音読することで、スピーキング力アップにもつながります。

| | | |
|---|---|---|
| 17 51 | A: **Would you mind** putting away the dishes for me?<br>B: Not at all. | A: 食器を片づけてもらえますか。<br>B: いいですよ。 |

► この mind は「～を気にする、嫌がる」という意味なので、答え方に注意。

| | | |
|---|---|---|
| 17 52 | A: I don't feel like cooking.<br>B: **Why not** order some takeout? | A: 料理する気がしないな。<br>B: テイクアウトを注文すれば? |

| | | |
|---|---|---|
| 17 53 | You always pay for our lunch, so this time **it's on me**. | いつも昼食をごちそうしてもらっているから、今回は私のおごりね。 |

| | | |
|---|---|---|
| 17 54 | **Would you be kind enough to** pass me the salt? | 塩を取っていただけますか。 |

| | | |
|---|---|---|
| 17 55 | A: I'm getting a raise at work.<br>B: **You deserve it.** You're such a great employee. | A: 仕事で昇給するの。<br>B: 当然だよ。君は素晴らしい社員だもの。 |

► 直訳すれば「あなたはそれに値する」という意味。

| | | |
|---|---|---|
| 17 56 | **What became of** the people that lost their homes in the fire? | その火事で家を失った人たちはどうなったんだろう? |

| | | |
|---|---|---|
| 17 57 | **To the best of my knowledge,** we have to reserve tickets in advance. | 私の知る限りでは、チケットは事前に予約しなければならない。 |

**17 58**

A: Are you listening?
B: Yes, **I'm all ears.**

A: ねえ、聞いてる?
B: うん、真剣に聞いてるよ。

► 「興味がある」という意味にもなる。

**17 59**

If you have any problems, please **don't hesitate to** call me.

何か問題があったら、ご遠慮なくお電話ください。

**17 60**

A: I love Chinese food.
B: **So do I.**

A: 私は中華料理が大好きなんです。
B: 私もです。

► 副詞の so が文頭に出たため主語と動詞が倒置されている。
カジュアルに答えるときは Me too. と言う。

**17 61**

A: Why are you late?
B: **It's none of your business.**

A: なんで遅れたの?
B: 君には関係ないだろ。

**17 62**

A: Sorry, I'll be done in just a few more minutes.
B: No problem. **Take your time.**

A: すみません。あと数分で終わります。
B: 大丈夫ですよ。ゆっくりやってください。

**17 63**

**Would you mind my** liste**ning** to music while I work**?**

仕事をしながら音楽を聴いてもいいでしょうか。

► Do you mind if …? の形でも出題されている。

**17 64**

**How come** you aren't coming to the party tomorrow?

どうして明日のパーティーに来ないの?

► why よりも「理解できない」という気持ちが強い。

295

| 17 65 | Why don't you get an e-reader if you don't have space for physical books? | 紙の本を置く場所がないのなら、電子書籍リーダーを買ったらどう? |

| 17 66 | A: **What happened to** your face?! <br> B: I got in a car accident. | A: その顔、どうしたの?! <br> B: 自動車事故に遭っちゃったんだ。 |

| 17 67 | A: Do you think you could check the mail for me? <br> B: **No problem.** | A: 郵便物を確認してもらえますか。 <br> B: いいですよ。 |

| 17 68 | A: I really hope I get this job. <br> B: **I'm sure** you will. | A: 本当にこの仕事に就きたいな。 <br> B: 君ならきっと大丈夫だよ。 |

| 17 69 | A: The lights are all off. <br> B: **I guess** they're closed. | A: 電気が全部消えてる。 <br> B: 休みなんじゃないかな。 |

| 17 70 | A: **I was wondering if** I could borrow your car for a few hours tomorrow. <br> B: Yeah, of course. What do you need it for? | A: あした2、3時間車を拝借しても構わないでしょうか。 <br> B: もちろんです。何にお使いですか。 |

| 17 71 | A: **I wonder** how much it would cost to fix this old car. <br> B: A lot, probably. | A: この古い車を修理したらどのくらいかかるかな。 <br> B: たぶん、すごくかかるだろうね。 |

## 17 72

**Why don't we** go early to avoid the crowds?

混雑を避けたいから早めに行かない?

## 17 73

**I'd like** someone **to** volunteer to take out the garbage for the next few weeks.

これから数週間、誰かにゴミ出しを引き受けてほしいんだ。

## 17 74

**How about** going to the beach and hav**ing** a picnic?

ビーチに行ってピクニックするのはどう?

## 17 75

**I wish I could** climb to the top of Mount Everest.

エベレストの頂上に登れたらなあ。

## 17 76

A: **Can I ask you a favor?**
B: Sure. What do you need?

A: お願いがあるんだけど。
B: もちろん。何をすればいい?

## 17 77

A: **It's a shame** Claire's Crab House closed down.
B: I know, seriously. That was one of my favorite restaurants.

A: クレアズ・クラブハウスが閉店しちゃって残念だよ。
B: 本当にね。一番好きなレストランの一つだったのに。

► that 節が続くこともある。

## 17 78

A: Can it be fixed?
B: Honestly, **I have no idea.**

A: それ、直りますか。
B: 正直なところ、わかりません。

► 後ろに節や句が続くこともある。

297

| 17 79 | A: Do you have any window seats available?<br>B: **Let's see.** No, I'm sorry, we don't. | A: 窓側の席は空いていますか。<br>B ええと。いいえ、申し訳ありませんが、空きはございません。 |
|---|---|---|
| 17 80 | A: **Guess what?**<br>B: What? | A: ねえ、聞いてよ。<br>B: 何？ |
| 17 81 | **It doesn't matter** how late we are. | 私たちがどんなに遅れようと問題ではない。 |
| 17 82 | Thank you for helping with the kids. **I really appreciate it.** | 子どもたちを手伝ってくれてありがとう。本当に助かりました。 |
| 17 83 | A: Do you think you could help me move this weekend?<br>B: **I'd be happy to.** | A: 今週末、引っ越しを手伝ってもらえますか。<br>B: 喜んで。 |
| 17 84 | **What do you say to** getting matching manicures? | おそろいのマニキュアをするのはどう？ |

► to の後ろの動詞は原形にならないことに注意。

| 17 85 | **If it's not too much trouble**, could you watch the kids tomorrow afternoon? | ご迷惑でなければ、明日の午後子どもたちを見ていてもらえますか。 |

**17 86**
A: You stepped on my foot.
B: **My apologies.**

A: 私の足を踏みましたよ。
B: 申し訳ありません。

Track **143**

**17 87**
A: **How can I help you?**
B: I'd like to get a copy of my academic transcript, please.

► How may I help you? も同じ意味。Can I help you with something? も似たように使う。

A: どうなさいましたか。
B: 成績証明書を1通お願いしたいのですが。

**17 88**
A: Actually, we broke up a few weeks ago.
B: Oh, **I'm sorry to hear that.**

A: 実は僕たち、数週間前に別れたんだ。
B: あら、それは残念ね。

**17 89**
A: **What's the matter?**
B: Nothing. I'm just tired.

A: どうしたの？
B: 何でもないよ。ちょっと疲れただけ。

**17 90**
A: If you add some honey to your curry, it will be less spicy.
B: **I'll be sure to do that.**

A: カレーにはちみつを入れると少し辛さが和らぎますよ。
B: そうしてみます。

**17 91**
**Could you possibly** bring me another knife? I dropped this one.

もう1本ナイフを持ってきていただけないでしょうか。これを落としてしまったんです。

**17 92**
A: Hi Mom, it's me. I'm OK.
B: **Thank goodness.** I was so worried.

A: もしもし、お母さん。僕だよ。僕は大丈夫だよ。
B: よかった。とっても心配したのよ。

17►
92►

299

**17**
**93**

A: **What's wrong with** your computer?
B: The Internet's not working.

A: パソコン、どうしたの？
B: インターネットがつながらないんだ。

**17**
**94**

A: It will never work.
B: Probably. But **it wouldn't hurt to** try.

A: ぜったいうまくいかないよ。
B: たぶんね。でも試してみても損はないわ。

**17**
**95**

A: Hey, look at this funny video.
B: **Hold on a second.**

A: ねえ、この面白い動画を見てよ。
B: ちょっと待って。

► Hold on.（電話を切らずにお待ちください）という表現も覚えておこう。

**17**
**96**

A: The company had to buy over 100 new computers.
B: **I bet** that was expensive.

A: 会社は新しいコンピュータを100台以上買わなければならなかったんだ。
B: きっとお金がかかったでしょうね。

**17**
**97**

A: Stop laughing.
B: **I can't help it.** I'm sorry.

A: 笑うのをやめなさい。
B: どうしようもないんです。すみません。

**17**
**98**

A: Please let me know if there's anything else I can do to help you find this criminal.
B: We will. **Thank you for your cooperation.**

A: 犯人捜しでほかにお手伝いできることがあればご連絡ください。
B: そうします。ご協力ありがとうございます。

**17**
**99**

**To tell you the truth**, I actually hate tomatoes.

実を言うと、トマトが大嫌いなんだ。

| | | |
|---|---|---|
| 18 00 | **I'd appreciate it if** you could bring some food or drinks to the party. | パーティーに何か食べ物か飲み物をお持ちいただけると助かります。 |
| 18 01 | A: **Can I have your name, please?**<br>B: Sure. It's Tina Walsh. | A: お名前をうかがってもよろしいですか。<br>B: ええ、ティナ・ウォルシュです。 |
| 18 02 | A: **How much do I owe you?**<br>B: Your total is $15.75. | A: おいくらですか。<br>B: 全部で 15.75 ドルになります。 |
| 18 03 | **Long time no see.** How have you been? | お久しぶりです。お元気でしたか？ |
| 18 04 | A: To get the average, add the numbers, then divide them.<br>B: **I don't get it.** | A: 平均を求めるには、数を足してからその合計を割ります。<br>B: よくわかりません。 |
| 18 05 | A: I shovel my next-door neighbor's snow.<br>B: **That's nice of you.** | A: 隣の家の雪かきをしてあげているんだ。<br>B: それは親切だね。 |

► That's kind of you. も似た意味。

| | | |
|---|---|---|
| 18 06 | A: So now we need to get a new venue for the event.<br>B: **What a mess.** | A: ということで、そのイベント用に新しい会場を用意しないといけなくなったよ。<br>B: 参ったね。 |

| 18 07 | A: **I have something to tell you.**<br>B: What is it? | A: 話があるのですが。<br>B: 何でしょう? |
|---|---|---|

► I've got something to tell you. とも言う。

| 18 08 | We have a medium, but only in blue. **Would that be OK?** | M サイズはございますが、青のみとなります。それでよろしいですか。 |
|---|---|---|

| 18 09 | A: Did you hear that Mark yelled at the boss?<br>B: **No way.** | A: マークが上司をどなりつけたって聞いた?<br>B: まさか。 |
|---|---|---|

| 18 10 | **I'm pleased to** announce that we hit all of our sales targets this year. | 今年の売上目標をすべて達成したことを発表できることをうれしく思います。 |
|---|---|---|

| 18 11 | A: I can copy these for you, if you'd like.<br>B: **That would be a big help.** | A: よろしければこれをコピーしてさしあげますが。<br>B: そうしてもらえるととても助かります。 |
|---|---|---|

| 18 12 | A: Who am I talking to?<br>B: **This is Amber speaking.** | A: どちらさまでしょうか。<br>B: アンバーです。 |
|---|---|---|

► 単に A speaking. とも言う。(May I ask) who's calling? (どちらさまですか)、This is A calling. (A がお電話を差し上げています) という表現も覚えておこう。

| 18 13 | You look upset. **What's on your mind?** | 浮かない顔をしているね。何か心配事があるの? |
|---|---|---|

| | |
|---|---|
| **18 14** It's supposed to rain this weekend. You **may want to** consider changing your plans. | 今週末は雨が降ることになってる。計画を変更することを考えたほうがいいかもしれないよ。 |

| | |
|---|---|
| **18 15** A: Hey, Clint. **What's up?** <br> B: Nothing much. You? | A: あら、クリント。近ごろどう？ <br> B: 相変わらずだよ。君は？ |

| | |
|---|---|
| **18 16** A: Thank you for taking the time to meet with me. <br> B: **It was my pleasure.** | A: 私のためにお時間を割いていただき、ありがとうございました。 <br> B: こちらこそ。 |

► 直訳すれば「それは私の喜びでした」という意味。

| | |
|---|---|
| **18 17** A: Can I bring a friend to the party? <br> B: **By all means.** Bring two friends, even! | A: パーティーに友だちを連れて行ってもいい？ <br> B: ぜひ。2人連れてきてもいいよ！ |

| | |
|---|---|
| **18 18** A: My first translation was published last week! <br> B: **Good for you!** | A: 先週、初めての翻訳書が出版されたんだ！ <br> B: よかったね！ |

| | |
|---|---|
| **18 19** A: I'm busy at work. I won't be able to make it. <br> B: **That's no good.** Everyone wants to see you! | A: 仕事が忙しいんだ。都合がつかないよ。 <br> B: それはだめよ。みんなあなたに会いたがっているのよ！ |

| | |
|---|---|
| **18 20** A: Are you going to visit Tokyo this summer? <br> B: **It depends.** I will if I save enough money. | A: 今年の夏は東京に行くの？ <br> B: 状況次第だね。十分お金がたまったらそうするよ。 |

　ここでもいくつかの代表的な語根を取り上げ、それを構成要素とするさまざまな単語の具体例をご紹介します。♀で取り上げた易しい単語を手がかりに、語根のイメージをつかんでください。

- **fact / fect / fic** … 「行う、作る」

♀ fact（事実）は「行われたこと」が原義。

| | |
|---|---|
| arti**fic**ial 人工的な | **fact**ory 工場 |
| e**ffect** 結果、影響 | manu**fact**ure ～を製造する |
| per**fect** 完ぺきな | |

- **flu / flow / flood** … 「流れる」

♀ influence（影響）は「中に流れ込むもの」が原義。

| | |
|---|---|
| **flow** 流れる | **flu**id 流体 |
| **flu**ent （言葉が）流ちょうな | **flood** 洪水 |

- **fin** … 「終わる、限界」

♀ 映画の最後に出てくる fin は「終わり」という意味のフランス語。finish（～を終える）も同語源語。

| | |
|---|---|
| **fin**al 最後の | de**fin**e ～を定義する |
| in**fin**ite 無限の、無数の | de**fin**itely 確かに、間違いなく |

- **gn(o)(r) / know** … 「知る」

♀ 一番おなじみなのは know（知る）。音は違うが gno も同じ語根。

| | |
|---|---|
| **know**ledge 知識 | ac**know**ledge ～を認める |
| i**gno**re ～を無視する | reco**gn**ize ～を見分ける、識別する |

- **man(u) / main** … 「手」

♀ manual（手引書、マニュアル）は「手の、手を使う」が原義。

| | |
|---|---|
| **main**tain ～を維持する | **man**age 〈組織・事業など〉を経営する |
| **man**ufacture ～を製造する | **man**ner 方法、やり方 |

- **mob/ mot / mov** … 「動く」

♀ 一番おなじみなのは move（動く、引っ越しをする）。

| | |
|---|---|
| auto**mob**ile 自動車 | e**mot**ion 感情、気持ち |
| **mot**ive 動機 | **mov**ement 動き |

- **pend / pens** … 「掛ける、ぶら下がる」

♀ pendant（ペンダント）とは、「ぶら下がるもの」。

| | |
|---|---|
| **pend**ing 保留の、懸案の | de**pend** 頼る、依存する |
| inde**pend**ent 独立した | sus**pend** ～を一時停止する、中止する |

# Part 4

## テクニカルターム

パッセージを読んだり聞いたりするときに役立つテクニカルタームをまとめました。

意味を正確に覚えるのが理想ですが、「これは動植物の名前だった」といった記憶だけでもパッセージを読んだり聞いたりするときに大きな助けになります。試験前に何度か目を通しましょう。実際に発音してみると記憶に残りやすくなります。

| | | |
|---|---|---|
| 18 21 | **mammal** [mǽml] | 名 哺乳動物 |
| 18 22 | **horn** [hɔ́ːrn] | 名 角 |
| 18 23 | **kitten** [kítn] | 名 子ネコ |
| 18 24 | **polar bear** [póʊlər bèər] | 名 ホッキョクグマ |
| 18 25 | **bat** [bǽt] | 名 コウモリ |
| 18 26 | **lizard** [lízərd] | 名 トカゲ |
| 18 27 | **insect** [ínsekt] | 名 昆虫 |
| 18 28 | **mosquito** [məskíːtoʊ] | 名 蚊 |
| 18 29 | **spider** [spáɪdər] | 名 クモ |
| 18 30 | **worm** [wɚ́ːrm] | 名 (ミミズなどの) 虫 |
| 18 31 | **shark** [ʃɑ́ːrk] | 名 サメ |
| 18 32 | **turtle** [tɚ́ːrtl] | 名 ウミガメ |
| 18 33 | **eel** [íːl] | 名 ウナギ |
| 18 34 | **oyster** [ɔ́ɪstər] ⚠ アクセント注意。 | 名 カキ |
| 18 35 | **whale** [wéɪl] | 名 クジラ |
| 18 36 | **shellfish** [ʃélfɪʃ] | 名 貝、甲殻類 |
| 18 37 | **cactus** [kǽktəs] | 名 サボテン |
| 18 38 | **seed** [síːd] | 名 種 |
| 18 39 | **herb** [ɚ́ːrb] | 名 薬草、ハーブ |
| 18 40 | **bacteria** [bæktíəriə] ⚠ 発音・アクセント注意。 | 名 バクテリア、細菌 |

| | | |
|---|---|---|
| 18 41 | **organ** [ɔ́ːrgən] | 名 器官、臓器 |
| 18 42 | **lung** [lʌ́ŋ] | 名 肺 |
| 18 43 | **muscle** [mʌ́sl] | 名 筋肉 |
| 18 44 | **brain** [bréɪn] | 名 脳 |
| 18 45 | **bone** [bóʊn] | 名 骨 |
| 18 46 | **skeleton** [skélətən] | 名 骨格、骸骨 |
| 18 47 | **wrist** [ríst] | 名 手首 |
| 18 48 | **knee** [níː] | 名 ひざ ► 「ひじ」は elbow。 |
| 18 49 | **fingerprint** [fíŋgərprìnt] | 名 指紋 |
| 18 50 | **blood pressure** [blʌ́d prèʃər] | 名 血圧 |
| 18 51 | **patient** [péɪʃənt] | 名 患者 ► 「忍耐強い」という形容詞の意味もある。 |
| 18 52 | **vitamin** [váɪtəmɪn] ⚠ 発音注意。 | 名 ビタミン |
| 18 53 | **eyesight** [áɪsàɪt] | 名 視力 |
| 18 54 | **gene** [dʒíːn] | 名 遺伝子 |
| 18 55 | **protein** [próʊtiːn] ⚠ 発音注意。 | 名 タンパク質 |
| 18 56 | **stomachache** [stʌ́məkèɪk] | 名 腹痛 |
| 18 57 | **food poisoning** [fúːd pɔ̀ɪznɪŋ] | 名 食中毒 |
| 18 58 | **fever** [fíːvər] | 名 熱 |
| 18 59 | **heart attack** [hɑ́ːrt ətæ̀k] | 名 心臓発作 |
| 18 60 | **cancer** [kǽnsər] | 名 がん |

18 ▶ 60

| | | | |
|---|---|---|---|
| 18 61 | **immune system** [ɪmjúːn sìstəm] | 名 免疫系 | |
| 18 62 | **virus** [váɪrəs] ⚠ vi の発音に注意。 | 名 ウイルス ▸ 「細菌」は germ、bacteria と言う。 | |
| 18 63 | **operation** [ɑ̀ːpəréɪʃən] | 名 手術 | |
| 18 64 | **wheelchair** [wíːltʃèər] | 名 車いす | |
| 18 65 | **medicine** [médəsn] | 名 薬 | |
| 18 66 | **side effect** [sáɪd ɪfèkt] | 名 副作用 | |
| 18 67 | **allergy** [ǽlərdʒi] ⚠ 発音注意。 | 名 アレルギー | |
| 18 68 | **shot** [ʃáːt] | 名 注射、ワクチン接種 | |
| 18 69 | **checkup** [tʃékʌ̀p] | 名 健康診断 ▸ リスニングでよく登場する。 | |
| 18 70 | **veterinarian** [vètərənéəriən] | 名 獣医 ▸ 略語 vet。 | |

自然・環境

| | | | |
|---|---|---|---|
| 18 71 | **volcano** [vɑːlkéɪnoʊ] | 名 火山 | |
| 18 72 | **desert** [dézərt] | 名 砂漠 ▸ dessert（デザート）と混同しないように注意。 | |
| 18 73 | **island** [áɪlənd] | 名 島 | |
| 18 74 | **ocean floor** [òʊʃən flɔ́ːr] | 名 海底 | |
| 18 75 | **earthquake** [ə́ːrθkwèɪk] | 名 地震 | |
| 18 76 | **tornado** [tɔːrnéɪdoʊ] | 名 竜巻 | |
| 18 77 | **thunderstorm** [θʌ́ndərstɔ̀ːrm] | 名 激しい雷雨 | |
| 18 78 | **flood** [flʌ́d] | 名 動 洪水；~を氾濫させる | |
| 18 79 | **global warming** [glóʊbl wɔ́ːrmɪŋ] | 名 地球温暖化 | |
| 18 80 | **greenhouse gas** [gríːnhaʊs gǽs] | 名 温室効果ガス | |

| | | | |
|---|---|---|---|
| 18 81 | **fossil fuel** [fάːsl fjùːəl] | 名 | 化石燃料 |
| 18 82 | **carbon dioxide** [káːrbən daɪάːksaɪd] | 名 | 二酸化炭素 |
| 18 83 | **power plant** [páʊər plænt] | 名 | 発電所 |
| 18 84 | **biofuel** [báɪoʊfjùːəl] | 名 | バイオ燃料 |
| 18 85 | **ecosystem** [ékoʊsìstəm] | 名 | 生態系 |
| 18 86 | **wildlife** [wáɪldlàɪf] | 名 | 野生生物 [動物] |
| 18 87 | **tropical rain forest** [trάːpɪkl réɪn fɔ̀ːrəst] | 名 | 熱帯雨林 |
| 18 88 | **landfill** [lǽndfìl] | 名 | 埋め立て地 |
| 18 89 | **plastic bag** [plǽstɪk bæg] | 名 | ビニール袋、レジ袋 |
| 18 90 | **pollution** [pəlúːʃən] | 名 | 汚染 |
| 18 91 | **recycling bin** [riːsáɪklɪŋ bìn] | 名 | リサイクル用回収箱 |
| 18 92 | **acid rain** [ǽsɪd réɪn] | 名 | 酸性雨 |
| 18 93 | **ultraviolet ray** [ʌ̀ltrəvάɪələt réɪ] | 名 | 紫外線 |
| 18 94 | **gravity** [grǽvəti] | 名 | 重力 |
| 18 95 | **radio wave** [réɪdioʊ wèɪv] | 名 | 電波 |
| 18 96 | **planet** [plǽnət] | 名 | 惑星 |
| 18 97 | **asteroid** [ǽstərɔ̀ɪd] ▲ アクセント注意。 | 名 | 小惑星 |
| 18 98 | **spacecraft** [spéɪskræft] | 名 | 宇宙船 |
| 18 99 | **astronaut** [ǽstrənɔ̀ːt] | 名 | 宇宙飛行士 |
| 19 00 | **telescope** [téləskòʊp] | 名 | 望遠鏡 |

天文

農業

| 19 01 | agriculture [ǽgrɪkʌ̀ltʃər] | 名 農業 形 agricultural 農業の |
| 19 02 | grain [gréɪn] | 名 穀物、穀類 |
| 19 03 | wheat [wíːt] | 名 小麦 |
| 19 04 | weed [wíːd] | 名 雑草 |
| 19 05 | fertilizer [fɚːrtəlàɪzər] | 名 (化学) 肥料　形 fertile 肥沃な 動 fertilize ～を肥沃にする　名 fertility 肥沃 |

物理・化学

| 19 06 | oxygen [áːksɪʤən] | 名 酸素 |
| 19 07 | nitrogen [náɪtrəʤən] | 名 窒素 |
| 19 08 | copper [káːpər] | 名 銅 |
| 19 09 | aluminum [əlúːmənəm] ⚠ アクセント注意。 | 名 アルミ |
| 19 10 | steel [stíːl] | 名 鋼鉄、はがね |
| 19 11 | molecular [məlékjələr] | 形 分子の |

IT・機器

| 19 12 | laptop [lǽptàːp] | 名 ノートパソコン |
| 19 13 | circuit [sɚːrkət] | 名 回路 |
| 19 14 | battery [bǽtəri] | 名 電池 |

都市

| 19 15 | skyscraper [skáɪskrèɪpər] | 名 超高層ビル |
| 19 16 | gallery [gǽləri] | 名 美術館、画廊 |
| 19 17 | clinic [klínɪk] | 名 診療所 |
| 19 18 | retirement home [rɪtáɪərmənt hòʊm] | 名 老人ホーム |
| 19 19 | sidewalk [sáɪdwɔ̀ːk] | 名 歩道 |
| 19 20 | kindergarten [kíndərgàːrtn] | 名 幼稚園 |

| | | |
|---|---|---|
| 19<br>21 | **hallway**<br>[hɔ́ːlwèɪ] | 名 廊下 |
| 19<br>22 | **vending machine**<br>[véndɪŋ məʃìːn] | 名 自動販売機 |
| 19<br>23 | **freeway**<br>[fríːwèɪ] | 名 高速道路 |
| 19<br>24 | **passenger**<br>[pǽsəndʒər] | 名 乗客 |
| 19<br>25 | **traffic jam**<br>[trǽfɪk dʒæm] | 名 交通渋滞 |
| 19<br>26 | **furniture**<br>[fə́ːrnɪtʃər] | 名 家具（類） |
| 19<br>27 | **basement**<br>[béɪsmənt] | 名 地下 |
| 19<br>28 | **blanket**<br>[blǽŋkət] | 名 毛布 |
| 19<br>29 | **backyard**<br>[bǽkjáːrd] | 名 裏庭 |
| 19<br>30 | **restroom**<br>[réstrùːm] | 名 化粧室、トイレ |
| 19<br>31 | **vacuum cleaner**<br>[vǽkjuːm klìːnər] | 名 掃除機 |
| 19<br>32 | **refrigerator**<br>[rɪfrídʒərèɪtər] | 名 冷蔵庫 |
| 19<br>33 | **air conditioner**<br>[éər kəndìʃənər] | 名 エアコン |
| 19<br>34 | **garage**<br>[ɡərάːʒ] ⚠ 発音・アクセント注意。 | 名 ガレージ、車庫 |
| 19<br>35 | **antique**<br>[æntíːk] | 名 骨董品 |
| 19<br>36 | **chopsticks**<br>[tʃάːpstìks] | 名 はし |
| 19<br>37 | **trash can**<br>[trǽʃ kæn] | 名 ゴミ箱 |
| 19<br>38 | **sewing machine**<br>[sóʊɪŋ məʃìːn] ⚠ 発音注意。 | 名 ミシン |
| 19<br>39 | **microwave oven**<br>[máɪkrəweɪv ʌ̀vn] ⚠ 発音注意。 | 名 電子レンジ |
| 19<br>40 | **ceiling**<br>[síːlɪŋ] | 名 天井 |

内装・家具

衣類・持ち物

| | | |
|---|---|---|
| 19 41 | **fur** [fə́:r] | 名 毛皮 |
| 19 42 | **fabric** [fǽbrɪk] | 名 布地、織物 (≒cloth, textile) |
| 19 43 | **perfume** [pə́:rfju:m] | 名 香水 |
| 19 44 | **jewelry** [ʤú:əlri] | 名 宝石類、装身具 |

政治・外交・司法

| | | |
|---|---|---|
| 19 45 | **government** [gʌ́vərnmənt] | 名 政府 |
| 19 46 | **prime minister** [práɪm mínɪstər] | 名 首相 |
| 19 47 | **civil war** [sívl wɔ́:r] | 名 内戦 |
| 19 48 | **soldier** [sóʊlʤər] | 名 軍人、兵士 |
| 19 49 | **submarine** [sʌ́bmərì:n] | 名 潜水艦<br>▶ sub-(〜の下) + marine (海) でできた語。 |
| 19 50 | **slum** [slʌ́m] | 名 スラム街 |
| 19 51 | **criminal** [krímənl] | 名 犯人、犯罪者 |
| 19 52 | **lawyer** [lɔ́ɪər] | 名 弁護士 |
| 19 53 | **prison** [prízn] | 名 刑務所 |
| 19 54 | **thief** [θí:f] | 名 泥棒 |
| 19 55 | **robber** [rá:bər] | 名 強盗 |
| 19 56 | **courthouse** [kɔ́:rthàʊs] | 名 裁判所 |

ビジネス

| | | |
|---|---|---|
| 19 57 | **capitalist** [kǽpətəlɪst] | 名 資本家、資産家 |
| 19 58 | **coworker** [kóʊwə̀:rkər] | 名 同僚 (≒colleague) |
| 19 59 | **secretary** [sékrətèri] | 名 秘書 |
| 19 60 | **workshop** [wɔ́:rkʃɑ̀(:)p] | 名 研修会 |

| | | |
|---|---|---|
| **19 61** ☐☐ | **farewell party**<br>[féərwel pὰːrti] | 名 送別会 |
| **19 62** ☐☐ | **deadline**<br>[dédlὰin] | 名 締め切り |
| **19 63** ☐☐ | **pamphlet**<br>[pǽmflət] | 名 パンフレット、小冊子<br>(≒booklet, leaflet, brochure) |
| **19 64** ☐☐ | **envelope**<br>[énvəlòup] | 名 封筒 |
| **19 65** ☐☐ | **glue**<br>[glúː] | 名 接着剤、のり |
| **19 66** ☐☐ | **salary**<br>[sǽləri] | 名 給料 |
| **19 67** ☐☐ | **pay raise**<br>[péɪ rèɪz] | 名 昇給 |
| **19 68** ☐☐ | **bank transfer**<br>[bǽŋk trænsfəːr] | 名 銀行振込 |
| **19 69** ☐☐ | **personnel department**<br>[pɔ̀ːrsənél dɪpὰːrtmənt] | 名 人事部 |
| **19 70** ☐☐ | **human resources**<br>[hjúːmən ríːsɔ̀ːrsɪz] | 名 人材 |
| **19 71** ☐☐ | **commuter**<br>[kəmjúːtər] | 名 通勤者 |
| **19 72** ☐☐ | **warehouse**<br>[wéərhὰus] | 名 倉庫 (≒storehouse, depot) |
| **19 73** ☐☐ | **sightseeing**<br>[sáɪtsìːɪŋ] | 名 観光 |
| **19 74** ☐☐ | **flight attendant**<br>[fláɪt ətèndənt] | 名 客室乗務員 |
| **19 75** ☐☐ | **jet lag**<br>[ʤét læɡ] | 名 時差ぼけ |
| **19 76** ☐☐ | **cruise**<br>[krúːz] | 名 船旅、クルージング |
| **19 77** ☐☐ | **luggage**<br>[lʌ́ɡɪʤ] | 名 手荷物 (≒baggage) |
| **19 78** ☐☐ | **housekeeper**<br>[háuskìːpər] | 名 客室係、清掃係 |
| **19 79** ☐☐ | **fireworks**<br>[fáɪərwɔ̀ːrks] | 名 花火、花火大会 |
| **19 80** ☐☐ | **theme park**<br>[θíːm pὰːrk] | 名 テーマパーク |

旅行・娯楽

19 ▶
80

| | | |
|---|---|---|
| **1981** aquarium<br>[əkwéəriəm] | 名 水族館 | |
| **1982** roller-coaster<br>[róulərkòustər] | 名 ジェットコースター | |

文化・スポーツ

| | | |
|---|---|---|
| **1983** sculpture<br>[skʌ́lptʃər] | 名 彫刻 | |
| **1984** statue<br>[stǽtʃuː] | 名 像 | |
| **1985** orchestra<br>[ɔ́ːrkəstrə] ⚠ アクセント注意。 | 名 オーケストラ | |
| **1986** literature<br>[lítərətʃər] | 名 文学 | |
| **1987** poetry<br>[póuətri] | 名 (文学の分野としての) 詩<br>▸「(一編の) 詩」は poem と言う。 | |
| **1988** romantic comedy<br>[roumǽntɪk kάːmədi] | 名 ラブコメディー<br>▸ romantic は「恋愛の」。 | |
| **1989** biography<br>[baɪάːɡrəfi] | 名 伝記<br>▸「自伝」は autobiography。 | |
| **1990** documentary<br>[dὰːkjəméntəri] | 名 記録映画、ドキュメンタリー<br>関 document 文書、書類 | |
| **1991** championship<br>[tʃǽmpiənʃìp] | 名 選手権 | |
| **1992** athlete<br>[ǽθliːt] ⚠ アクセント注意。 | 名 運動選手 | |

歴史

| | | |
|---|---|---|
| **1993** dinosaur<br>[dáɪnəsɔ̀ːr] | 名 恐竜 | |
| **1994** human being<br>[hjúːmən bíːɪŋ] | 名 人間、人類 | |
| **1995** cave<br>[kéɪv] | 名 洞窟 | |
| **1996** emperor<br>[émpərər] | 名 皇帝 | |
| **1997** monument<br>[mάːnjəmənt] | 名 (記念) 碑 | |

学問・学校

| | | |
|---|---|---|
| **1998** physics<br>[fízɪks] | 名 物理学 | |
| **1999** chemistry<br>[kéməstri] | 名 化学 | |
| **2000** engineering<br>[èndʒəníərɪŋ] | 名 工学 | |

| | | | |
|---|---|---|---|
| 20 01 | **biology** [baɪɑ́:ləʤi] | 名 生物学 | |
| 20 02 | **psychology** [saɪkɑ́:ləʤi] | 名 心理学 | |
| 20 03 | **graduate school** [grǽʤuət skù:l] | 名 大学院 | |
| 20 04 | **principal** [prínsəpl] | 名 校長 | |
| 20 05 | **tutor** [t(j)ú:tər] | 名 (大学の) 準講師 | |
| 20 06 | **laboratory** [lǽbərətɔ̀:ri] | 名 実験室 | |
| 20 07 | **thermometer** [θərmɑ́:mətər] ▲ アクセント注意。 | 名 温度計 | |
| 20 08 | **microscope** [máɪkrəskòup] | 名 顕微鏡 | |
| 20 09 | **expert** [ékspəːrt] | 名 専門家 | |
| 20 10 | **scholar** [skɑ́:lər] | 名 学者 | |
| 20 11 | **mechanic** [məkǽnɪk] | 名 機械工 | |
| 20 12 | **guard** [gɑ́:rd] | 名 警備員 | |
| 20 13 | **author** [ɔ́:θər] | 名 著者 | |
| 20 14 | **firefighter** [fáɪərfàɪtər] | 名 消防士 | |
| 20 15 | **clerk** [klɔ́:rk] | 名 店員 | |
| 20 16 | **detective** [dɪtéktɪv] | 名 刑事；探偵 | |
| 20 17 | **companion** [kəmpǽnjən] | 名 仲間、連れ | |
| 20 18 | **vegetarian** [vèʤətéəriən] | 名 菜食主義者 | |
| 20 19 | **bride** [bráɪd] | 名 花嫁 | |
| 20 20 | **millionaire** [mìljənéər] | 名 百万長者 | |

人・職業

20 ▶
20

　ここでもいくつかの代表的な語根を取り上げ、それを構成要素とするさまざまな単語の具体例をご紹介します。♀で取り上げた易しい単語を手がかりに、語根のイメージをつかんでください。

■ **pon / pos** … 「置く」

♀ position（立場、職）は「置かれた位置」が原義。

compose ～を創作する、作曲する　　　　oppose ～に反対する
expose ～をさらす　　　　　　　　　　propose〈計画など〉を提案する
postpone ～を延期する

■ **port** … 「運ぶ」

♀ 「持ち運びできる」ものを portable と言う。

import ～を輸入する　　　　　　　　　export ～を輸出する
support ～を支持する　　　　　　　　　transporte（～を）輸送する、運ぶ

■ **spect** … 「見る」

♀ expect（～を期待する）は「（何かを期待して）外を見る」が原義。

aspect 側面、面　　　　　　　　　　　inspect ～を詳しく調べる、検査する
prospect 見通し、展望　　　　　　　　respect ～を尊敬する、尊重する
suspect …ではないかと思う

■ **spir / pir** … 「息をする」

♀ spirit（精神、霊魂）とは、「呼吸をするもの」。

inspire〈人〉を奮い立たせる　　　　　　expire 有効期限が切れる
conspire 共謀する、企む　　　　　　　aspire 目指す、熱望する

■ **tend / tens / tent** … 「伸ばす、張る」

♀ tent（テント）は「張られたもの」。ぴんと張りつめたものをイメージすると覚えやすい。

tension 緊張（状態）　　　　　　　　　attention 注意、注目
extend〈期間が〉延びる；〈期間〉を延ばす　intense〈感情・運動などが〉激しい
extensive 広範囲の、多方面にわたる

■ **vis / vid / view** … 「見る」

♀ カタカナ語にもなっている visual（視覚の）で覚えておこう。visit（～を訪れる）ももともとは「見に行く」という意味で同語源語。view（見方）も同語源語。

visible 目に見える　　　　　　　　　　revise ～を修正する、改訂する
evidence 証拠　　　　　　　　　　　　provide ～を提供する、供給する
review ～を再検討する、見直す

この索引には、本書で取り上げた約 3,400 の単語と熟語、会話表現が
アルファベット順に掲載されています。数字はページ番号を示していま
す。薄い数字は、語句が類義語や反意語、派生関係の語などとして収
録されていることを表しています。

## 単語

**325**

[編者紹介]

# ロゴポート

語学書を中心に企画・制作を行っている編集者ネットワーク。編集者、翻訳者、ネイティブスピーカーなどから成る。おもな編著に『英語を英語で理解する 英英英単語® 初級編／中級編／上級編／超上級編』、『英語を英語で理解する 英英英単語® TOEIC® L&R テスト スコア 800／990』、『中学英語で読んでみる イラスト英英英単語®』、『英語を英語で理解する 英英英熟語 初級編／中級編』、『出る順で最短合格！ 英検®1級／準1級単熟語 EX［第2版］』『最短合格！ 英検®1級／準1級 英作文問題完全制覇』、『最短合格！ 英検®2級 英作文＆面接 完全制覇』、『出る順で最短合格！ 英検®1級／準1級 語彙問題完全制覇［改訂版］』（ジャパンタイムズ出版）、『TOEFL® テスト 英語の基本』（アスク出版）、『だれでも正しい音が出せる 英語発音記号「超」入門』（テイエス企画）、『分野別 IELTS 英単語』（オープンゲート）などがある。

カバー・本文デザイン／ DTP 組版：清水裕久 (Pesco Paint)
ナレーション：Peter von Gomm（米）／ Rachel Walzer（米）／田中舞依
録音・編集：ELEC 録音スタジオ

本書のご感想をお寄せください。
https://jtpublishing.co.jp/contact/comment/

出る順で最短合格！
# 英検®2級単熟語 EX［第2版］

2023 年 10 月 5 日　初版発行
2024 年 5 月 20 日　第 2 刷発行

編　者　ジャパンタイムズ出版 英語出版編集部 ＆ロゴポート
　　　　©The Japan Times Publishing, Ltd. & Logoport, 2023
発行者　伊藤秀樹
発行所　株式会社 ジャパンタイムズ出版
　　　　〒102-0082 東京都千代田区一番町 2-2 一番町第二 TG ビル 2F
　　　　ウェブサイト　https://jtpublishing.co.jp/
印刷所　日経印刷株式会社